JN335387

How to build GARAGE KIT VOL.01
フィギュアの教科書
原型入門編

MODEL KINGDOM
模型の王国 著

INDEX 目次

原型・複製・（組み立て+）塗装

一般的に「フィギュアを作る」というときには、おおざっぱに分けて

1.何も無いところからパテなどで原型を作る
2.原型をシリコンゴムで型取り、樹脂（レジンキャスト）で複製をとる
3.複製されたパーツを組み立て塗装し完成品にする

の3つの工程に分けられます。個人が趣味で1、2、3の全部をやることもありますし、市販の組み立てキットを買ってきて、3だけをおこなう、というプラモデルと同じ楽しみ方もあります。またそれぞれを“おこなう人”の呼び方で言うと、1の原型を作るのが「原型師《げんけいし》」、3の塗装して完成品にする人を「フィニッシャー」と呼び、それぞれに職業としている人（プロ原型師）もいれば趣味で作っている人（アマチュア原型師）もいます。つまり原型師という言葉はやっている工程を指す言葉で、プロかどうかは関係ありません。ちなみに2の複製については個人を指す言い方はありませんが、それを専門で請け負ってくれる業者（同人誌の印刷屋さんのような関係ですね）がいて「複製業者」あるいは「抜き屋さん」と呼ばれています。

今回本書では、主に1の原型工程を扱っています。2の複製、3の塗装については、今回の例題フィギュアの工程についてダイジェスト的な掲載に留めました。突っ込んだノウハウについては私の著書『フィギュアの達人 上級編』をはじめ、他のHow to本に譲ることにして、その分、原型工程をこってり掲載することを優先しました。

COLUMN コラム

はじめに

「フィギュアの原型を作ってみたい!」この本を見つけるまでの紆余曲折はいろいろあったとは思いますが（下図のイメージ）、この本を手にしたということは、大なり小なりこの思いを持っていると思います。本書はそんなあなたのために書かれた原型作りの入門書、想定している対象者は、基本的にはまったくはじめての人。一般的なフィギュアの組み立てキット（ガレージキット、レジンキット）はもちろん、ガンプラなどのプラモデルも作ったことが無いという方から、すんなり読める! を目標に入口を広く設定しました。本の内容は、

1.素材、工具の紹介（6ページ）

2.簡単な練習用原型を作る（10ページ）

3.フィギュア原型を作る（102ページ）

4.ゴム型複製とフィギュア塗装をダイジェストで（18ページ）

の4部構成。ページ数でもおわかりのようにフィギュア原型の製作過程にたっぷりボリュームをとりました。ページの中身は工作の過程、途中写真を中心に構成。見開きごとに小さい単元（チャプター）にわけて、チャプターごとに解説（本文）を入れています。写真にもたっぷりのキャプション（解説）を添えたので、文字の量は膨大になりました。その結果、ストレートな初心者向けというには知恵熱が出るほどの情報量。すでにフィギュアを作っている人や、先行する他のHow to本をたくさん持っている方にも読み応えのある重量級な本になっています。

そこでというわけではありませんが、各写真とその下に大きめに挙げた写真タイトルだけを流し読みしても、進行がつかめるよう工夫しました。初心者の方はキャプションまで逐一読む、というよりは、まずはざっと流して最後まで見て、実際に自分が作りはじめたら、その進み方に合わせて、ちまちまと写真の下の細かい解説を見ていくことをおすすめします。造形の細かいニュアンスは基本的には文章で表すのが難しいのですが、自分が今まさに作っている瞬間なら「ああ! コレのことか!」と、ギリギリわかる表現に挑戦しているので、「本の出来」「著者の文章力」を値踏みするつもりで、ぜひ作りながら読んでみてください。

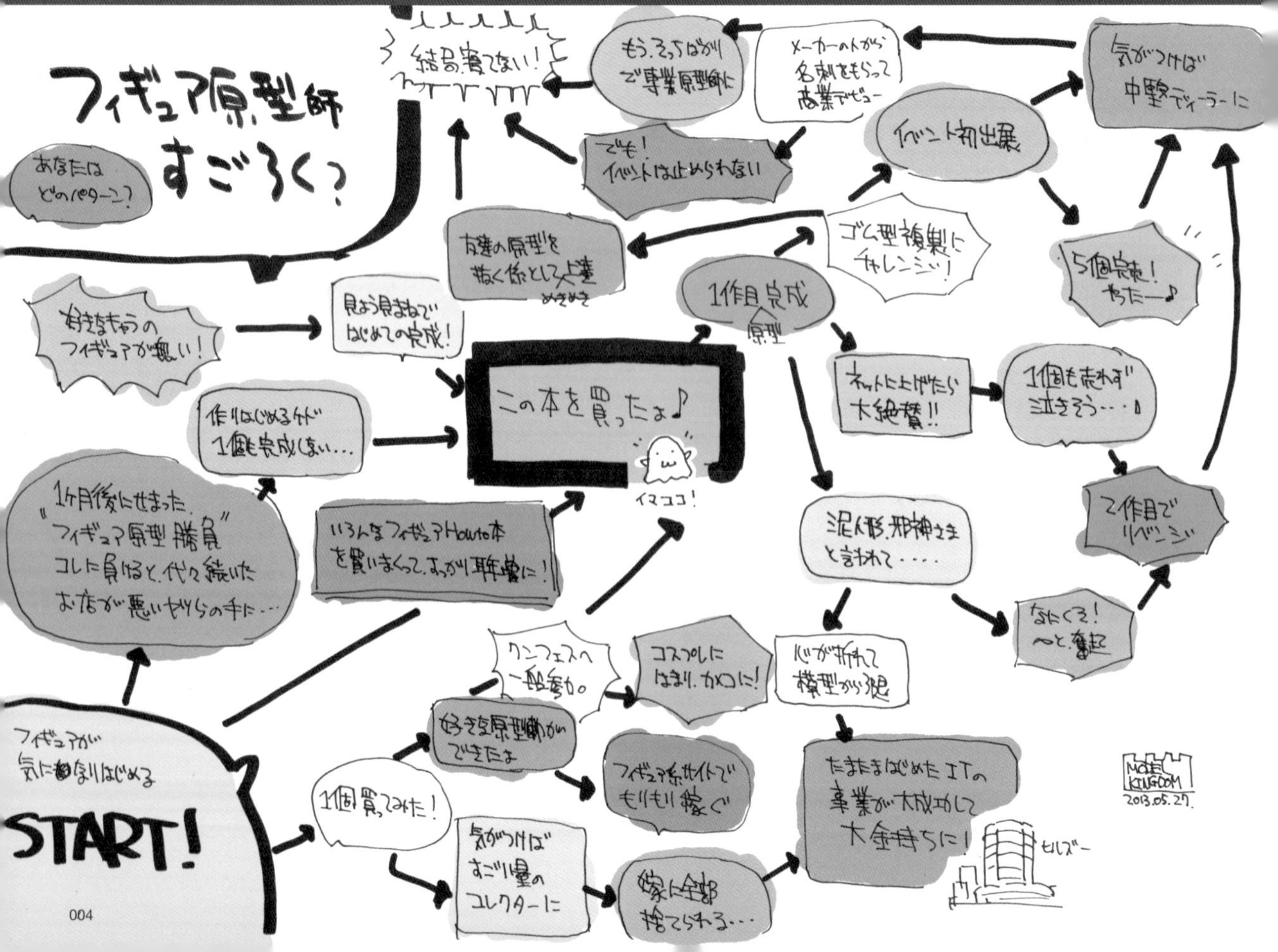

『フィギュアの達人　上級編』

私が最初に書いたフィギュアの作り方の本が『フィギュアの達人 上級編』です。
2009年の9月発売で、当時コトブキヤからは『フィギュアの達人 初級編』というファンドを使って水着のフィギュアを作る、原型と塗装を扱う（別の方が書いた）入門書が出ていて、その続編をという依頼があって、人体デッサンや筋肉の動きなどの、ちょっと上級向けの解説、ポリパテを使っての原型製作、版権キャラの似せ方に加えて、ゴム型複製の詳細、レジンキットの組み立てと塗装までかなり欲張った内容のHow to本になりました。
“上級編”とは言いつつも、これ1冊でちゃんとはじめられるように書いたつもりなのですが、私にとって最初のひとりで書いた本で、また当時の気持ちとしてはたぶんコレで最後、そんなにフィギュア本のニーズは無いだろうとも思っていたので、ちょっと盛り込みすぎ（張り切りすぎ）なのは否めません。
というわけで、『フィギュアの達人 上級編』にシリーズとして公式に繋がっているのはあくまでコトブキヤ版の『初級編』なんですが、同じ著者の裏で繋がる役割分担としては本書が『模型塾版 フィギュアの作り方』の入門編で、『フィギュアの達人 上級編』が対になる上級編ということで、本書をクリアーした方は、ぜひこちらも手に取ってみてください。

著者:模型の王国/若島 康弘（東海村 原八）

1968年生まれ。三重県出身。茨城大学工学部機械科卒業。
在学中から模型雑誌に寄稿、多数の作例を製作。1990年頃から近所の模型店のサークルで造形イベント（ワンダーフェスティバル）に参加。機械メーカーに就職しながらの週末原型師を経て、1997年から専業原型師として独立、以後国内外各社の商品原型を製作。また2004年よりフィギュア造形講座を中心にした私塾『模型塾』を主催。
『模型の王国』名義の著書『フィギュアの達人 上級編』（新紀元社/コトブキヤ）執筆。
ペンネーム:若島あさひ、東海村 原八でも活動中。

COLUMN 01

「絵が描けないんですが、大丈夫ですか?」

-小学校のときに教わったシリーズ-

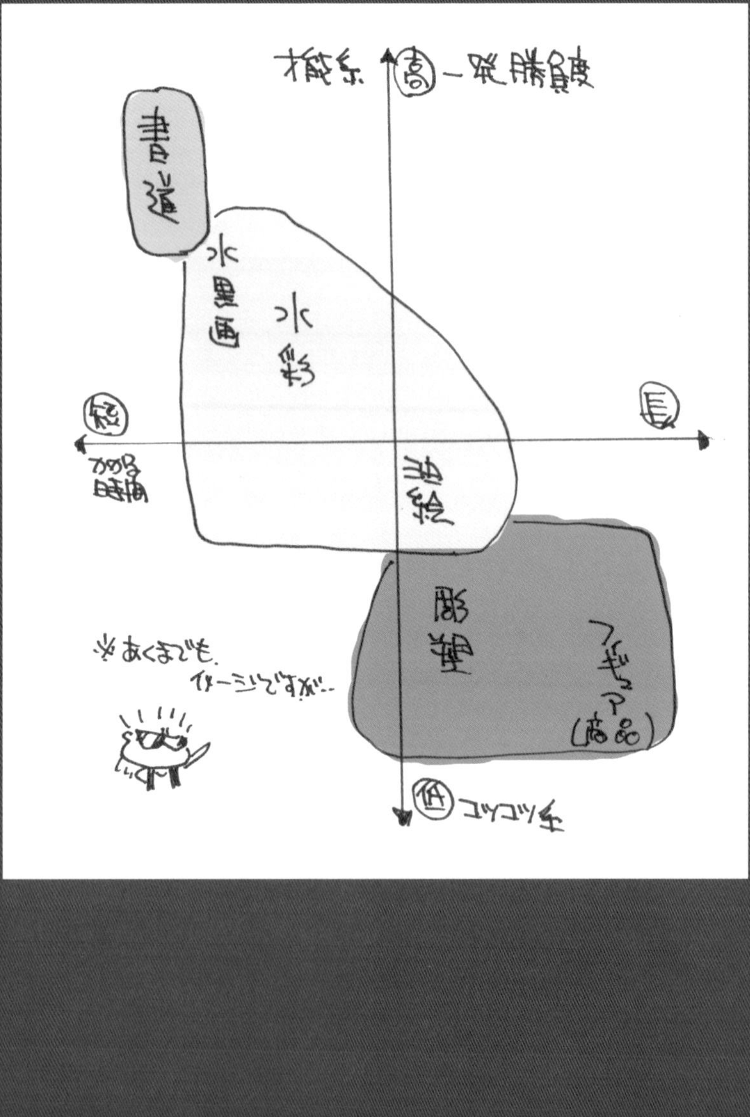

模型塾(P.120参照)でもよく聞かれるのが「私、絵が描けないんですけど、フィギュア原型、作れますか?」という質問。もちろん絵が描けるに越したことはないのですが、「大丈夫です!」と答えています。理由はいくつかありますが、ひとつのラインを出すにしても、フィギュア原型のような立体の方が延々同じところをいじっていられるので、やり直しや微調整が多いのがまず第1。その意味では、重ね塗りをする油絵より、薄塗りで仕上げる水彩画のほうが、もっと言うと、原則一発勝負の水墨画の方がより才能に依存すると思います。つまり原型の方がコツコツ続ければどうにかなるのです。
反面、絵に比べると圧倒的に時間を食うのが困ったところ。日常的に会社や学校に行きながら、夜や週末限定で作っている週末原型師の方だと、根性のある人でも半年に1体くらいのペースで完成すれば良いほうでしょう。そんな時間泥棒な趣味なので、かつては他人にはとてもすすめられなかったのですが、近年インターネットという、時間を無限に持っていく悪魔のようなライバルが現れたので、「まあ、ネットに比べればねぇ……多少は生産的じゃない……?」と、フィギュア原型の作り方という悪い道に引きずり込む本を書いていても、心が痛まなくなってきています……。

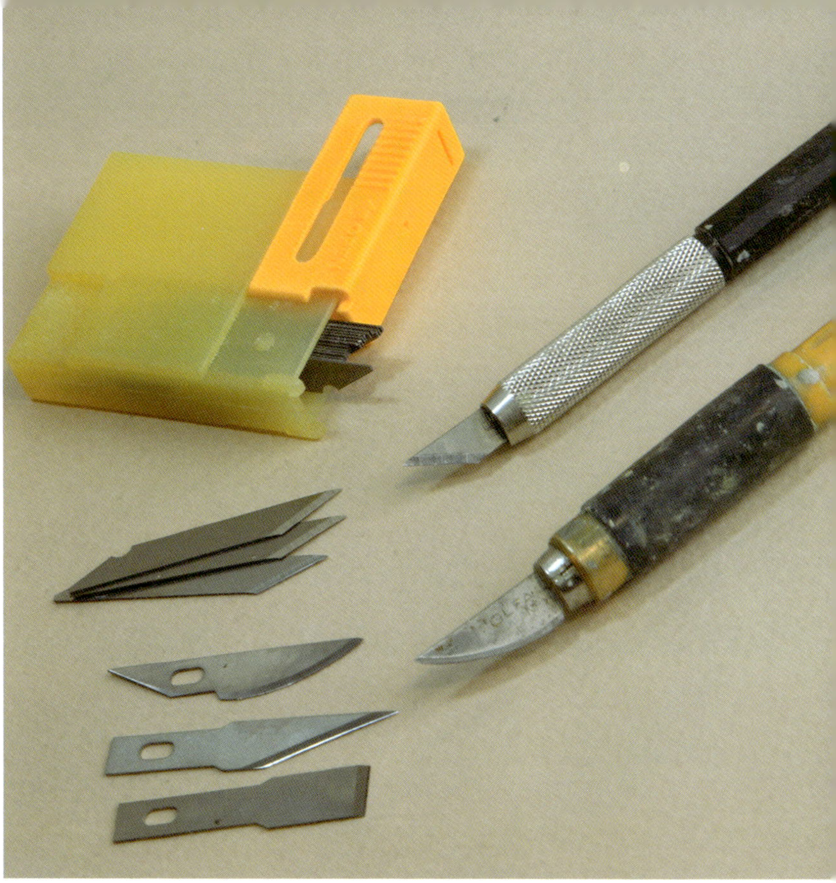

第1章
素材と工具

プラモデルの延長でいける!

ここではまずフィギュアの原型製作に必要なものを紹介します。
原型製作は、工程としては比較的シンプルで同じような作業の繰り返しが続くので、必要な工具や素材は予想外に少ないです。場合によっては、いわゆるプラモデルを作る(=完成品にする)よりも少ないかもしれません。また、原型作りがプラモデルの改造等から発展してきたこともあって、使う素材、工具ともに、模型用のものがそのまま使えます。すでに模型用工具を持っている人は、限られた消耗品を買い増す程度で原型製作にとりかかれるでしょう。
以降のページにまとめてあるのは、初めての方が「最小限、これくらい揃えればフィギュアを作りはじめることができる」シンプルなリストにとどまっていますが、もちろんこれ以外にも多種多用な工具、素材が利用出来るので、ここで紹介するアイテムに飽き足らなくなったら、あるいは限界を感じたら、ぜひいろいろと探究してみてください。

ちなみに本書では原則として「原型」の出来上がりまでをじっくり解説する、ということで、この章でも原型製作に最低限必要なものを挙げています。その後の工程の複製や塗装で必要となる素材等については、第4章「複製と塗装」の右肩コラムに簡単に紹介していますが、これはこれで1冊の本ができるほど幅広いジャンルということもあり、それぞれ専門の参考書をご参照ください。

第1章

素材と工具

CHAPTER

01

素材について

フィギュアの原型製作に必要なものを大きく分けると「素材」と「工具」の2種類になります。前者はフィギュアを作るにつれて順次減っていく消耗品と考えればいいでしょう。具体的には各種のパテやアルミ針金、サーフェイサー類、どちらかというと工具なのでちょっとニュアンスが違いますが、サンドペーパーも消耗品ですね。その中で主役となるのが、「エポキシパテ」。本書では初心者にも扱いやすいこのパテを使うことを前提に組み立ての工程を構成しています。

01

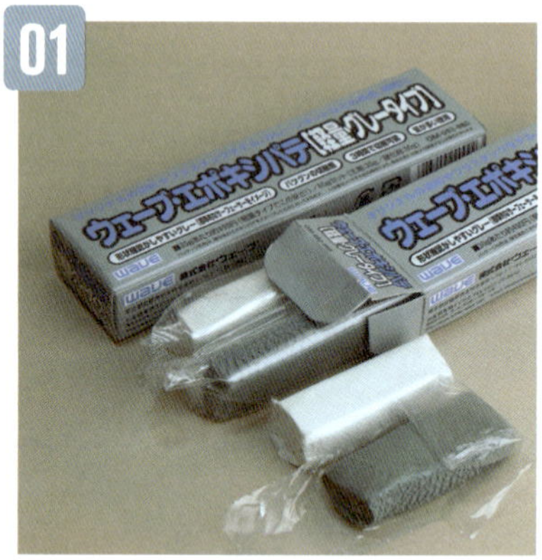

エポキシパテ（軽量タイプ）

プラモデルの改造にも広く使われているエポキシパテ、略して「エポパテ」を主な素材として使います。混ぜやすく、硬化後も比較的削りやすい軽量タイプが、初めての方にはおすすめです。WAVE ウェーブ・エポキシパテ［軽量・グレータイプ］60gセット（¥980）。

02

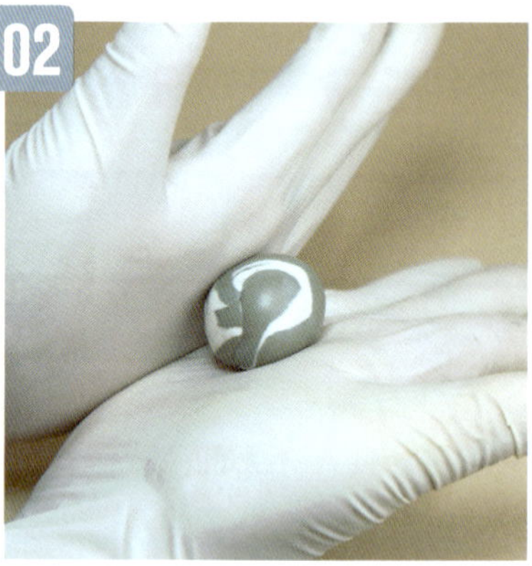

薄手のゴム手袋

エポキシパテを混ぜる際に素手で扱うと体質によっては手肌が荒れる場合があるので、必ず用意してください。写真ではラテックス製のものですが、100円ショップ等で入手できる、安価なポリエチレン製のもので十分です。むしろサイズが適正かどうかが重要でしょう。

03

うすめ液（アクリル系、エナメル系）

エポキシパテを適度に溶かす溶剤としてアクリル塗料 X-20A溶剤特大（250ml）（¥525）を、逆に溶かさないので表面を洗うのにエナメル塗料 X-20溶剤特大（250ml）（¥525）を使用します。型番が同じなので入手や使用の際には注意を（ともにタミヤ製）。

04

アルミ針金

エポキシパテで作った人体のパーツを接続して、自在にポーズをつけるのに使用します。一般的な鉄製の針金に比べて軟らかく、手で簡単に曲げられるアルミ製をホームセンター等で入手してください。本書では2mm径と1.2mm径を使い分けます。30m巻きで¥300程度です。

材料費はしめて¥3,500程度?

消耗品としての材料費はどれくらいになるのか、今回の原型を例にちょっと計算してみましょう。出来上がった原型の重さはご覧の通り、約92g。素材として使ったWAVE ウェーブ・エポキシパテ[軽量・グレータイプ]は60gセットで¥980。作り方や慣れによって変わってきますが、2箱で120gなので、今回のようにシンプルな髪型で水着の1/8スケール原型なら、硬化後に削って損耗した分を差し引いても2箱分、約¥2,000で十分原型が出来る計算です。あとは意外に消費するのが、表面仕上げに使う缶スプレーのサーフェイサー。この程度の原型でも1本弱は使うのでこれもざっと¥1,000。他にはアルミ針金、サンドペーパー、瓶入りサーフェイサー等の消耗品ですが、これは全部足しても¥500はいかない、ということで、ざっと見積もって¥3,500程度。オトナの趣味としては十分安いけど、学生さんには、ちょっとキツい金額でしょうか?

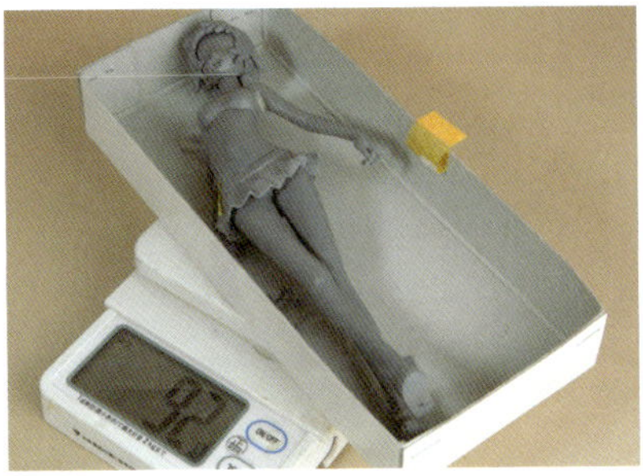

05

瞬間接着剤(低粘度)

硬化後のエポパテは瞬間接着剤で接着出来ます。用途に応じてゼリー状からサラサラ流し込み用まで、各種粘度のものが揃っていますが、原型用には低粘度のサラサラタイプが使いやすいでしょう。オススメ銘柄はWAVEの瞬間接着剤×3S ハイスピード(¥450)3本パック。安価で性能も十分です。

06

布ヤスリ(#40~#120)

荒さは番手や"目"(もしくはグリッド)と呼ばれる数字で表示されていて、この数字が大きいほどキメが細かくなります。数字の若い、目の荒いものではベースに紙ではなくキャンバス地の布が使われ「布ヤスリ」となります。ここではその#100前後を使います(1枚¥180程度)。

07

耐水サンドペーパー(#180~#320)

布ヤスリより一段階細かい番手では紙ベースで水をつけて磨く「耐水サンドペーパー」を使います。番手でいうと#180~#320。タミヤのフィニッシングペーパーでは"木工用"と表記されていますが、もちろんパテ素材にも使えます(3種5枚セット¥210)。

08

固型油脂(ワセリン等)

パテ素材同士を接着させないために油脂を1膜分塗っておく「離型処理」に使います。ハンドクリームやリップクリーム、床用ワックス等半固型の油脂なら何でもかまいません。私はドラッグストアで安売りのものを長年使っています(¥400程度)。

09

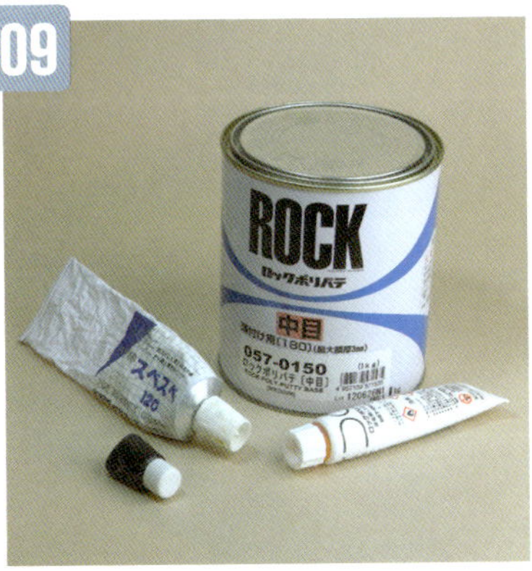

ポリエステルパテ各種

「ポリパテ」とも略されるパテ素材です。フィギュア原型ではエポパテと同じかそれ以上に多用され、これだけで原型を全て作ることも可能ですが、本書ではポイントを絞って補助的に使います。左:WAVE パテ革命 スベスベ(120g)(¥1,800)/右:ロックペイント ROCKポリパテ 中目(1kg)(¥3,100)。

10

サーフェイサー各種

略して「サフ」とも呼ばれる表面仕上げ専用の塗料の一種です。ビン入りで筆塗り用と缶スプレーの2形態があり、さらに番手で表わすキメの細かさがあり、それぞれ使い分けられます。左:GSIクレオス Mr.サーフェイサー500(¥300)/右:VOLKS 造形村 GKサーフェイサー・グレー(¥980)。

第1章
素材と工具

CHAPTER
02
基本的な工具と扱い方

「素材、材料」が消耗品としてランニングコスト的にかかるのに対して「工具」は最初に入手してしまえば、数年〜十数年に渡って使い続けられます。ラジオペンチや定規、スケール類は典型的に長く使えますが、デザインナイフ等の替え刃式ナイフはこの中間かもしれません。どちらも最初からズラリと揃えるよりは、最小限のものから始めて、順次買い足していくのをおすすめします。最初は工具についても右も左も分からないものですが、少しでも使ってみると、「工具を選ぶ視点」みたいなものが出来てきます。ブランドから始まって、値段、サイズ等々、だんだんと気になるポイントや自分に合ってるかどうかも出てくるので、道具選びもセットで成長していくのも趣味の醍醐味ですよ。

01

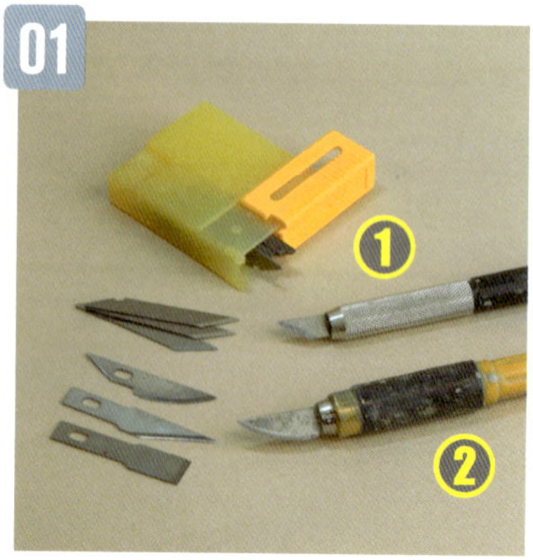

替刃式ナイフ

替刃式の精密工作用ナイフを一般に「デザインナイフ」と言います。刃先の大きさや規格が各社何種類かありますが、原型工作には①の中型が最初の1本としておすすめ。ただしタミヤ製の場合、より小型のタイプが「デザインナイフ」で中型は「モデラーズナイフ」が商品名なのでご注意を。②は大型タイプで最初はほとんど必要ありません。

02

前半のねじをゆるめて刃を交換

ナイフは軸の前半がねじになっているので、そこを2回転ほどゆるめて、溝に交換式の替刃をセット。ねじをしっかり締めて使用します。樹脂製の軸部品は成形の都合で先端の溝が十分に開かないことがあるので、その場合はねじを完全に外して、刃先で一度溝を開いてやると良いでしょう。

03

用途に合わせて当てる位置を変えます

デザインナイフの刃先はいわゆる刃渡りで言うと10mm程度。最初は漫然と使うと思いますが、慣れてきたら、工作によって使う部位、位置を意識的に使い分けてみてください。細部工作は精度が出しやすい刃先、力のかかる作業は刃の根本近くを使うのが上達の第1歩ですよ。

04

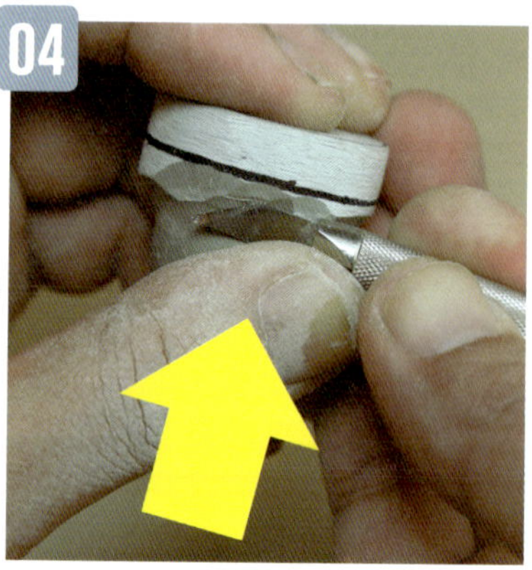

添えた手の親指の力も使う

ナイフを使った加工のコツをもうひとつ。刃物を持つ利き手(写真では右手)だけでなく、部品を持つ手(同左手)の親指をナイフのねじ部分に沿えるようにして、この指で押す力も合わせて刃を前に進めます。大きな力が必要なときだけでなく、精密に刃先を進めたいときにも有効な技です。

ドライヤー他、加熱器具

エポパテやサーフェイサーは、軽く加熱してやると、硬化、乾燥が早く進みます。時間短縮はもちろんですが、後述のように材料の密着の面でも良い効果があるので、積極的に使ってください。ピンポイントの加熱には家庭用のドライヤーが手軽で良いでしょう。じっくり全体を暖めるにはコタツがベストですが、中で作りかけの原型を蹴っ飛ばすことになるので、電気スタンドやストーブの前に置くのが現実的かもしれません。

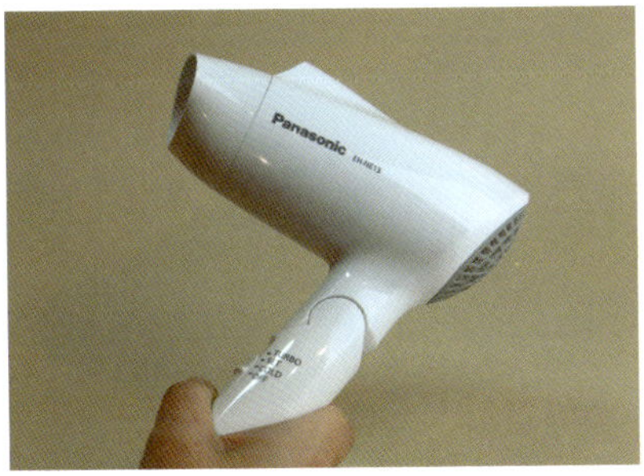

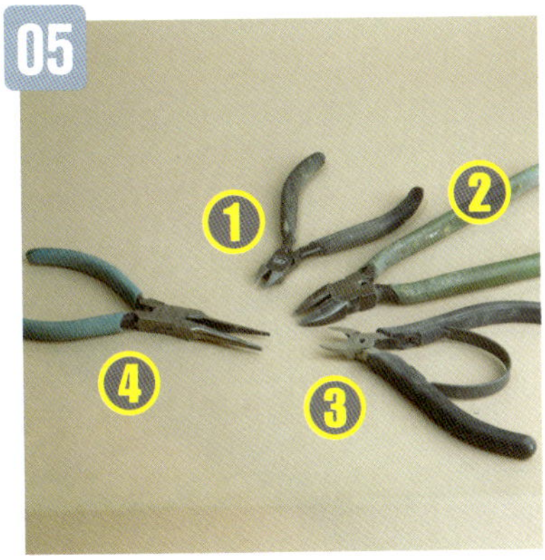

各種ニッパー類

プラモデルを作る人ならすでに持っている模型用をそのまま使ってください。新たに買う人には①タミヤ薄刃ニッパー（ゲートカット用）（¥2,400）が高価ですが、有用です。写真中②の大型のものは電気工事用。原型というよりは複製したレジンキットのゲートを切るのに便利です。

“切る”というよりも“砕く”ように……

薄刃系ニッパーは原型製作においては“切る”だけではなく刃先を部品に引っ掛けて“砕く”あるいは“食い切る”ように使います。ラフに削り出すときなどに、コツさえつかめばナイフよりも圧倒的に早く加工できます。ただし、硬い素材（ABS等）では刃先を傷める使い方なのでその点注意を。

ラジオペンチは針金用に

先の写真の④はラジオペンチ。普通のペンチよりも小型で先端が長く延びて針金細工に適した形状になっています。先端でつまんで、根本の刃で切るなど、アルミ針金はほとんどこれで取り扱います。こちらは精度がそれほど必要ないので安価なもので十分でしょう（¥1,000程度）。

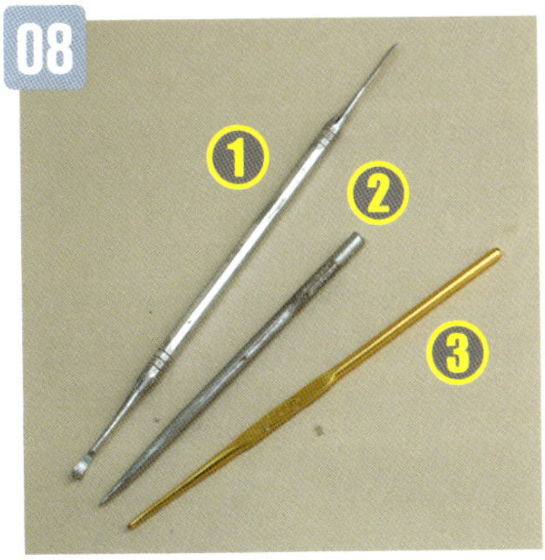

“へら”各種

エポキシパテの硬化前、軟らかい時点では粘土のように取り扱えるので、そのために各種の“へら”を用意します。①はスパチュラと呼ばれる金属製の精密へら。セット売りのモノもありますが、まずは画像のスプーン型から。②③は丸棒。いずれも金属製がベタつかずに使いやすいです。

丸棒は転がして使う

金属製の丸棒は垂直に押し付ける場合と、ローラー状に転がしながら押さえ付けて表面を整形する使い方があります。下の層に密着させながら形を出す場合など、この“転がしローラー”がキモになります。毛糸用の“あみ棒”や千枚通しなどから、直径や長さ、テーパー等好みの丸棒を探してみてください。

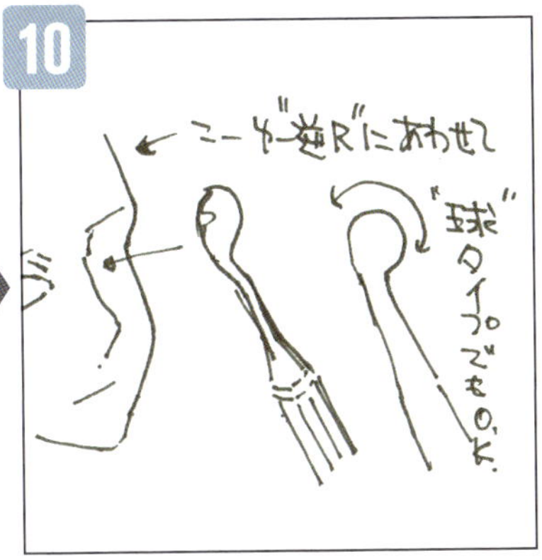

スプーン型は“背”側を活用

スプーン型、もしくは耳かき型のへらは、素材を掻き出す場合と、“背”を使って逆R面を押し付けたり“なでつける”場合があります。原型で重要になってくるのはこの背の使いこなしで、くぼみにそって滑らかな凹んだ面を作る場面が多々出てさます。

第1章

素材と工具

CHAPTER

03

その他の工具

さらに必要な工具やあると便利なものを取り上げます。
近年、工具や素材はメーカーや流通各社が力を入れているので、大手有力ホビーショップや、工具に力を入れている模型店では豊富に揃う反面、中小の模型店ではそこまでライナップが揃えられなかったり、そもそも模型店そのものがどんどん減っていて、こうした素材や工具類の入手性でも格差が生じているのが残念なところ。すでに使っている定番のものならネット通販でも問題ないのですが、初見でこれから試そうという道具類はやはり現物を見て選びたいのですが……。というわけで、地方の方は地元ホームセンターや、出掛けた先での工具充実模型店をこまめにチェックすることになると思いますが、がんばってください……。

01

彫刻刀（パワーグリップ）

エポキシパテは硬化後の硬さが木材に近いので木工用の工具が流用出来ます。彫刻刀はその代表で、昔ながらの版画用がそのまま使えます。新規に揃えるなら三木章 パワーグリップシリーズ（1本¥500程度）がその名の通り、力を入れやすいグリップ形状でおすすめです。

02

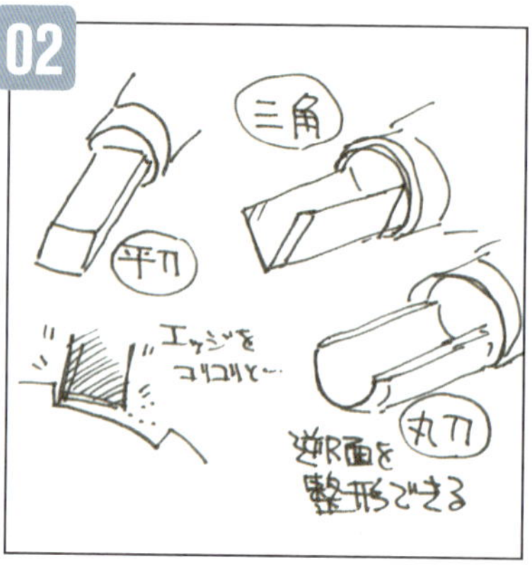

平刀3mm幅あたりから買い足して……

彫刻刀ではまず中サイズの3mm幅の平刀を使ってみてください。眼球のエッジ等の一段落ちた面の角を整形するのに重宝します。次いで中サイズの半丸刀。三日月断面の刃先で、滑らかな凹面を荒く削り出すのに使います。三角刀は原型ではあまり使いませんがゴム型に湯口を切るのに便利です。

03

当て板（当て木）用の木片等

第2章で詳しく説明しますが、サンドペーパーをかける際に巻きつけて簡易ヤスリとして使うベース材を「当《あ》て板《いた》」もしくは「当《あ》て木《ぎ》」と呼びます。適当な大きさ、厚みならなんでもOK。料理をする人は「かまぼこ板」でもいいでしょう。細部用には薄手のステンレス定規も愛用しています。

04

綿棒、爪楊枝《つまようじ》、竹串

いずれも今は¥100ショップ等で入手可能。綿棒はワセリン等の固型油脂を塗るのに、爪楊枝はポリパテをすり込むなど、竹串は部品に小穴を開けて差し込んで、スプレー塗装時の保持等に使います。

複製&塗装の材料

ここまでの素材と工具を全部揃えると、ざっと¥15,000くらいでしょうか? やはりオトナの趣味としては格安なイニシャルコストでしょう。ただ、第4章で取り上げる複製を始めると、途端に材料費がかかるようになります。今回の例題で言うと複製(材料+工具)に¥20,000ほど、塗装はエアブラシの初期投資が大きいので、¥50,000〜と、一気にハードルが上がります。複製は上手く売れれば戻ってくるし、塗装に使うエアブラシは一生使える、とは言うものの、これはちょっと大変ですよね……。逆に言うと、「原型製作」は、造形趣味全体の中では実は相対的にコストのかからない安上がりなパートだとも言えるわけです。

05

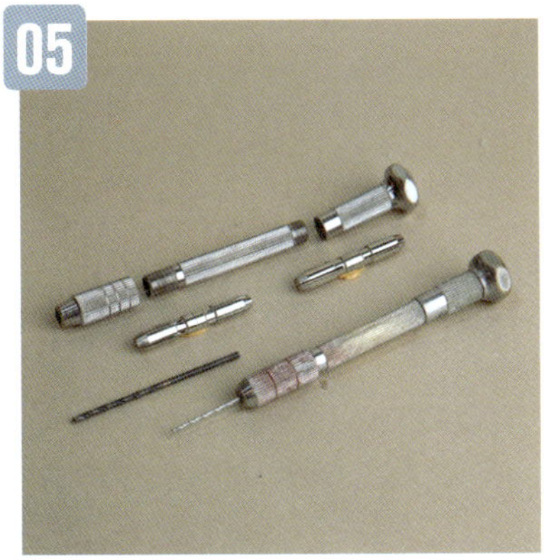

手回しドリル(ピンバイス)

細いドリル刃をしっかり咥《くわ》えるピンバイスという工具。これが穴を開けるのではなく、そのためのアタッチメントというのが正確でしょう。写真下が組み立てた状態で、上に並ぶのが分解したパーツ。前後に十文字に溝が切られているのがチャックで、そこにドリル刃を差し込んでねじの原理で締め付けます。

06

ピンバイスの回し方①

軸の後ろには予備の十文字の切れ方が異なるチャックが収納され、後端は自由に回る皿状部品になっています。このお皿を指の付け根に押し当てるようにして、親指、人差し指、中指で前ねじ部をつまんで、お皿以外の全体をくるくる同時に回します。

07

ピンバイスの回し方②おしりの皿は固定

片手でピンバイスだけを回すのは、正直なかなか上手く出来ないのですが、対象物にドリル刃を当てた状態だと簡単に安定して回せるのでご安心を。基本的には右回転させるだけでドリルの螺旋にそって前に進んでいきますが、硬い素材では後端の皿を前に押す力も加えると良いでしょう。

08

ケガキ用の針(カルコ)

スジ彫り等に使います。ある程度尖った金属棒なら何でもOK。私が愛用しているのは大工道具のカルコ(軽子)。半ば消耗品なので安価(1本¥100程度)なのと、短く太い握り部分が握りやすく取り回しやすい反面、ホームセンターでも近年どんどん見かけなくなっているのが難点です……。

09

スプレーブースは段ボール箱で

後半の表面仕上げに使う缶スプレーのサーフェイサーが飛散しないように、屋外やベランダ等に持ち出した段ボール箱に向かって吹き付けます。本格的なスプレーブースは高価なので、当面はこれで十分でしょう。

10

資料各種

アイドルの水着グラビアやポーズ写真集から人体解剖図まで、資料も今はキリがないほど出ていますが、これも一気に揃えても処理しきれずに知恵熱が出るばかりなので、自分のそのときどきの腕前や課題に合わせて少しずつ買い足していきましょう。1作につき1冊追加くらいが目安かも?

COLUMN 02

手を切らないコツ×3題

-小学校のときに教わったシリーズ-

原型製作でもっとも多用するデザインナイフをはじめ、ここからは刃物をガンガン使っていきます。そこで、あらかじめ、手を切らないためのコツを3つ、紹介しておきましょう。この3点は、私が小学校の頃、図工の時間で初めて彫刻刀を使うときに諸戸先生に教わった方法。今でも模型塾で一番最初に説明する、非常に実用性の高い心得です。

ちなみにデザインナイフは元々スクリーントーンを切り出したりと、ごく弱い負荷で使うものだったので、古いモデルを使って力いっぱい押し切ろうとするとネジの根元から折れることがありました。10年以上前に改良されてからは、私は折ったことはありませんが、工具にも限界はあると思って使うことは大事です。

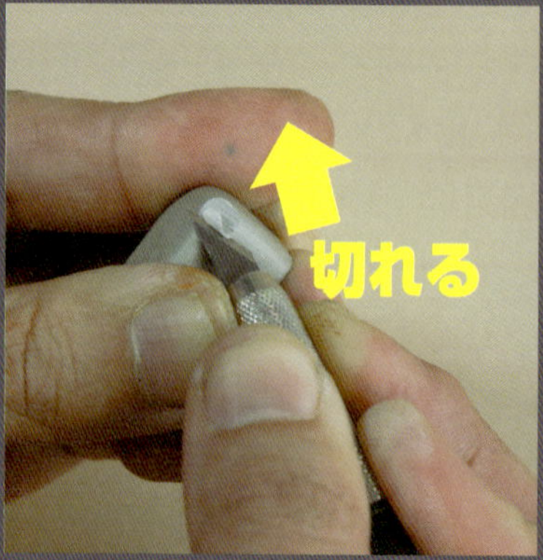

1. 刃の進む先に手を置かない

材料を削るときなどに、写真のように部品を持つ手を刃物が進む先に置くと、万が一スパっと切れた際、その勢いで先に置いてある指にそのままざっくり刺さってしまいます。刃がすべっても空中に逃げるだけになるように、持ち方を変えるクセをつけてください。

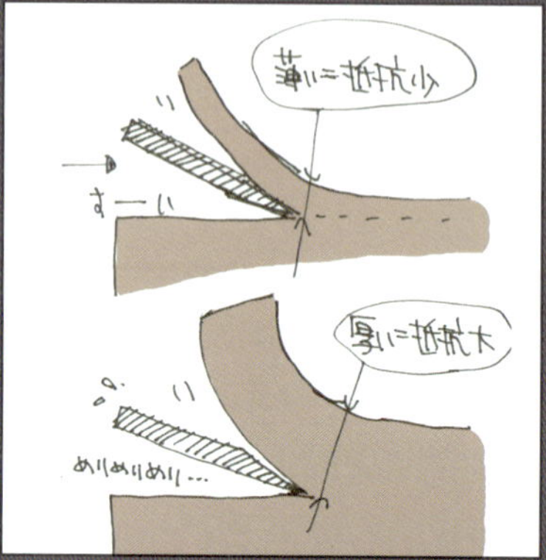

2. 少しずつ切る（削る）

刃物で対象物（"ワーク"とも言います）を切るときの力を模式的に表すと図のようになります。刃を前に進めるの止める力を切削抵抗といい、1回の切り込み深さが深いほど大きくなります。つまり一気に深く切ろうとすると大きな力が必要になり、そうなると万が一刃がすべったときには勢いよく暴走することになります。逆に切り込み深さを浅くとれば、ワークをめくり上げる力（=切削抵抗）も小さくてすむので、危険性が下がります。全力で腕の筋肉をぷるぷるさせないと切れない（削れない）ようなときは、もう手をケガする前兆だと思って「あ、いかんいかん、浅くしよ、浅く……」と思い直してください。

3. 台を敷いて下向きに刃物を使う

素材が硬いなど、それでも力が必要な場面では、かまぼこ板や古雑誌などの台として下に敷いて、ワークを置き、刃物は真下に向かって使うようにしましょう。バツン！ と、切れたときはもちろん、刃がすべったときにも最小限の距離を進んだ後、台に刺さって止まります。

第2章
エポパテ工作の基本

練習用モンスターを作る

さて、フィギュア原型の作り方ですが、本格的な美少女フィギュアの造形の前に、ここでは練習用に簡単なキャラクターを作ってみます。
その目的のひとつは、エポキシパテという素材に慣れて、基本的な扱い方や工程全体の段取りや手順を知ってもらうため、もうひとつは、何はともあれ途中で挫折せずにひとつでも完成に辿り着くことで、原型を作ることの悦楽を味わうためです。
実際に作り始めてみるとわかるのですが、美少女というモチーフは、どんな初心者であっても美醜の違いが一発でわかるものなのです。造形的にどこがどうダメか?(=どこをどう直せばよくなるか?)がまったくわからない素人でも「なんか、かわいくない」と失敗判定だけはくだせてしまいます。生まれて初めて作る原型が一発でそんなかわいく仕上がるわけはないと、頭でわかっていても、なかなか思い描いた美少女になってこないと、普通の人の心は折れてしまうので、その前に、多少ハズしていても、歪んでいても「味っすよ、味♪」と許せる、ゆるキャラ的なアイテムを、完成度はさておいて作るわけですね。
実際「模型塾」(P.121参照)でもこの事前にシンプルなゆるキャラで練習するのは、地味に好評です。これまで、イキナリ作った美少女キャラが全然完成までいってない人、万年途中くじけ組で、心折れ折れ・ポキポキ初心者の方にもリハビリがてら、作ってみることをおすすめします。
そして、扱い方を練習する造形素材は「エポキシパテ」。略して「エポパテ」とも呼ばれる樹脂素材です。他の素材に比べると若干高価ですが、初心者にも扱いやすく、特に軽量タイプでは硬化後も硬くなりすぎないので、握力の弱い方、女性にも向いているでしょう。
例題としているお化けのマスコットキャラクターは、いくつかの課題を盛り込めるよう、練習用にデザインしていますが、正確な形というか縦横のバランスや顔つきにはあまり意味はないので、同じ工程を踏まえる範囲で自由にアレンジして、練習モンスター・ファミリーを揃える気持ちで作ってみるのもおすすめです。

第2章

エポパテ工作の基本
練習用モンスターを作る

CHAPTER

01

エポキシパテを練って固める

ガムのような質感と硬さ、練り心地を持つ、半生状態の主剤と、硬化剤をよく混ぜ合わせることで硬化するエポキシパテ（以下:エポパテ）。まずはその混ぜ方と最初の形状出しのコツを紹介します。ポイントは2つ。ベタつき対策と、肉割れ対策。前者は手水やワセリンを少量手につけることで、後者は練り合わせる最後の工程でぎゅっと凝集するように押し付けることで対処します。またエポパテも素材の改良が進んで、最近の軽量タイプは特に初心者にも扱いやすいものになっているので、安心して挑戦してみてください。

01

軽量タイプが扱いやすい

今回使用するのは、WAVE·エポキシパテ［軽量·グレータイプ］。色違いで薄い黄土色のタイプもありますが、性質は同じなので、お好みでどちらを選んでもOK。ここでは撮影の都合もあって陰影の諧調がはっきり出て見やすいグレーを使います。

02

同じ長さ分をナイフで切り出す

透明ビニールの外袋を開封し、保護用に巻かれている内貼りビニールごと、必要量をナイフでカットします。ナイフの刃がベタつくときには少量の水をつけておくと良いでしょう。主剤と硬化剤を混ぜ合わせると、思っているより量が多くなるので、慣れないうちは少なめに切り出しましょう。

03

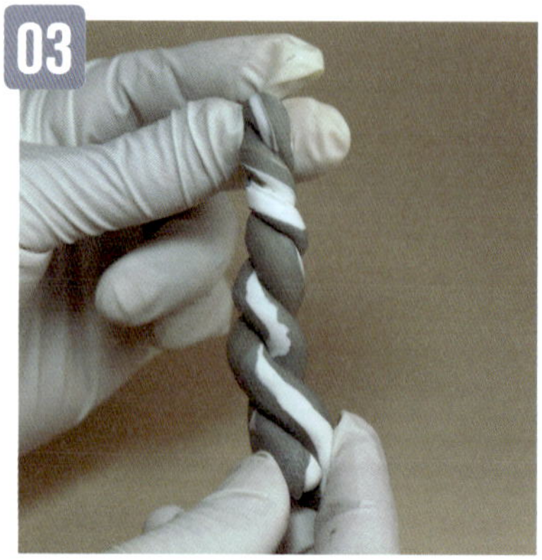

主剤と硬化剤をよく混ぜる

エポパテを混ぜたり練ったりするときにはゴムやビニール素材の手袋を使ってください。最初はひも状に伸ばしながらよじって、また2つ折りにしてよじって……を繰り返し。2色違う色がついているので、その2色が溶け合って全体に均一な色になるまでよく混ぜ合わせます。

04

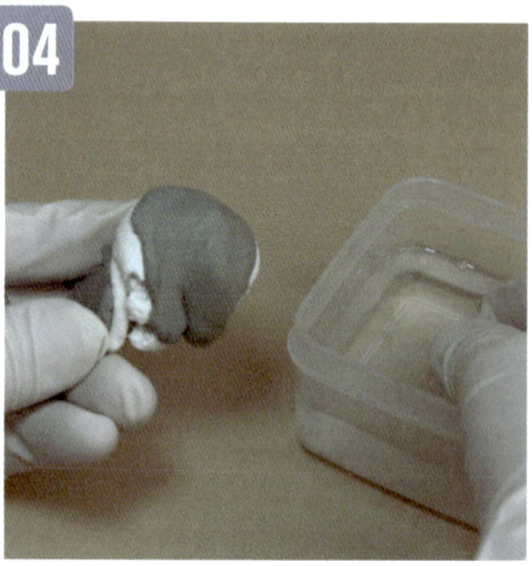

ベタつくときには少量の水を

混ぜる際にベタつくときにはごく少量の水を“手水《てみず》”として手袋の指先につけましょう。人によってはワセリンやアクリル溶剤を使うようなので、これもいろいろ試してお好みで。ちなみに混ぜ方が足りないと硬化不良の部分がゴム状に残ることがあります。

ゆがまないために遠回りを……

ここで作る練習用のおばけキャラは裾《すそ》がフレア状に広がる、3次曲面が複雑に連続した形をしています。エポパテ造形に慣れた人なら一発で再現出来るのですが、今回はあえて遠回りをして2層、2段階に分けて造形します。理由のひとつは盛り重ねの工程を説明するため。もうひとつは歪《ゆが》みを最小限に留めるためです。たとえば頭を作ってそのまま裾を作る場合、そのときに保持している頭が硬化していないので、さわり方によってはどんどん歪んでしまいます。そこで遠回りにはなりますが、まずは頭を固めて、その後で下半分の裾フレアを作ることにしているんですな。

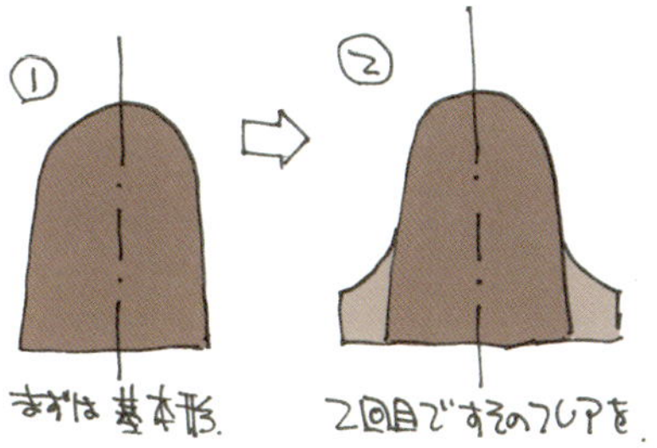

05

色が均一になったら0K!

まだら模様が完全に無くなったら、一度全体を丸めて、中心部に向かってぎゅっと凝集させるようにすることで後述する“肉割れ”を無くします。混ざった後の色は、ちょうど混ぜる前の2色の中間くらいのグレーを目安に。

06

“肉割れ”にならないよう注意

丸めたパテ同士が十分に融着、密着していないところがあると、このように“肉割れ”が起きます。このまま硬化すると、場合によってはそこを起点に浮き上がったり剥がれたり。またナイフで加工する際にもめくれあがったり剥落することもあるので、こうならないように十分密着させます。

07

まずは指でおおまかに形状出し

均一な玉状から指先でつまんだり転がしたりして希望の形に整えていきます。ここではもう水をパテの奥に混ぜ込む恐れも無いので、たっぷりの“手水”をつけて。パテの塊を握るときには弱め、形を変えるときは強めと指の力の入れ具合を意識すると上手くいきます。

08

まずは“釣鐘《つりがね》”型に

今回作る練習用のおばけはエポパテを2層、盛り足して作ります。その1層目はこのようにてっぺんが半球状に丸く、そこから円柱状にストンと落ちる形に整形します。硬化後にサンドペーパーで削ってさらに形を整えるので、そこそこの精度でOK。下に敷いてあるビニール袋はくっつき対策です。

09

電気ストーブで硬化促進

このエポパテは気温20〜25℃で4〜5時間で硬化しますが、撮影時は冬で気温が低かったので、硬化促進のため電気ストーブに当てました。撮影のために熱源にかなり近づけていますが、これはちょっと近過ぎ。ほんのり温かいくらいでとめておいてください。

10

温度を上げ過ぎると膨張も……

右側のブロックはわざと温度を上げ過ぎたもの。手で触れない程に加熱したので2時間ほどで硬化しましたが、全体にむくんだように膨張していて内部も若干“ス(発泡して密度が低くなった状態)”が出ています。顔などの造形では致命的な変形となるので、ここまではならないように……。

第2章
エポパテ工作の基本
練習用モンスターを作る

CHAPTER 02

2層目のパテを盛り足し

1層目、芯にするエポパテは化学変化によって、放置していても数時間で硬化して、軽めのプラスチック部品のような性質になるので、切削加工を自由におこなえるようになります。基本的な形は、硬化前のガム状のときに手指でひねり出すのですが、細部工作や精度が必要な加工はこの硬化後におこなうほうが良いでしょう。ここではその後さらに、2層目のエポパテを改めて混ぜて盛り足しているので、その際のコツも紹介します。

01

布ヤスリ(#80)を裏からカット

削り加工に使うサンドペーパーはある程度粗いほうが作業が早くなるので、プラモには論外な番手ですが#80の布ヤスリを使用。研磨粒子が接着されているキャンバス地のみを裏面から定規を当ててカットしますが、それでも刃先は痛むので使い古しの刃を使いましょう。

02

木片を"当て板"にして平面出し

かまぼこ板等の適当なサイズの木片にピッタリと巻きつけて当て板に。利き手でヤスリを持ち、反対の手でワーク(加工物、部品のことです)を保持。まずは一番簡単な底の平面をピシっと削り出します。この際、工具側の利き手だけを動かし、ワーク側はブレないようにすると歪みが抑えられます。

03

側面は滑らかな円柱状に削り出す

当て板を付けたまま、次は側面に。手で整えた円柱は微妙な歪みや"うねり"が残っているので、その凸凹の凸部を削り落としてなだらかな連続した曲面に修正していきます。先の底面と違い、今度はなだらかに連続する2次曲面なので、手首のスナップを利かせて、曲面をなぞるようにヤスリをかけます。

04

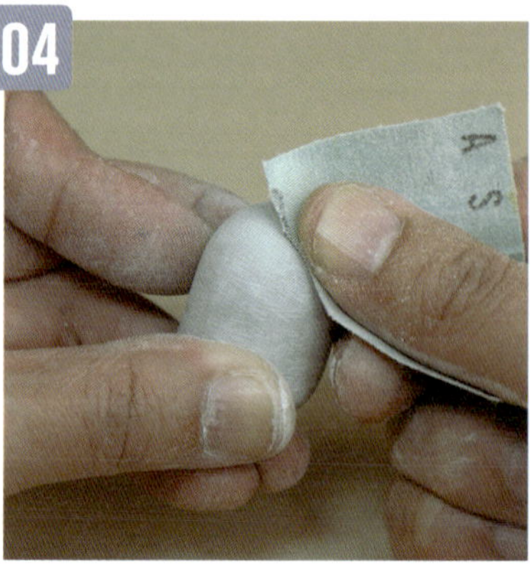

当て板を外し、フリーハンドで布ヤスリがけ

さらに天辺の半球状の部分もまずは当て板有りで、凸凹やうねりをとるようにヤスリがけ。最後に、当て板を外し、少し揉んでコシを無くした布ヤスリを、指の腹の弾力を使って、当て板有りではとりきれない微妙なエッジを削りとります。この方法をこの先、便宜上フリーハンドでのヤスリがけと呼びます。

“うねり”と“当て板”

美少女フィギュアでも多用される3次曲面。ここでのポイントのひとつが「意図しない凸凹や微妙な“うねり”は消して、でも滑らかな連続したラインは活かしたい」というところですが、エポパテに代表される、手指でひねり出す曲面にはこの“意図しないうねり”が出来やすいです。そこを当て板なしのフリーハンドでヤスリがけをすると、この大き目のうねりが消えず、場合によってはかえって強調されることに……。そこで、まずは当て板を使って、意図的に微妙な凸部を狙うように削ってこのうねりを殺していくわけです。ただし、ここでヤスリの動かし方が悪くて、例えば一か所だけを集中して平面的に削ると、今度は新たな平面部分が生まれてしまうので、一長一短。そうならないような手首の動作や、フリーハンドとの使い分けも大事になってきます。

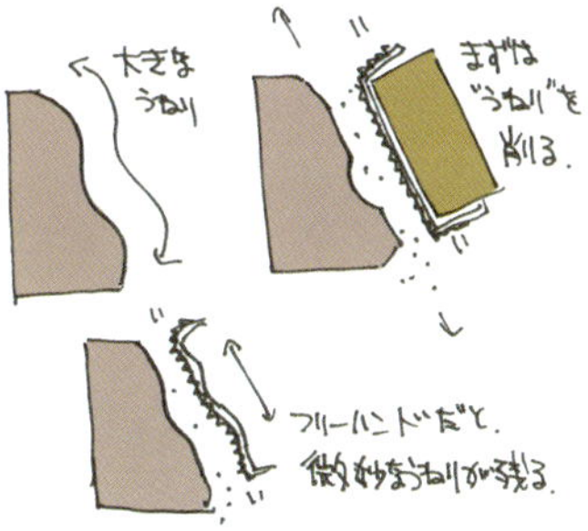

05

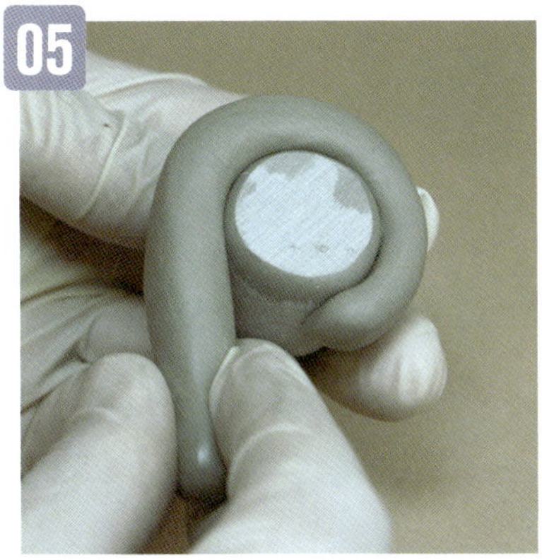

2層目のエポパテを混ぜて巻き付ける

お化けキャラの裾部分になる2層目は、最初のページと同じよう必要量を切り出したエポパテを混ぜあわせて、ひも状に伸ばして1層目の底側を囲むように巻き付けます。難点だったパテのベタつきがここでは一転、下の層に密着する一番の効果になってくるので、接着剤等は使いません。

06

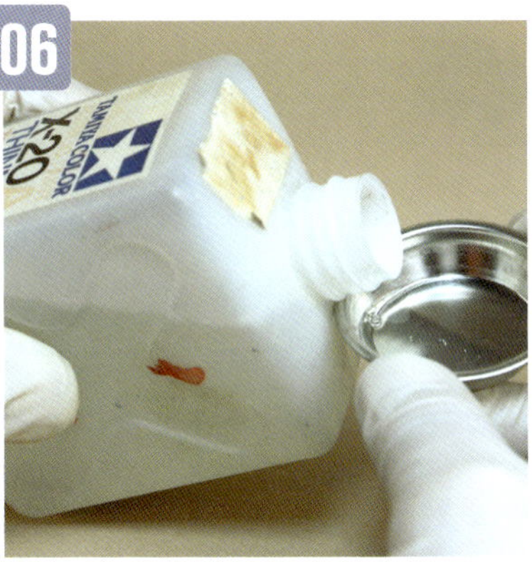

アクリル塗料用うすめ液を活用

同じエポパテでも銘柄によって実際にはかなり違いますが、一般に溶剤で溶け出します。今回使っているウェーブの軽量エポパテはアクリル塗料の溶剤で適度に溶けるので、タミヤのX-20Aを適当な小皿に取り出し“手水”的に使います（※アクリル塗料用のX-20A、エナメル塗料用のX-20は似たような容器なので注意）。

07

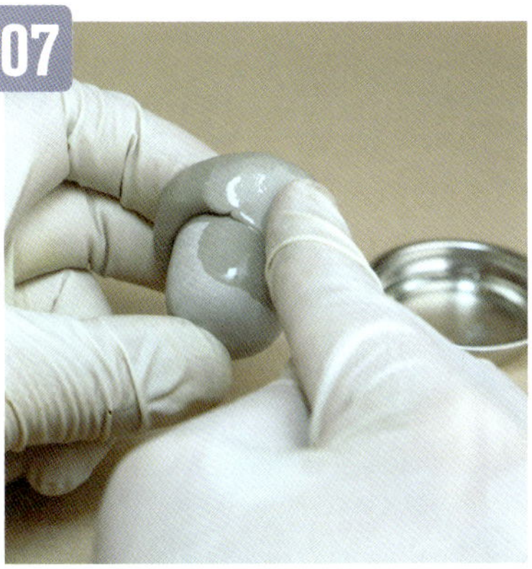

溶剤を付けて2層目をなじませる

エポパテ素材の2層目を滑らかな曲面でなじませるために、指先に少量のアクリル溶剤を付けて、ちょっとだけ溶かしながら形を整えていきます。まずは力を強めに、押しつぶすように密着⇨続いて力を弱めになでつけるように2段階で整形する気持ちで整形しました。

08

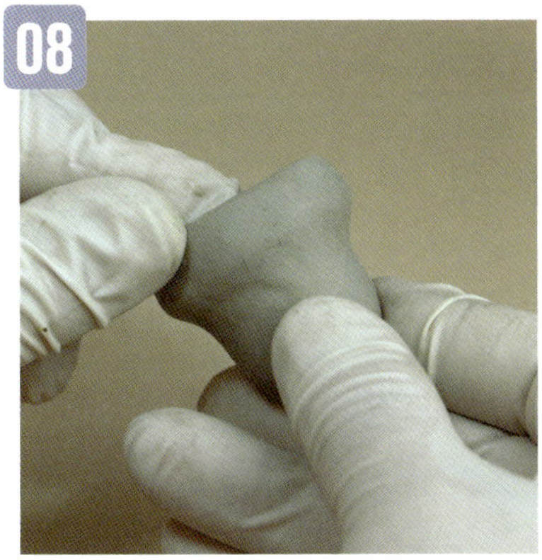

裾フレアの立ち上がり部を整形

フレアの立ち上がり部の境界がなだらかに繋がったところで3分～5分程度待って、素材の奥のほうが密着、落ち着くのを待ちます。ここで焦ると、2層目全体が外れたり浮き上がったりします。表面の溶剤も乾いてきたところで、裾フレアの垂直に立ち上がる面を指で整形します。

09

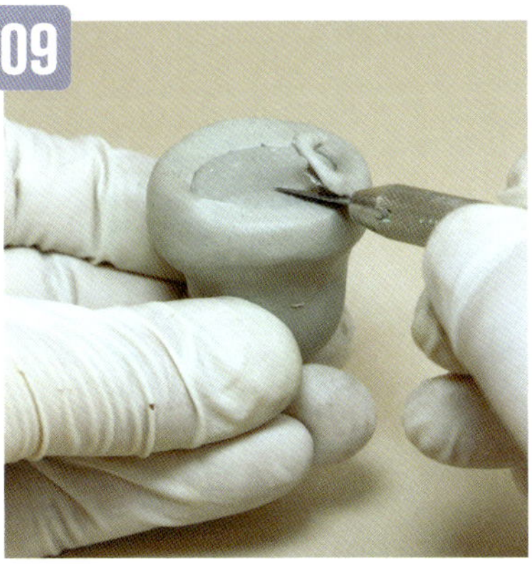

半生状態でカットする場合も

さらにひと呼吸おいて、底面の凸凹を、パテが半生《はんなま》でまだ軟らかいうちにナイフでカット。ここでも刃がベタつかないように少量の水で濡らしておきます。エポパテ工作のキモのひとつはこういった「ちょっと待って落ち着かせる」時間のコントロールにもあります。慣れてきたら意識してみてください。

10

ドライヤーで温めてさらに密着

エポパテの弱点のひとつは、こういった2層目を重ね盛りしたときに、他の素材に比べて密着性が弱いこと。それを少しでも緩和するために、溶剤でなじませたのですが、さらに温度を上げるのも有効。ドライヤーを軽く当てて全体に温めるのが簡単でしょう。ただし、熱くなりすぎると膨張するのでほどほどに……。

第2章

エポパテ工作の基本
練習用モンスターを作る

CHAPTER

03

すそのフレアを削り出す

このパートでも、上手い人なら一発で作ってしまうような形状を、あえていくつかの工程に分けて細分化して説明しています。今回作るフレアスカートの裾のように「波打ちながら広がる」、複数要素からなる形状は特に、左右対称がとりづらい、もっというと左右を正確に見比べられないのでどこがどう違っているのかすら読み取れ無いので、まずは比べやすい、再現しやすい形で左右対称を作ってからデリケートな形状に進める。そういう考え方を紹介しようと思います。

01

底面を再度削って基準面に

1層目と同じく、単純で削りやすい平面になる底面を当て板に巻いた#80番のサンドペーパーで、ピシっと平らに削って、ここを基準面にします。

02

円定規を当てて、外周を正円に

製図用の円定規を当てて、適当な直径の円を下書き。この本では写真に写りやすいように太目の油性マーカーを使っていますが、染料が染み込んで、後から塗装面に染み出してくることがあるので、皆さんが作業する際には鉛筆やシャープペンシルを使うと良いですよ。

03

裾フレア一番外側になる垂直面

底面に描いた基準の正円に沿ってデザインナイフで垂直に立ち上げる面を削っていきます。最初から垂直に削るのではなく、まずは角度を気にせずに円の外側を削り落とし、その後改めて面を垂直に、回数を分けて、少しずつ狙ったラインに近づけていくイメージで……。

04

マーカーをトースカン的に使う

指をブリッジ状に使ってマーカーの先を適当な高さに保持、同じ平面上で原型をそこに当てて、丁寧に一周分くるりと回すと、裾フレアの上辺ラインが同じ高さでぐるっと描き込めます。トースカンという専用の工具もありますが、まずは"指ブリッジ"で十分でしょう。

本当はもっと“柔らかい”ラインなのですが……

今回作っている練習用モンスターですが、これも曲がりなりにも生きているキャラクターなので、本当はもっと柔らかいというか、ここまでビシ!っとした左右対称や正円である必要はありません。というか、むしろこれでは不自然で、プロの仕事として納めたら「メカじゃないんだから、もっと、こう生き生きと……」と、リテイクをくらうレベルです。なので、本当に作るとしたら図のようにもうちょい柔らかい、いろいろと非対称なラインになるとは思いますが、今回はあくまで工程や考え方の説明のために、あえて、割り切ってるということで……。

裾フレア上辺までの逆Rを整形

膨らんだ曲面を“R《アール》”、反対に凹んだ曲面を“逆R《ぎゃくアール》”と言います。この裾フレアの上辺まで、ゆるやかに広がるラインは典型的な逆R。不連続なカクカクした曲面にならないよう、手首のスナップを利かせつつ、ぐるり一周の高さを揃えるように削っていきます。

波打つラインを下書き

ぐるりと一周分、高さと直径が揃った、歪みがない裾上下のラインが出たところでそこを結ぶように波打つラインをマーカーで下書きします。絵心的なことは今回あまり問題にしていませんが、こういうデザインは波型のピッチ(間隔)が狭すぎると変なのでちょっとゆったり気味にとるのがコツです。

波ライン上を逆Rで繋ぐ

波状のラインの上側は胴体側面から滑らかに広がる裾そのものですから、ここでも逆Rが滑らかにつながるように注意しながら、少しずつ削っていきます。ナイフの刃は立てて使うと食い込んでいく性質があるので、十分に寝かせて、皮をむくようなイメージで使うといいでしょう。

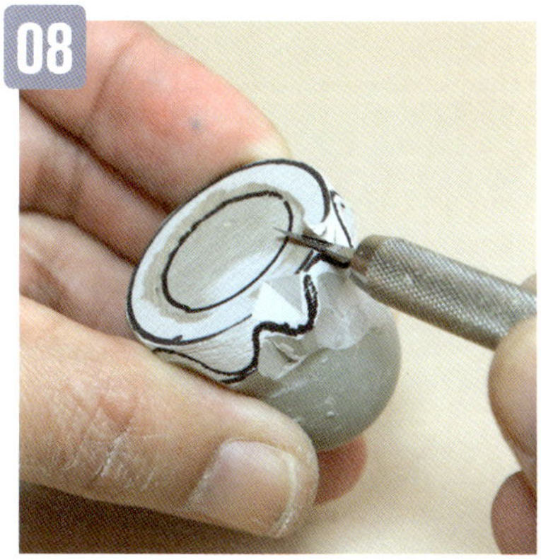

底面には小円を追加して

波状ラインの下側も曲面に削り込みます。削っていく終点がぐるり一周でずれると歪んで見えるので、その基準としてひとまわり小さい正円を定規で書いて基準にします。こちらも逆Rから順方向のRへ連続して変わっていくデリケートなラインになるので、注意深く削っていきます。

丸棒に布ヤスリを巻いて整形

滑らかな曲面、特に逆Rの再現にはナイフ等の刃物では限界があるので、途中からはサンドペーパーを使います。揉んで軟らかくした布ヤスリ(#80)を逆Rの曲率に沿うような直径の丸棒に巻きつけて、凹面に送り込むようにしてヤスリがけ。曲面に合わせて縦横両方から削りました。

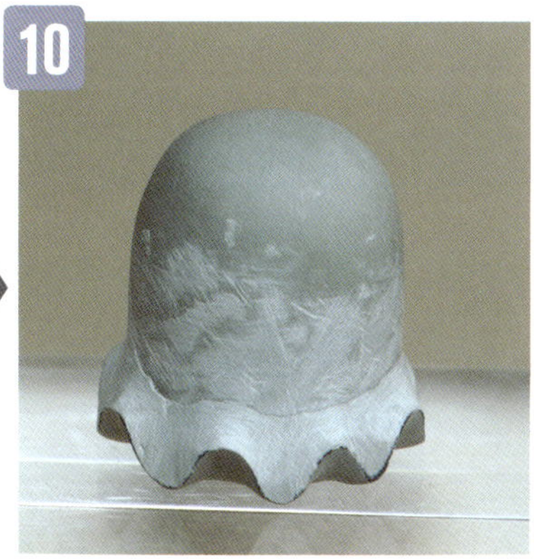

裾フレア完成

波状ラインの上下を注意深く削って、裾フレアが出来ました。波状ラインは凸状というか、布の切り口のエッジとしてピンと尖ることになります。削りすぎるとここが欠けたりするので注意を。また2層目を盛り足した境界のなじみが足りなくて少し段差が残っていますが、ここはまた後ほど……。

第2章

エポパテ工作の基本
練習用モンスターを作る

CHAPTER

04

手を追加
顔を彫刻

前ページで基本的な外形が出来たので、ここから細部工作に進んでいきます。作り方は大きく分けて2通り、盛って足し算的に作るか、削って引き算的に作るのか。どの部分をどちらの方法で作るかは、もちろん作るアイテムのデザインから判断するのですが、案外「どちらでもイケる」ことも多くて、そこの選び方でどんどんセンスが表われてしまうのが、原型製作の面白くも残酷なところです……。

01

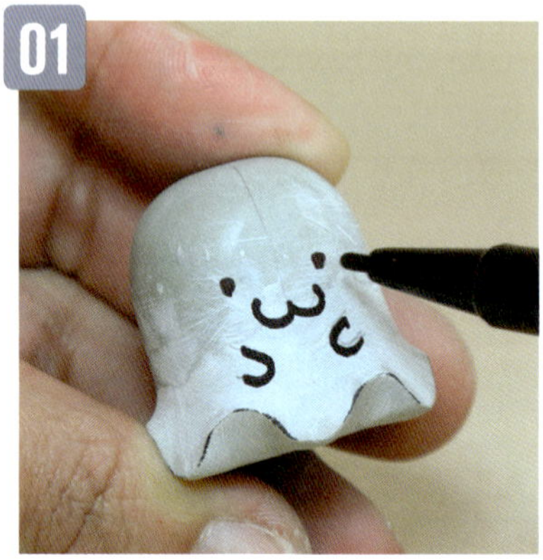

手と顔を下書き

正面を決めて、そこに顔と手をマーカーで下書きします。今回はイキナリ描き込んでいますが、左右対称を正確に出すときには中心線や水平な基準ラインを先に書いてガイドにしてもいいでしょう。ちなみに鉛筆描きの線は、ナイフの刃先で軽くこすってやると簡単(かつ正確)に消せます。

02

少量ずつ切り出して混ぜる

細部工作に使うのは、これまでの基本形部分と同じWAVEの軽量エポパテ。面倒ですが、使う分ずつ、少量だけナイフの刃先で切り出して混ぜます。混ぜ方、練り方はこれまでと同じ。慣れた人はちょっとずつ指先でむしっては混ぜていますね。

03

筆にアクリル溶剤でなじませる

十分練り合わせたら、左右それぞれの手のサイズにちぎって丸め、胴体に。密着はさせたいのですが、全体にギュッと押し付けると潰れてしまうので、軽く押し付けてから筆にアクリル溶剤を付けて、なだらかになじませたい肩口あたりを溶かして、スパチュラのスプーン状の背の部分を使いピンポイントで圧着します。

04

硬化後ナイフ、布ヤスリで整形

画像は連続していますが、この間にやはり数時間の硬化時間をとっています。硬化後、デザインナイフではみ出した部分をカット、布ヤスリをかけて滑らかに整形します。前工程のように大き目の当て板は使えないので、うねりをとるのは、かなりの部分がナイフでの作業に移行することになります。

ピンバイスの秘密

工具としては0.3mm～4mm程度のドリル刃をガッツリくわえるだけで、モーター等の動力は特にない、手回しの工具なのですが、精度や硬さも必要なためそれなりに高価(¥2,000前後)。写真のタイプは後方のネジ式のキャップを外すと、直径の違うドリル用のチャック(コレットとも言う)が格納されていて都合4種のチャックを使い分けることが出来ます。ミニ4駆ブームで使っていたけど、この秘密を知らないという人も案外いるので参考までに……。

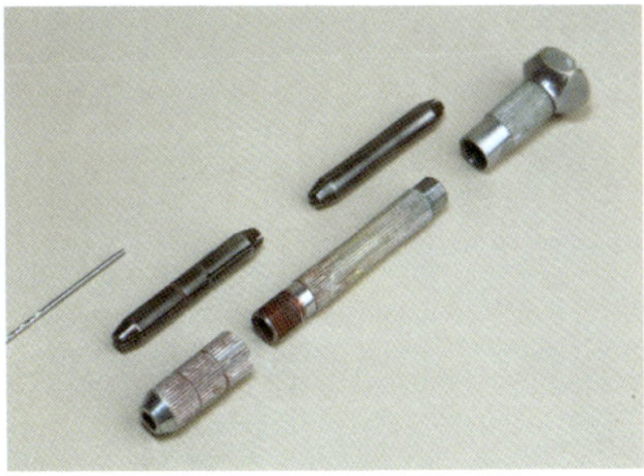

05

“目”は凹か? 凸か?

今回のお化けキャラ、目はポツンとした黒丸で表現される、いわゆる“点目《てんめ》”。この場合、商品レベルでも実は正解は無くて、有名キャラの商品でも凹(浅い穴)凸(半球状のでっぱり)、さらにはモールド(=彫刻)無しのツルツル面に印刷だけ、までさまざま。口やヒゲも同じく正解は無いです。

06

1.2mm径のドリルで開孔

悩ましい目の表現ですが、今回は一番簡単な凹、浅い穴を掘るパターンにしました。工作そのものは簡単で、ピンバイスにくわえたドリルで浅めの穴を軽く彫り込むだけ。ドリルの先端が回転するときの力ですべってズレないようカルコで軽く突いて、下穴を開けておいてもいいでしょう。

07

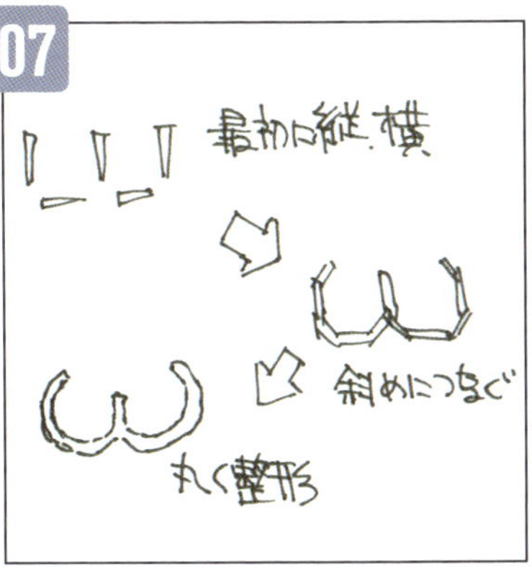

細かい曲線は分解して

口はω型の筋彫りで表現します。こうした小さいサイズの曲線の筋彫りをいきなり彫るのは難しいので、短い直線に分解して考えて、それをカルコ等の針先でつないでいく方法をとります。ナイフと針先にはそれぞれ得手不得手があるので、それを補うように組み合わせて作業します。

08

ナイフで細いミゾを彫る

まず短い直線の筋彫りをV字断面のミゾとして掘り込みます。ナイフはまっすぐな線は得意ですが、小さく曲がる曲線は苦手。また、エポパテのように硬化後も多少の粘り、弾性のある素材は、カリコリと削るというよりはむしろ、よく切れる刃先で“切り除く”ようにミゾを切っていく方がきれいに仕上がります。

09

カルコの針でなぞって曲線に

短い直線を45度の斜めラインで繋ぎ、さらにカルコ等の太目の針先で丸くなぞってω型の曲線に整形します。針先は逆に、方向性に依存しないので、360度どの向きにも彫り進められるので、丸い筋彫りは得意。反面、切るというよりは削る加工なので、粘りのある素材ではいきなり彫るのが苦手です。

10

基本造形・完了

手と顔が出来て基本造形が完了です。筋彫りに失敗したときは瞬間接着剤+エポパテの削り粉で埋めましょう。

第2章

エポパテ工作の基本
練習用モンスターを作る

CHAPTER

05

サーフェイサーで表面仕上げ

原型表面の細かい傷や凸凹を平滑にならしていく工程を表面仕上げと呼びます。基本的に凹部にはパテやサーフェイサーと呼ばれる塗料の1種を塗り込み、凸部をサンドペーパーで削り均していきます。それぞれいったりきたりしつつ、順番に目を細かくしていきます。

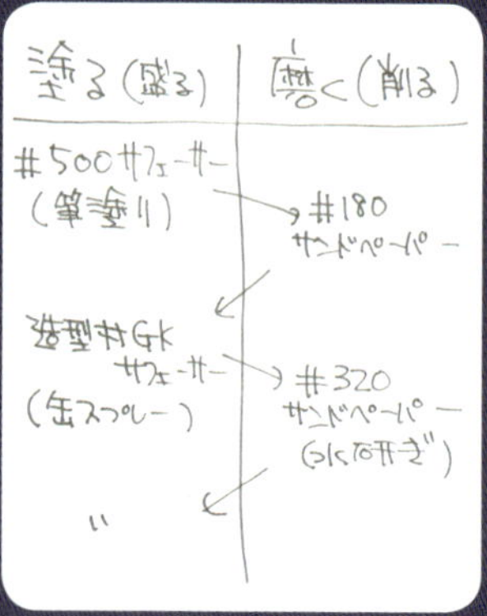

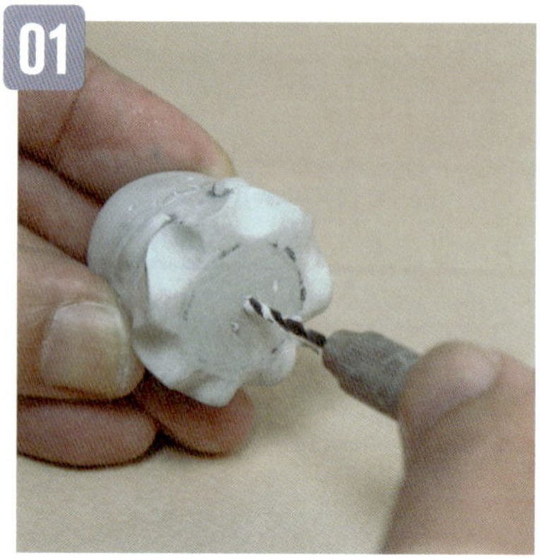

01

持ち手用の穴を開ける

サーフェイサーを全面に同時に塗るのでそのままでは触れるところが無くなるので、保持用の棒として爪楊枝や竹串を刺すために底面に2mmほどの穴を開けます。深さは深ければ深いほど安定するので深めに。10mmほどあれば安心でしょう。

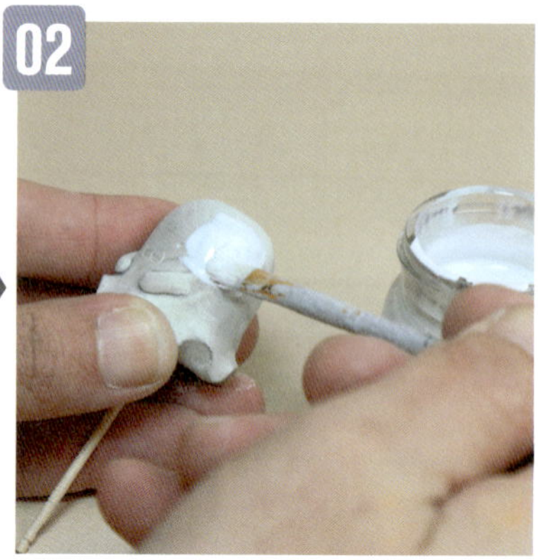

02

サーフェイサーを筆塗り

まずは比較的濃いタイプのサーフェイサー(GSIクレオスの#500)を筆で塗り込みます。よくかき混ぜて平筆に少量つけて、細かい傷や凹部にすり込むように。次の工程ではほとんど削り落とすことになるのでムラは気にせず薄塗りで。逆にぼってり多く塗りすぎると芯まで乾かないし必要な彫刻まで埋まってしまいます。

03

#180サンドペーパーを短冊状に切り出し

次の磨き工程ではサンドペーパーの目を、前工程で使った#80番より細かい#180に進めて使用。ここからは布ヤスリではなく、耐水性のあるサンドペーパーで。同じように裏からカット、短冊状に切り出して使います。

04

スチール定規を当て板に

荒削りではかまぼこ板を使った当て板ですが、ここからはより小回りのきく、スチール定規で、同じようにピッタリ折り曲げて簡易的なヤスリのように使います。削れる"目"に方向性がある鉄ヤスリに比べてどちらに動かしても癖がない分、初心者には扱いやすいかもしれません。

サーフェイサーは沈殿しやすいので……

サーフェイサー(“サフ”と略すこともあります)の中身は、濃いめに調合されたラッカー系塗料のようなものなので、瓶入り、缶スプレーを問わず、濃い粒子の成分が底の方に沈殿しやすいです。極端なケースでは塗ってるそばからどんどん沈殿していくので、使用前はもちろん使用中もこまめに攪拌しましょう。瓶入りタイプでは竹串でかき混ぜて、缶スプレーはさかさまにして、中の攪拌用鉄球をカラカラいわせるイメージで頭を振り回すようにするのが効果的ですよ。

05

最後にフリーハンドで

これも荒削りと同じく、当て板有りで大きな“うねり”をとって、最後に当て板無しのフリーハンドで滑らかな曲面に仕上げていきます。裾フレアの周りの逆Rは丸棒に巻いて、腕の際《きわ》立ち上がりの部分は4つ折りにしたペーパーの角を送り込むようにして隅々まで磨き上げます。

06

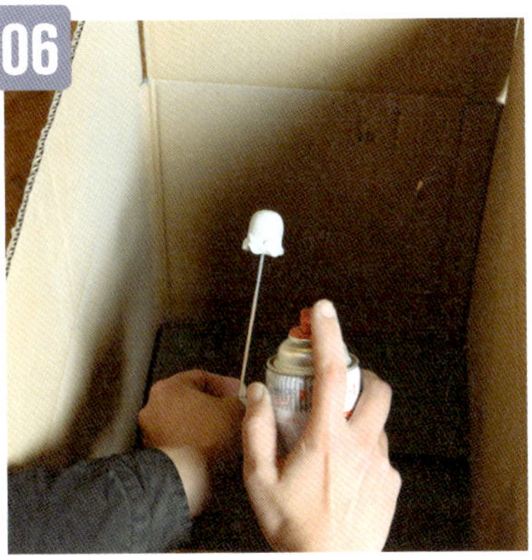

続いて缶スプレーのサフ吹き

次は瓶入りよりも一段キメの細かいサーフェイサーを缶スプレーで吹き付けます。スプレー式は筆跡が残らないのも仕上げ向き。今回使ったのはVOLKS造形村 GKサーフェイサー·グレー。乾燥が早く、塗膜も固く磨きやすいのが美点。最初はちょっと離し気味に吹き付けます。

07

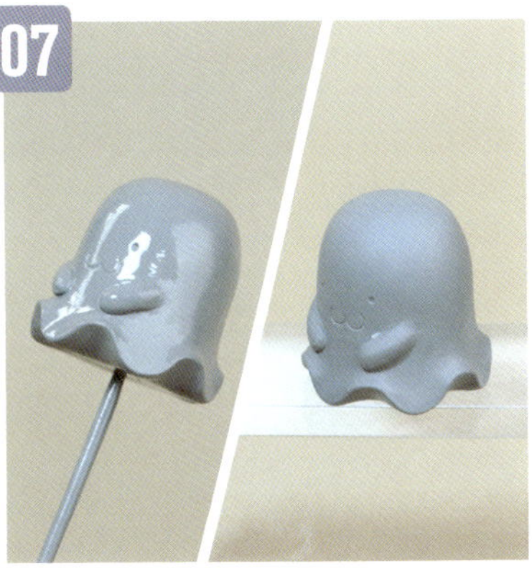

吹きすぎに注意

「シュー」とボタンを押しっぱなしにすると吹き過ぎて流れたりボタつくので、「シュッ! シュッ!」と短くリズミカルに、かつ缶を横方向に素早く動かし、粉と濡れた粒の中間くらいの霧をふりかける気持ちで。上写真のようにテカるほどだとちょっと吹きすぎですが、乾燥するとツヤ消しに落ち着きます。

08

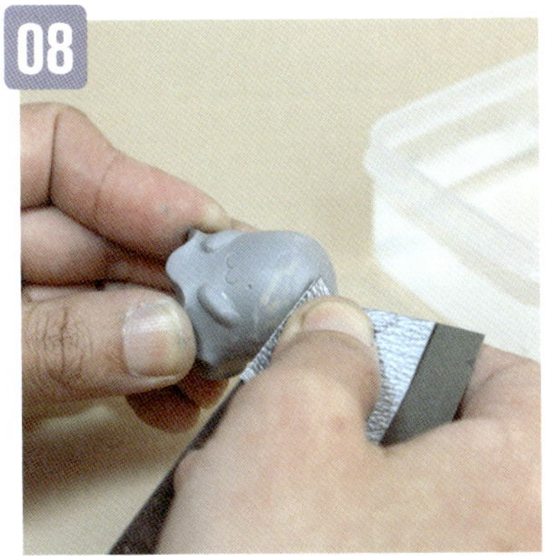

#320サンドペーパーで水研ぎ

磨き工程の方も一段細かく、サンドペーパーは#320番で、さらに水をたっぷりつけて磨く「水《みず》研《と》ぎ」でより滑らかに。ここで使う水はペーパーの目詰まりを防ぐ効果もあります。ここでも同じく、当て板有り⇨フリーハンド⇨折り曲げて細部、の順に磨き上げていきます。

09

埋まったモールドをシャープに

顔の筋彫り等の彫刻表現のことを「モールド」とも呼びます。サーフェイサーや磨きで出る粉が詰まってモールドが埋まったりスジ彫りが甘くなることもあるので、磨いた後、歯ブラシで掃除し、場合によってはナイフ、針先で再度なぞって切り口をシャープに仕上げ直すことも必要になります。

10

完成! 練習用モンスター

最後にもう一度缶スプレーのサーフェイサーを吹き付けて完成です。最後はサフの塗膜で全体が覆われるのでペーパーは#320でも十分ですが、丁寧に仕上げたいときはこの後さらに#400や#600での磨きに進むことも。

COLUMN 03

エポキシパテを使うワケ

-造形素材のとっつきやすさ-

今回、初めての人向けのHow to本ということで、まず考えたのは造形素材に何を使うか？という点でした。ポリパテ（ポリエステルパテ）は私の前著『フィギュアの達人 上級編』（コトブキヤ/新紀元社 2009年発行）でガッツリ取り上げたのと、その際に「やっぱり難しいです……」との意見も寄せられたので、見送り。スカルピーは表現力は高いものの、形の整え方、焼き方ともにむしろ職人芸……。残るは、初心者向けでは定番のファンドかエポパテか？ さんざん迷ったのですがファンドはすでに先行する良書がいっぱいあるのと、乾かすのにコツと忍耐が要るということで、エポキシパテに決めました。本文中でも書いていますが、軟らかいときには粘土的に彫塑の技法が、硬化後は切削中心の技法が両方使えるので、エポパテからはじめて、彫塑をメインに作るようならスカルピーに、結局削ってばかりならポリパテに移行して良いでしょう。難点は材料単価が高いこと。素材の使用量は体積に比例するので、大きさ（身長）が2倍の原型を作ると、縦×横×高さがそれぞれ2倍で8倍のパテを使うことに……。逆に言えば半分のサイズだと1/8の量でできるので、小さいフィギュアを作るにはベストの素材で、実際にミリタリー系の1/35、1/48フィギュアでは主流として使われています。

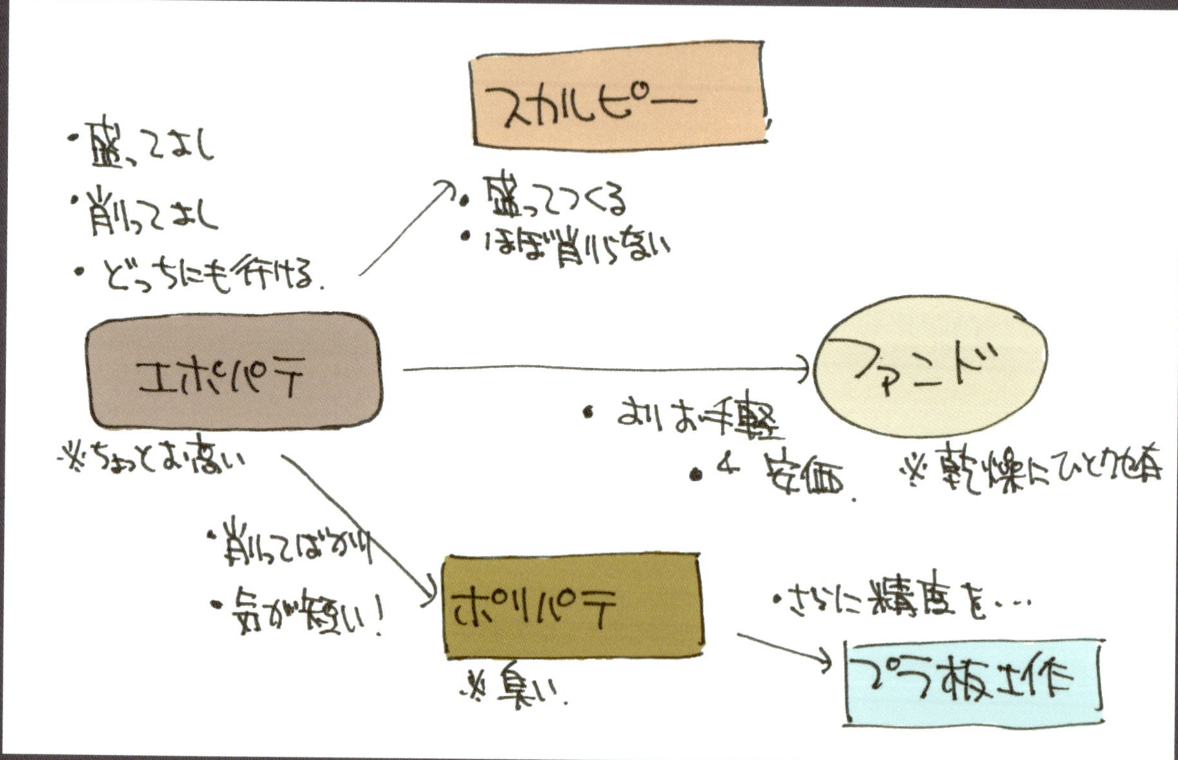

第3章
フィギュア原型作製の基本

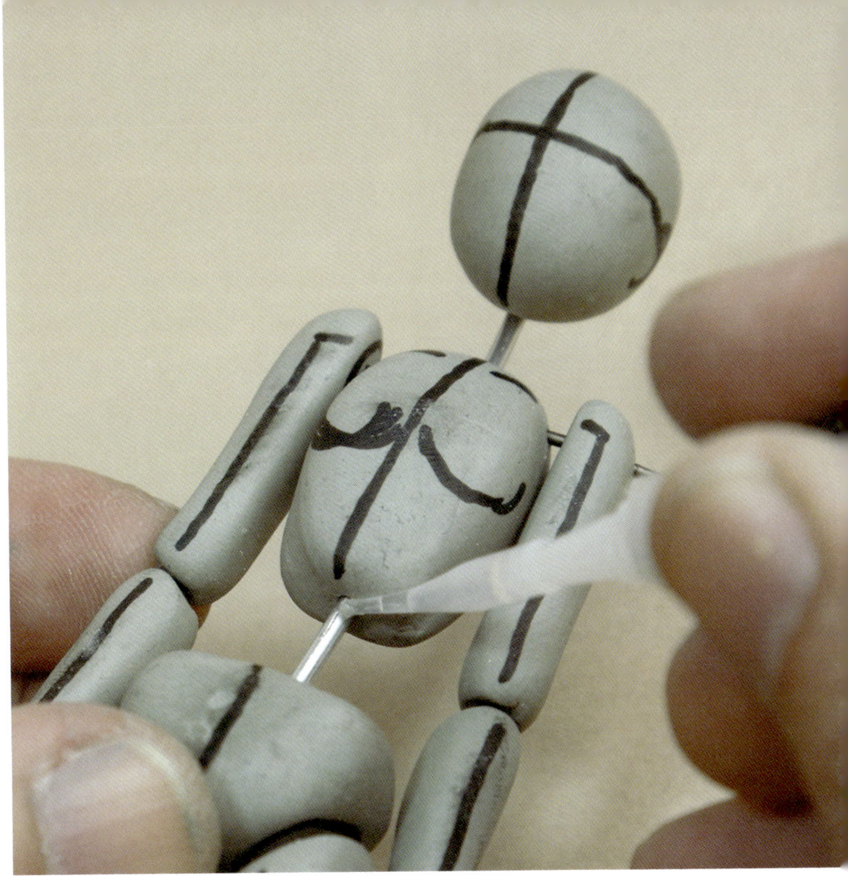

“あやつり人形方式”で作ります

ここからが本書の主題である「美少女フィギュアの“原型”の作り方」です。ページ数にしておよそ102ページ、ステップごとに大きく10のパートに分かれて、さらにそれぞれが見開きごとにいくつかのチャプター(単元)に分かれて整理されています。他の章とは階層の深さが違っていて、本の作りとしてはスマートではないのですが、工程の整理を優先して、イレギュラーな処理になっています。
作るキャラクターはこの本のために新鋭イラストレーター「serori」さんに描きおこしてもらいました。贅沢にも、入門編用に逆算して、作りやすいデザインをオーダーさせてもらっています。ポーズはシンプルな立ちポーズ、髪型が作業量は少なめなショートカット、そして衣装は、作るほうも見るほうも嬉しいという誰もがwin-winになれる最強アイテムの“水着”を選びました。
逆に、長く風になびく髪や凝ったポーズ、複雑な分割が必要な衣装、といった上級者向けな要素については拙著『フィギュアの達人 上級編』にてさまざま事例を紹介していますので、そちらをご覧ください。

第3章①

全身のラフ造形 "素体"を作る

CHAPTER

01

作るモノを決めて原寸スケッチ

造形にとりかかる前に下準備について少々……。
まずは用語ですが"素体《そたい》"という言い方は、厳密な定義があってのものではなく、使われる場面によってニュアンスが違ってきます。基本的には完成した状態や部品が揃ってる状態と対で「元になる基本型」とか「ここから加工して個別のキャラクターに似せてゆく"素《す》"の状態」といった感じで使われます。近年の可動フィギュアの流行で、「可動ギミックは全部仕込まれているけど、顔や衣装はほとんど作られていないベースモデル」を"可動《かどう》素体《そたい》"と呼んだりしますね。今回この章では「身体の部品は全部揃っているけど、ポーズはまだの直立状態」くらいのニュアンスで使います。

01

作るキャラを決める

フィギュアを作ろう! とこの本を手にとったモチベーションが「このキャラを作りたい!」と、すでに決まってる人は何も問題ありません。そのまま、そのキャラの資料を集めてください。そうじゃない人は、迷ったときにお手本になるようなフィギュアが出ている人気キャラがいいかなぁ……。

02

ポーズはどうする?

ポーズについても「この絵をそのまま再現したい!」という方は問題無し。細かいことを言うと、立体に向いてないポーズや罠のある絵もいっぱいあるんですが、それは今考えなくてもいいでしょう。逆にゼロから自分でポーズを考えるときは、立ちポーズが初心者向き。アニメ的なデフォルメの矛盾がバレづらいですよ。

03

大きさ、スケールは?

身長を何分の一に縮めて作る際の縮尺率を"スケール"と言います。例えば身長160cmのキャラクターを8分の1の20cmで作ると1/8スケールと表記されます。顔や手指等の細かい部分を作るには大きめがいいのですが、複製を考えると小さめが楽。間をとって1/8スケールあたりが無難でしょうか?

04

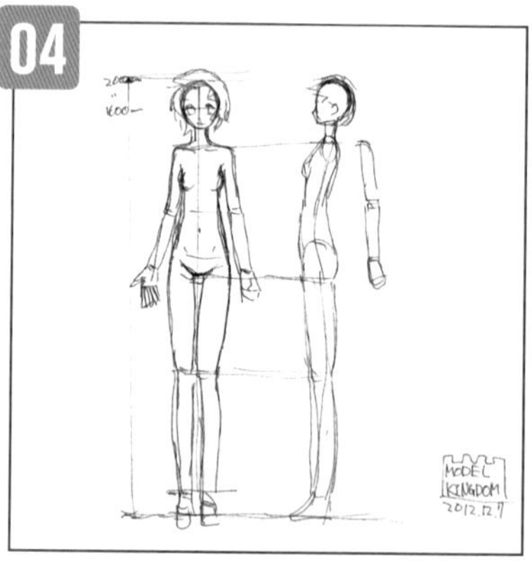

直立ポーズで原寸図

大きさが決まったら、そのサイズ原寸で、直立ポーズの原寸図を描いてみましょう。絵として上手である必要はありません。ただ、次の工程で作る素体の各部品の大きさをなるべく正確に写し取る気持ちで。正面からのプロポーションが分かる、裸に近い元絵があればそれを拡大コピーしてもOKです。

髪の流れ
デコ広め & まるみが
この子のチャームポイント!!
重要!!
後頭部の丸み!!

決定デザイン

今回例題でつくるキャラクターのデザイン画稿です。
この本のために新鋭イラストレーターseroriさんに描きおこしてもらいました。入門編ということで、全体にシンプルに、髪はショートカット、体形やポーズもおとなしめに、衣装はさんざん迷った結果、水着でオーダー。シンプル故に造形上のポイントは、①典型的な美少女フィギュアらしいスラっとしたプロポーション、②明るい表情、③柔らかい体表の質感、④ちょっと難しいツンツン髪、といったあたりに集約される感じでしょうか?

準備稿

左が一番最初のラフです。おでこちゃんな髪や透明感のある瞳に一発でヤラレた反面、入門編にはちょっと手強いポーズ。手足を絡めるポーズはアニメ的なデフォルメ（脚が長い、肩幅狭い〜等）の嘘がバレるというか、破綻して見えがちなので、慣れないうちは避けたいところ……。
と、お願いして、右の入門編なポーズに。このパレオを見て「あ、だったらいっそ、今風のビキニ2枚重ねにしませんか?」と提案、最終デザインになりました。

キャラクターデザイン:serori

serori（せろり）
ライトノベルやCDジャケットを中心に幅広く活動中のイラストレーター。
スタイリッシュで躍動感あるイラストが持ち味。
代表作は、ナイトウォッチシリーズ（星海社刊）など。

第3章①

全身のラフ造形
“素体”を作る

CHAPTER 02

芯を固める①
頭、胸、腰

いよいよここから本番のフィギュア原型の作業に入っていきます。ここで紹介する作り方は“あやつり人形方式”と私が勝手に呼んでいる工法。まずは全身の芯になる部品をパテでひねり出して、硬化後アルミ針金で接続、ひとまず直立ポーズでバランスを調整。その後、アルミ針金を曲げてじっくりポーズをつけて、関節をパテで繋いで裸を仕上げる、という段取りです。この方法の利点は工程ごとに問題点が切り分けられること。手足の長さは最初の工程で、ポーズや重心は次の工程で、関節をまたぐ筋肉の構成は最後の工程、というようにそれぞれの段階で要点だけに集中出来る（厳密にはもうちょい複雑に絡みあってくるんですが……）ので初心者のみならず、今ちょうど行き詰まってる方は、一度試してみてください。

01

1本の半分ほどをカット

前章と同じくエポキシパテの主剤と硬化剤を等量切り分けて混ぜ合わせます。まずは60gセットの半分ほどを混ぜて、全身の部品の芯を固めました。この量はあくまで目安なので、適宜調整してください。ちなみに今回の例題フィギュアでは60g入りをだいたい2セット弱、使用しています。

02

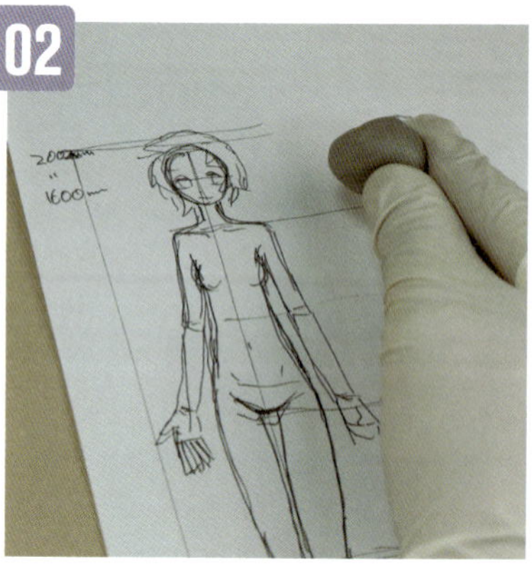

原寸図に合わせて丸める

白×グレーのまだら模様から、よく練り合わせて、均質なグレー1色になったら、原寸スケッチに合わせてパテをちぎって丸めます。ここでも前章と同じく肉割れに注意して。ここで同時に頭から胸、腰、さらに次ページの手足まで、おおまかに形状を出して固めていきます。

03

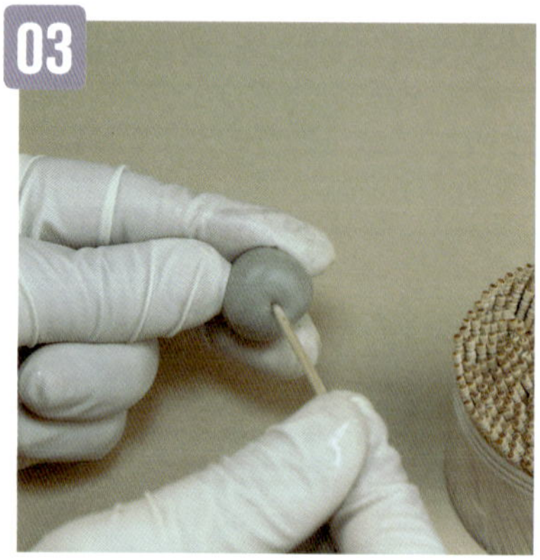

爪楊枝を刺して……

この画像は頭の部品を下から見たところ。硬化前のまだパテが軟らかいときに、後の工程で首が生える部分へ軽く爪楊枝を刺して持ち手にします。まだ芯の段階なので、多少変形しても構わないのですが、そのまま置くと、自重で潰れてぺたりとした平面が出来上がってしまうので、それを避けたい場合の小技です。

04

洗濯ばさみで立たせる

爪楊枝はそのまま油粘土等のブロックに刺したりして硬化を待ちます。私は洗濯ばさみを使って3脚状にして保持しています。急ぐときや気温が低い冬場は、前章のようにドライヤー等で温めてもいいでしょう。温度的にはコタツの中が一番良いのですが、たいがい蹴っとばすので、ご注意ください……。

芯はひとまわり華奢《きゃしゃ》に

エポパテはその性質上、ちょっと大きめに作って削っていっても、小さめから盛り足していっても、どちらでも作業できるのですが、ここでは後者を基本に小さめからスタートしています。ひとつには、そのほうが材料の無駄が少ないから。もうひとつは、女性キャラの場合、油断しているとすぐにゴツくなってしまうから。今の美少女絵は、むっちり肉感的なラインが流行りつつあるとはいえ、基本的には細身で華奢なデフォルメが主流。ところが部品単体を近視眼的に見ていると、その細くて小さいパーツに不安になって、つい一個一個のパーツを太め、厚めに作りがち。なので、原寸図に準拠しつつではありますが、「大丈夫かな?」くらいに細め、薄めが、結果的にはちょうど良くなりがちです。

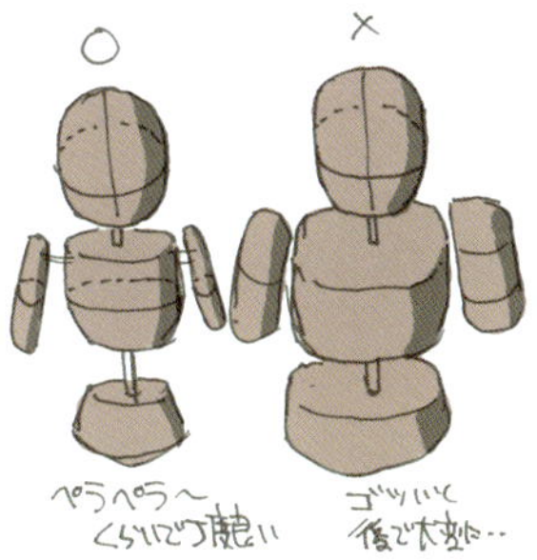

05

頭の芯、サンプル形状

分かりやすいように正面側に中心線をマーカーで描いていますが、写真から形状と前後方向を読み取りやすくするためなので、皆さんが作るときは必要ないでしょう。素体の段階では頭身のバランスが判断できる程度でいいので、顔としての細部(目、鼻、口)はまったくありません。

06

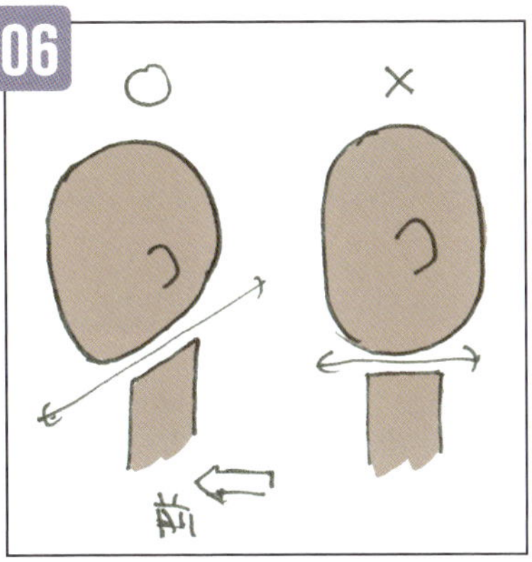

首のつく面は斜めに

この段階で気をつけるのは横から見たときの形。頭は前後対称な楕円というよりは、後ろ側(後頭部)がほぼ球体、前側(顔面)にだけアゴが付属して縦長、結果的に首がつく面は前下がりの斜めになること。ここが水平だと、アゴ、首、肩の重なり加減が不自然にロボっぽくなってしまいます。

07

胸部品はろっ骨の形で

胸部品の芯はひとまず、ろっ骨が作る胸郭《きょうかく》の形に固めます。肩周りやおっぱいを取り除いた胸郭は、前後方向に扁平につぶした"樽《たる》"型をイメージするといいでしょう。

08

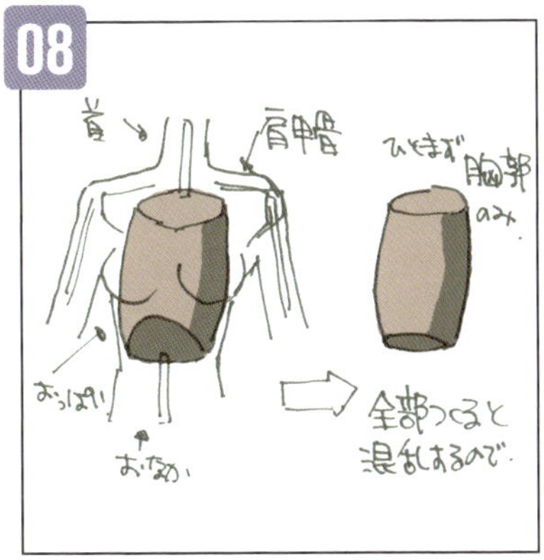

胸は付属物が多い

最終的には胸周りとして一体で作ることになるのですが、肩周り(鎖骨⇨肩甲骨⇨上腕部)やおっぱいはポーズによって位置関係や形状が大きく変わってくるので、本格的に作るのはポーズを決めた後になります。素体の段階ではポーズに影響されづらい、胸郭までをボリューム感に注意しつつ再現します。

09

腰部品はパンツの形に

腰周りもポーズによって大きく形が変わるのですが、女性の場合は特に骨盤の幅とおしりの前後の厚みが、キャラクターや絵描きさんごとに特徴の出る部分なので、仮にでも再現したいところ。ここではとりあえず、前から見て逆三角形、下から見ると2つの円断面のパンツの形に固めました。

10

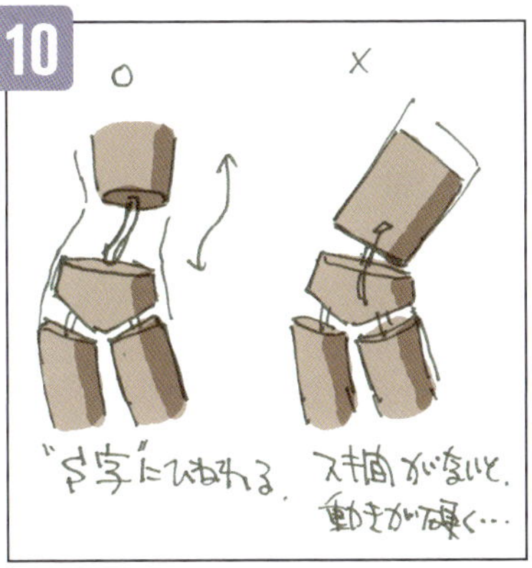

おなかは大きく空けておく

肩周りにも通じるのですが、おなか周りもポーズで変わってくる部分なので大きく空けておきます。背骨は単一の関節ではなく、多数のブロックが蛇腹状に動くので、胸と腰をガッツリ作るとデリケートな動きをトレース出来なくなるので。特にS字型に"腰を入れる"ポーズのときはここが重要になりますよ。

CHAPTER
03

芯を固める②
腕と脚

引き続いて手足の芯になる部品を固めていきます。模型用に市販されているエポキシパテは、比較的長めの硬化時間となるように調整されていますが、それでも気温が高い時期は作業できる時間=ポットライフは短くなるので、こうした複数の部品を同時に作るときは手早く作業を。段取りとしては最初に全パーツを切り分けておいて、その後、個々の部品の形状をじっくり整えるのも有効です。ちなみにホームセンター等にある家庭補修用のエポキシパテには5分程度で硬化が始まるタイプもあるので、その種の速硬化型を使うときは部品ごとに混ぜた方が良いでしょう。

01

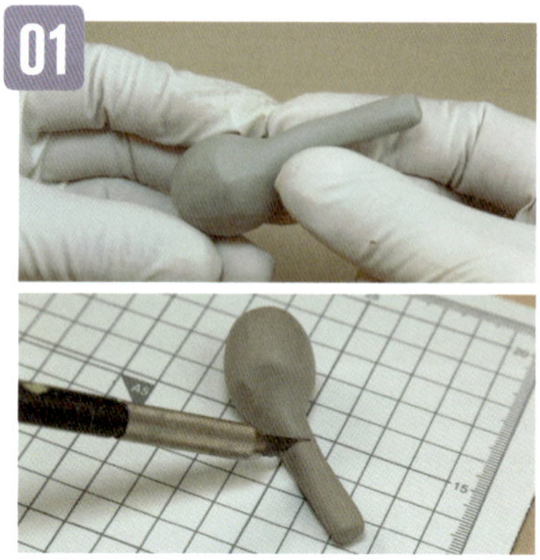

棒状に延ばしてカット

腕やすねなどの細長い部品は切り出してから延ばすよりも、希望の細さに延ばしながら、必要な長さをナイフで、刃がベタつかないように水をつけて切り出すほうが無駄が出ません。この際、切り口が紡錘状に絞らないほうが、バランスをチェックするときに違和感が無いのでまっすぐに絶ち落とした形で。

02

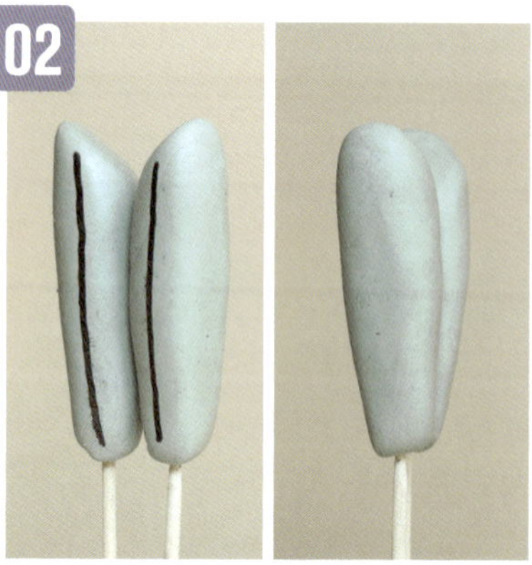

ふとももの形状

基本的には下(膝側)に向かってゆるくすぼまっていく円柱状で、パンツと接する上端が斜めになります。今回は比較的スマートなプロポーションなので、テーパー(すぼまり度合)もゆるやかですが、むっちりしたキャラでは上に向かって広がる円錐に近くなります。

03

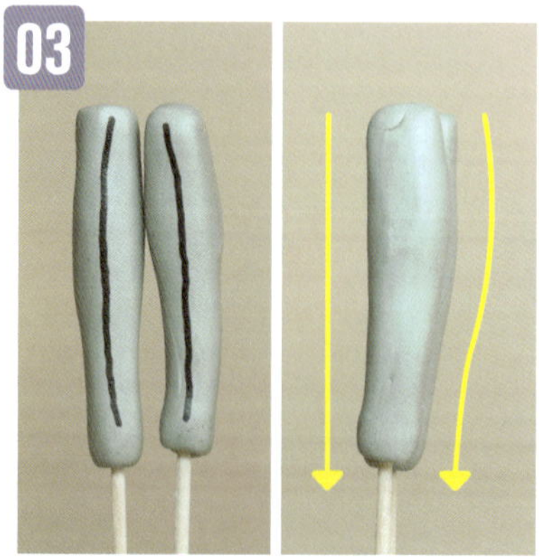

すねは前後非対称に

すねも円柱ですが、前側に骨がせり出していて横から見るとほぼ直線、前から見ると内側がえぐれたゆるい曲線で後ろにふくらはぎの膨らみとアキレス腱につながるくびれがある、という、前後に非対称な形です。これはポーズをつけてもそれほど変わらないので、芯の段階から意識して作り分けましょう。

04

足首は薄すぎず

足首は逆に立ち方(つま先立ち)や靴の形に合わせて大きく形の変わる部分ですが、ここではとりあえず直立、裸足に準じた形状で芯を固めました。つま先側は薄くなるのですが、くるぶしにいくにしたがって厚みが出て、横から見ると直角三角形に近い形になるので、ここが薄くなり過ぎないように。

芯の段階から意識したいポイント

エポパテは盛りも削りも自在に出来るので、実際には後の工程でいくらでも修正が出来るのですが、やはり最初の芯のバランスに“引っ張られて”いくので、体型や大まかなバランスは最初の芯の段階でイメージしておくほうが良いでしょう。途中写真でも触れた首の付く面が斜めになってるところや、すねの前後非対称といった、「言われてみればそりゃそうだ」といった形状のとらえ方や、頭身が高めで大人っぽいか、低めで幼いか、さらには腰の高さや手の長さ等、この段階でもチェック出来るポイントはそれなりにあります。

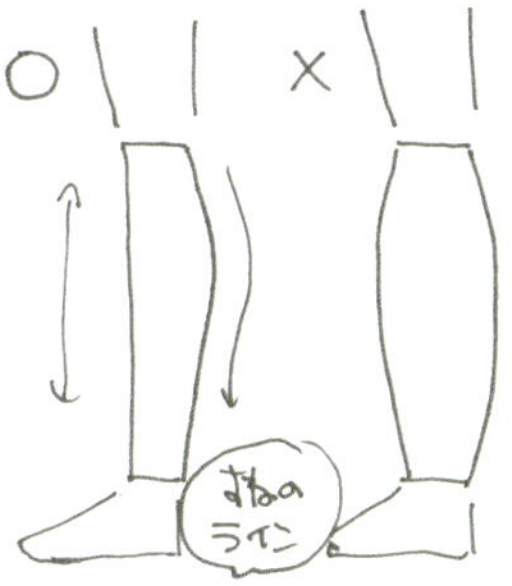

05

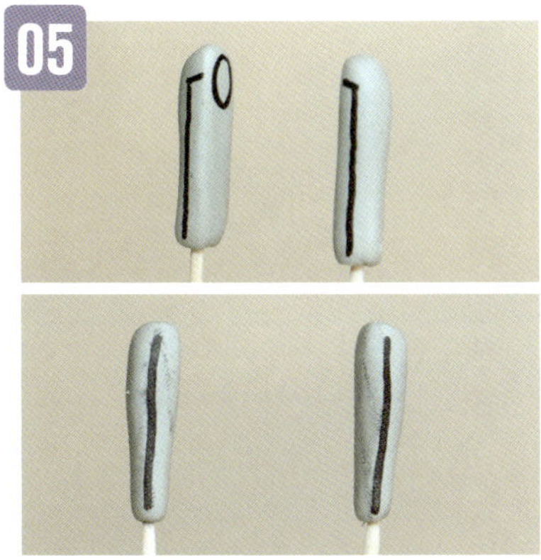

腕は特に太さに注意

前ページのコラムで書いたように、小さい部品ほど不安になって太く作りがちなんですが、その最たる部分が腕です。上腕、前腕ともにすねよりもかなり細いので気をつけて。また断面も実際にはポーズに合わせて複雑に変化するのですが、ここでは左右に若干つぶれた小判型に単純化して固めています。

06

手首も必ず作りましょう

手の長さの印象は手を握るか、開くかだけでも結構変わってきます。ましてや手首無しでは全身のバランスが大きく変わって見えるので、特に初心者の方は簡単なダミー部品でも良いので手のパーツも必ず作って、素体に組み込んでください。

07 全身のパーツが揃いました

ということで、主要な関節で分けて、都合15パーツを並べてみました。補助線が描きこんであるほうが前面、下の写真が背面になります。美処女キャラのデフォルメで、脚が長いのはもちろんですが、胸（胸郭）が極端に小さくなっていて、横幅は頭と同じかより狭いくらい。一般に“小顔=かわいい”と思いがちですが、下手をすると、肩幅が広く見えてたくましくなってしまうので、華奢に見せるために、肩幅を狭く、結果的に頭が案外大きくなっていることがあります。実際にはこのあたりは絵描きさんの癖やキャラの年齢でも変わってくる、デリケートなところなので、元の絵のバランスをよく研究しましょう。

08

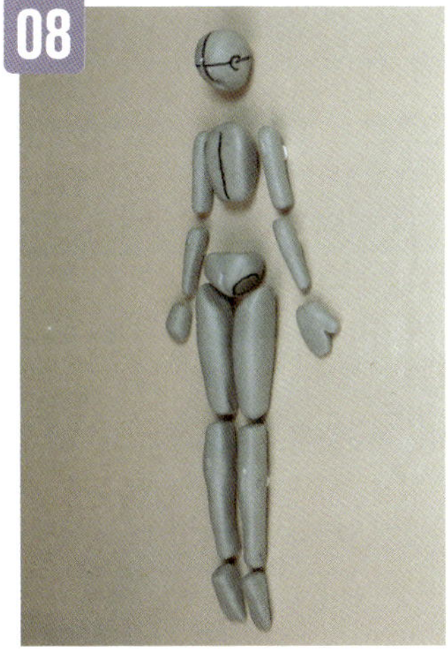

背中から見ると……

右の各部品を逆向きに並べるとこの写真のようになります。腰やすね部品が後ろに向かって膨らんでいて、前側が平らなのが分かります。逆に胸の部品は後ろ側が平らに。腕、ももは、この段階では前後方向にはあまり形が変わりません。

第3章①

全身のラフ造形
“素体”を作る

CHAPTER

04

アルミ針金で全身を接続

全身のパーツが揃ったところで、関節をアルミ針金で繋いで仮に固定していきます。模型工作には各種の金属線を使いますが、アルミ針金はその中でも適度に軟らかく、手でも簡単に曲げられるので、この後の工程で自在にポーズをつけて、またちょうど良いところでピタリと固定が出来ます。これより硬い真鍮の針金(真鍮線)は曲げない用途、完成品の補強や小部品の取り付けに使います。また、アルミ針金と見た目や色が似ている、特に表記のない素の針金は、鉄で出来ていて、さらに硬い上に錆びるのでほとんど使いません。さらに余談ですが、ピアノ線はもっと硬いステンレス系の鋼材なので、模型用の工具では切ることもままなりません。

01

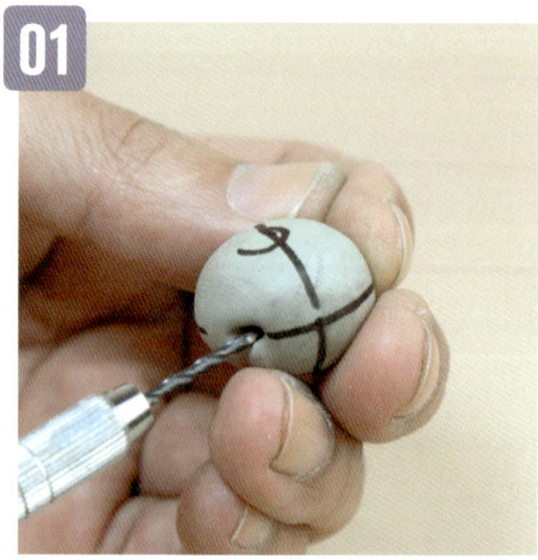

2mm径のドリルで穴を

今回、基幹部分の接続には2mm径のアルミ針金を使うので、それに合わせて2mm径のドリル刃をピンバイスにくわえさせて、パーツに穴を開けていきます。大きなズレが無ければ、部品の保持に使った爪楊枝の穴をそのままドリルで深くするのが簡単でしょう。

02

アルミ針金を差し込む

アルミ針金は長いロールになっているので、取り回しやすいよう20cm程度を切り分けて使用します。まずは長いまま、根本をラジオペンチでくわえ奥までグッと差し込みます。穴が十分に深ければ(8mm以上)、接着剤が無くてもしっかりと保持されますが、ゆるいときには少量の瞬間接着剤を付けて。

03

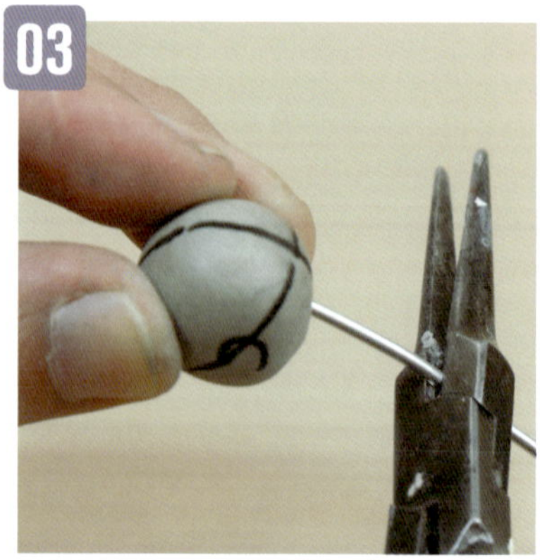

少し長めにカット

首の長さに加えて、胸部品に差し込む深さ+αを見越してちょっと長めに切ります。アルミ針金は軟らかいので、だいたい3mm程度の径のものまで、ラジオペンチの根本にあるニッパー状の刃の付いた部分でそのまま簡単に切れます。

04

胸部品に仮に差し込み……

胸部品にも2mm径の穴を開けて、針金を差し込みます。首の骨は若干背中側に偏っているので、穴も胸部品のど真ん中ではなく、気持ち後ろ寄りに。針金の長さと穴のきつさによっては押し込む際に座屈《ざくつ》(針金が横にくにゃっと曲がってしまうこと)を起こすのでその場合はラジオペンチで根本をくわえて。

針金の使い分け

アルミ針金は、私はこの1/8スケールくらいのサイズの場合、胴体と脚に2mm径、肩から腕は1.2mm径を使います。パテ製の芯は針金に比べると強度が弱く、細い部品に太い針金を組み合わせると、穴の周りの壁が薄くなって砕けることがあるので、適宜使い分けましょう。大きいスケールでは3mm径のものを。ただし、それ以上の太さになるとさすがに曲がらない硬さになるので、径はそのままに本数を増やします。例えばおなか部分の背骨は3mm径のアルミ針金を2本平行に使うと良いでしょう。写真には黒いタイプが写っていますが、これは園芸用にこげ茶色に染めたもの。性質はまったく同じなのでどちらでもOKです。

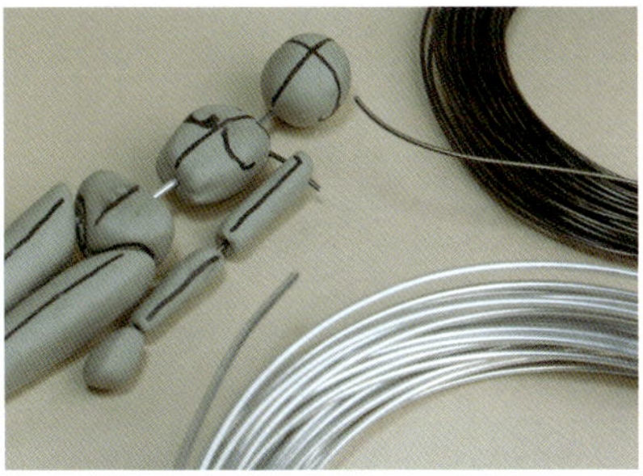

05

原寸図と比較調整

原寸スケッチに載せて比較し、針金の長さを調整します。長すぎるときには一度ひっこ抜いて、穴を深く開け直し。針金を短く切り詰めてもOK。逆に短いときは差し込みを浅くして瞬間接着剤を1滴流し込んで固定します。ポイントは針金の長さではなく部品同士の距離関係に注目すること。

06

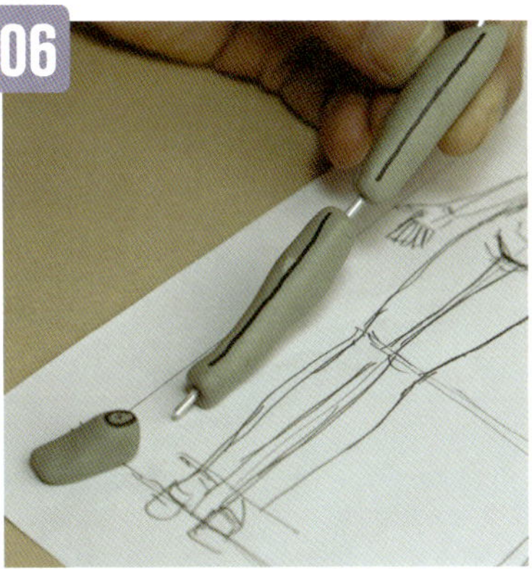

脚も同様に接続

脚部品も体幹部と同じく2mm径で接続します。写真は説明のために隙間を空けていますが、最終的には膝も足首もほとんど隙間をとらずに密着させるように繋いでいきます。ここをおなかのように隙間を空けておくと、関節が大きなR(半径)でぐんにょりと曲がって不自然になることも……。

07

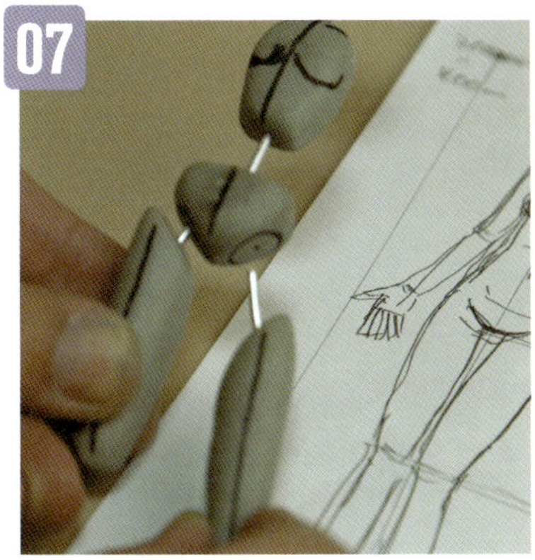

股関節は斜めに繋ぐ

ロボットプラモの股間軸はT字状の基部(通称:フンドシ部品)から水平に出ているので、ついそのイメージで横方向に針金軸を通しそうになりますが、ここではむしろ上向きに近い斜め方向に軸を繋ぎます。穴は左右方向の間隔にも気をつけて、太もも同士が離れ過ぎないように気をつけてください。

08

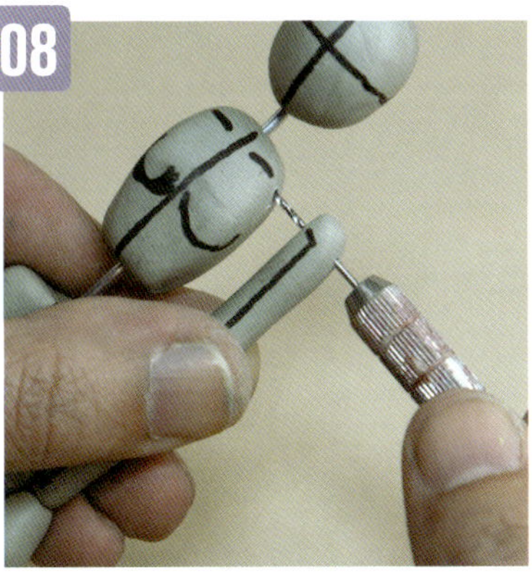

肩は上腕を貫通して

腕はちょっと細いので1.2mm系のアルミ針金を使います。上腕部品の肩部分は接続方向の都合で十分な深さがとれないので、外側に穴を貫通させます。胸パーツ側の穴は、この上腕の穴にドリルを通して調整すると、位置決めが簡単で正確になります。

09

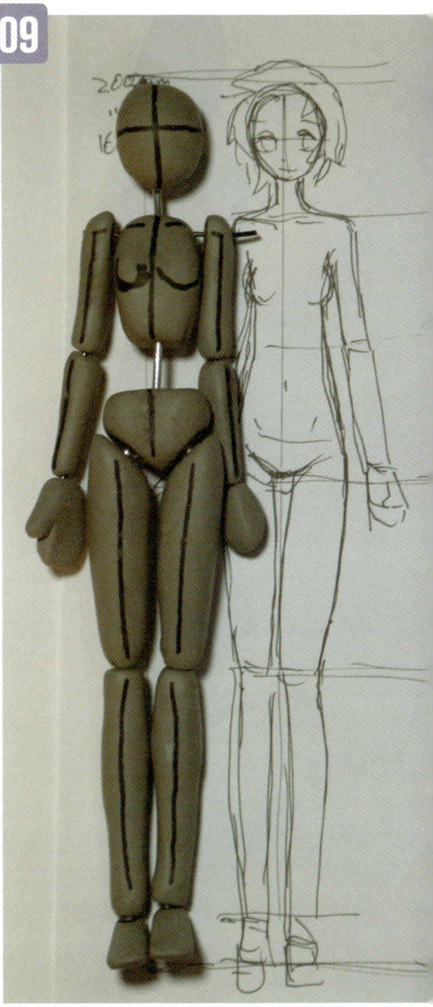

全身を繋いで完了

全部の部品を接続して原寸図に載せて比較します。隣あった部品の距離だけではなく、ある程度離れた部品、例えば頭と腰、胸から手首までの距離が原寸図に合っているかどうかをチェックしてください。この例題もそうしてみると、腕が若干長い、すねの長さが左右非対称で足首の位置が揃ってない、ということが分かります。この修正は次ページで……。

第3章①

全身のラフ造形
“素体”を作る

CHAPTER

05

直立ポーズのまま各部品を整形

「あやつり人形方式」の利点のひとつ、“問題の切り分け”がここでも出てきます。次の工程でポーズをつけるのですが、その前に、まずは比較的分かりやすい、直立ポーズで全身のバランスをいったん修正しておきましょう。
ちなみに、これは直立ポーズでの修正だけに限った話ではありませんが、肉眼で、特に長い間見ていると自分なりに補正がかかってきて多少変なバランスであっても、それなりに良く見えてくるので、客観視するために一度写真を撮って、見てみることも有効です。
同じくバランスチェックのために鏡に映してみるのも意外な欠点の発見に役に立ちますよ。

01

かまぼこ板に2mmの穴を

バランス修正の前に、この先の作業用に必要な仮のベースを付けましょう。あくまで仮のものなので、シンプルかつ安価なかまぼこ板で。適当な位置に2mmのドリルで穴を開けます。

02

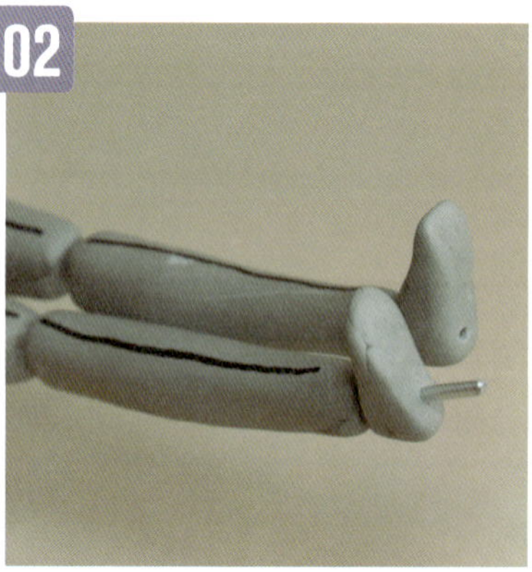

足首接続用の穴を貫通させ……

足首の穴を肩と同じように反対側=足裏に貫通させて、すねからの針金を長めにとり、そのままベースへの固定用に使います。両足ともにこの処理でもいいのですが、作業中頻繁に抜き差しを繰り返すので、片方で十分でしょう。

03

ベースに差し込んで仮固定

ベースに差し込んで、直立状態で改めてバランスを確認します。原寸スケッチが“寝た”状態なのに対して、ベースに立たせると、上下方向が明確になって“地面”までの距離がハッキリ見えてくるので、またちょっと違って見えることがあります。一般には脚が短く見えることが多いです。

04

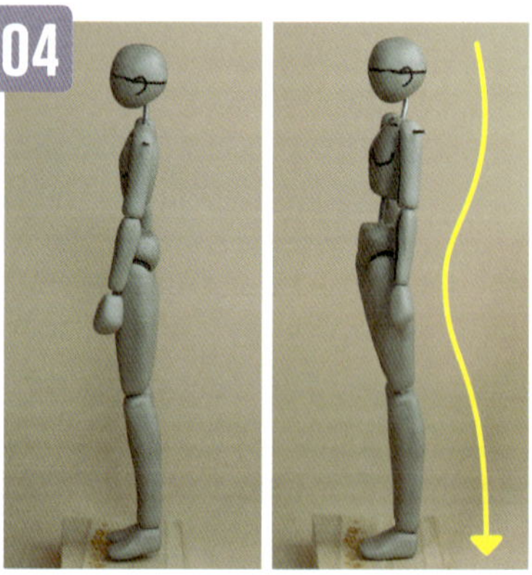

“立ち方”をビシッ! と調整

せっかく立たせたので、立ち方も微調整しましょう。やり方は簡単。各部の針金をちょっとずつ曲げていくだけです。ポイントは横から見て、いわゆる“S字立ち”にすること。腰を前に出し気味に、アゴを引いて、肩を気持ち後ろに。“へっぴり腰”の逆をイメージするとわかかりやすいかもしれません。

ゆるいときは瞬間接着剤を

ここで作る"素体"は基本的には全身がしっかりと固定されたものになってます。工法の名前こそ「あやつり人形方式」ですが、本物のあやつり人形のようにぷらんぷらんしていると、次のポーズ付けはもちろんのこと、バランス確認も難しいので、原則的にはピッタリな径の穴を深く開けて、アルミ針金をしっかり差し込みます。ただ、何度か抜き差しを繰り返すとどうしてもパテ側が削れて接続がゆるくなってくるので、そういうときは低粘度のさらさらタイプ、流し込み用の瞬間接着剤を1滴だけ、針金の付け根に流し込んで、ちょっとだけ固めてやりましょう。ぷらぷら状態よりはいろいろと安心できます。

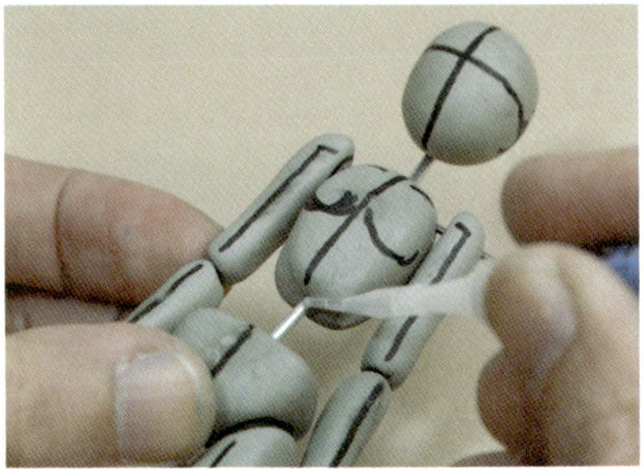

05

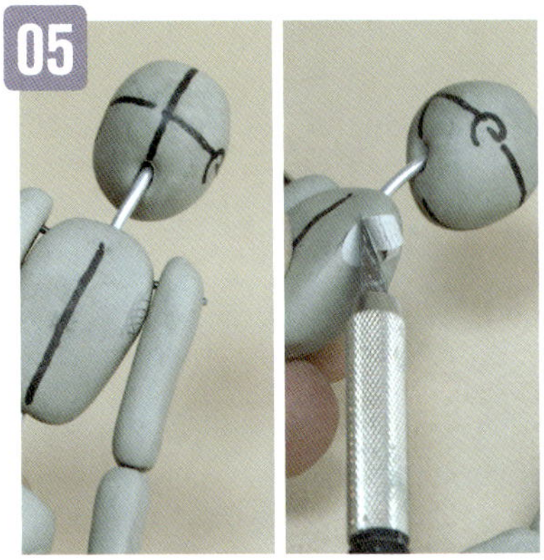

干渉部分は外して削る

肩を後ろにそらしたこともあって、肩部分で部品同士の干渉が目立ってきました。一度部品を外して、干渉部分に平面を作るように削り込みます。肩部分はちょっとした干渉が積み重なってすぐに肩幅が広くなってゴツく見えてしまうところなので、特に丁寧に調整してください。

06

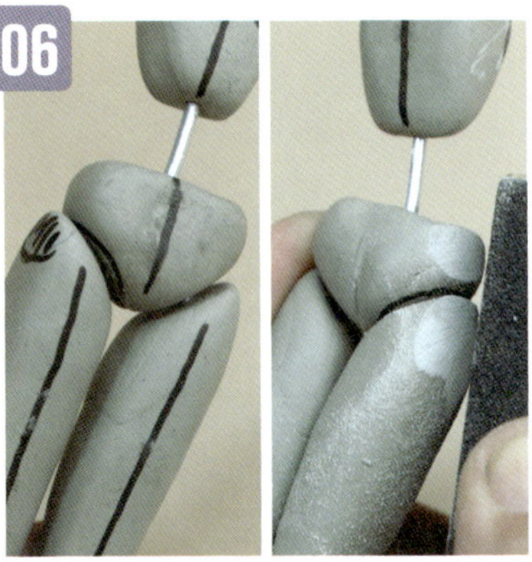

繋いだまま整形も

腰からももにかけてのラインは、別パーツで作ってきたせいもあって不連続になっています。最終的にはウエストのくびれに向かって滑らかに繋がるところなので、この段階である程度連続した曲面になるように、当て板有りの布ヤスリで部品を同時に押さえて一気に削り込みました。

07

接合面でも調整を

右脚が長く、関節の位置がズレてしまっているので、部品の端面を少しずつ削って長さを揃えていきます。こういった部分はポーズをつけてからでは比較も難しくなってくるので、直立の時点で修正しておいた方が良い典型的な個所でしょう。腕も同様に関節部分で少しずつ詰めました。

08

09

完成。この段階で"かわいく"なるように

各部を調整して再度組み上げた状態です。この段階ですでに"かわいく"見えればベストなんですが、せめて"華奢"と感じるところまで持っていきましょう。肩幅や胸の前後厚、腕の太さに特に気をつけて、そこがゴツくならないように。むっちりグラマー系でも、マッチョだったりゴリラっぽいのとは違います。この先、ここにさらに肉を足していくので、ここで太いと、なかなか取り返せないので、何度も繰り返しますが「大丈夫かな?」と不安になるくらいでちょうど良いと考えください。

第3章②

ポーズ&裸造形

CHAPTER

01

ポーズを検討

「あやつり人形方式」は現物で実際にいろんなポーズを試してみて、その中で良かったものを採用するという方法がとれる、つまり、考えながら作れるというのが利点のひとつです。とはいえその場合でもポーズをつけるときにポイントになってくる考え方はたくさんあります。

人間の脳は思っているよりバッファ容量が小さいので、同時にいくつかのコトを平行して考えるのは苦手なんですが、あちこちが連動してかっこよさ、かわいさに繋がるポーズはその典型なので、事前に紙の上に書き出してはキーになる要素を整理するのもいいかと……。

01

“立ちポーズ”は正直ネタ切れ……

これは自分が作る原型に限った話では無いのですが、市販のフィギュアを見ても、実際にもう多くの作品で同じポーズが被っています。今回はそれほど“独自性”にはこだわっていませんが、目新しいポーズを作りたい! となると、立ちポーズ以外も候補に置いて考える必要もあるでしょう。

02

座りポーズでは嘘控えめに

アニメ的なデフォルメの典型である、長い脚は立ちポーズでは気にならない、むしろ魅力になる部分ですが、座りポーズでは折り曲げた脚が直接手や胴と並ぶので、その嘘がバレやすくなります。なので、こういうポーズでは比較的リアルなバランスに近づけて調整することになります。

03

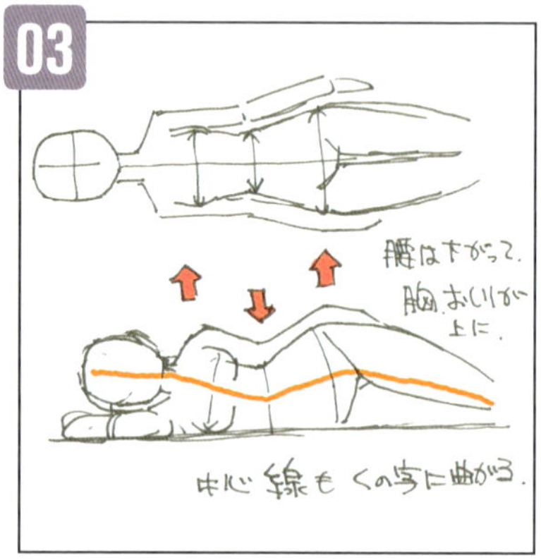

横たわるとメリハリ2倍

寝ころぶポーズの、特に身体を横に立てた場合ですが、接地する側が一直線になる関係で、反対側の輪郭がより強調されます。ウエストのくびれは単純に考えて2倍になるので、フィギュアとしても見映えが良くなります。この考え方は立ちポーズでも応用できるのでヒント的に活用してください。

04

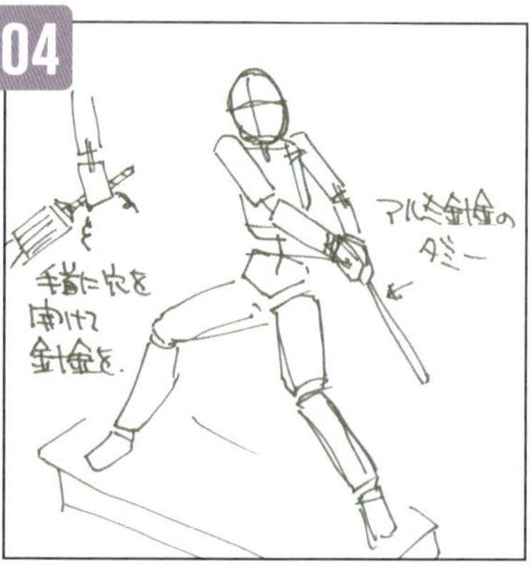

アクションにはものを持たせて

刀や槍、銃などを持たせると、ネタ切れだった立ちポーズに一気に変化を付けたり目的を持たせることができます。その場合、動きの方向性を見るためにもポーズをつける段階で、手首部品に穴を開けて2mmアルミ針金などでダミーの剣などを持たせ調整しましょう。

絵描きの嘘と戦う!

下で触れたつま先立ちもそうですが、絵はあくまで絵なので、2次元で魅力的に見えることが最優先。意図する、しないは別として、立体にしたときの矛盾よりも大事なことがたくさんあります。逆に、そこは気にしないで、のびのびと描いてもらって「その辺の矛盾はこっちに任せてくれ!」ぐらいの気持ちで立ち向かいましょう。「この絵とあの絵が繋がらない!」と、ドヤ顔で嘘を暴いた気になっても何にもならないというか、原型師というのは問題点をあげつらう傍観者の立場ではなく、そこで泥まみれになりながらもどうにかする、現場レベルの当事者なんですから。

つま先立ち問題

いわゆる設定画には正面図がちょっとつま先立ち気味に描かれているものがあります。最初はパースや遠近法の範囲だったと思うんですが、描いているうちに「こっちのほうがかわいくね?」となったものでしょう。こういったケースでは印象優先でつま先立ちで作ってしまうのも手です。

"ポーズ設計図"で整理検討

最初に全身の部品の比率やプロポーションのデフォルメ具合を読み解いて整理したように、ポーズについても「ここはこうなってるのかな?」と考えた結果を絵に描いてみましょう。これも上手である必要はありません。身体の各部がどんな方向を向いているのか? 横から見るとどう立っているのか? 等を線や丸で表わすだけでもOKです。

07 今回のポーズのポイント

正面の絵から腰が大きく右に張り出して、状態は左に傾いていること。それとバランスをとるように左肩が下がって、右肩は後ろに回している。重心は右足にあって、交差する左足は沿える程度の体重のかけ方に。腰は前、背中は反り気味……といったあたりが今回のポイントになります。これらを意識して次項から実際のポーズをつけていきましょう。

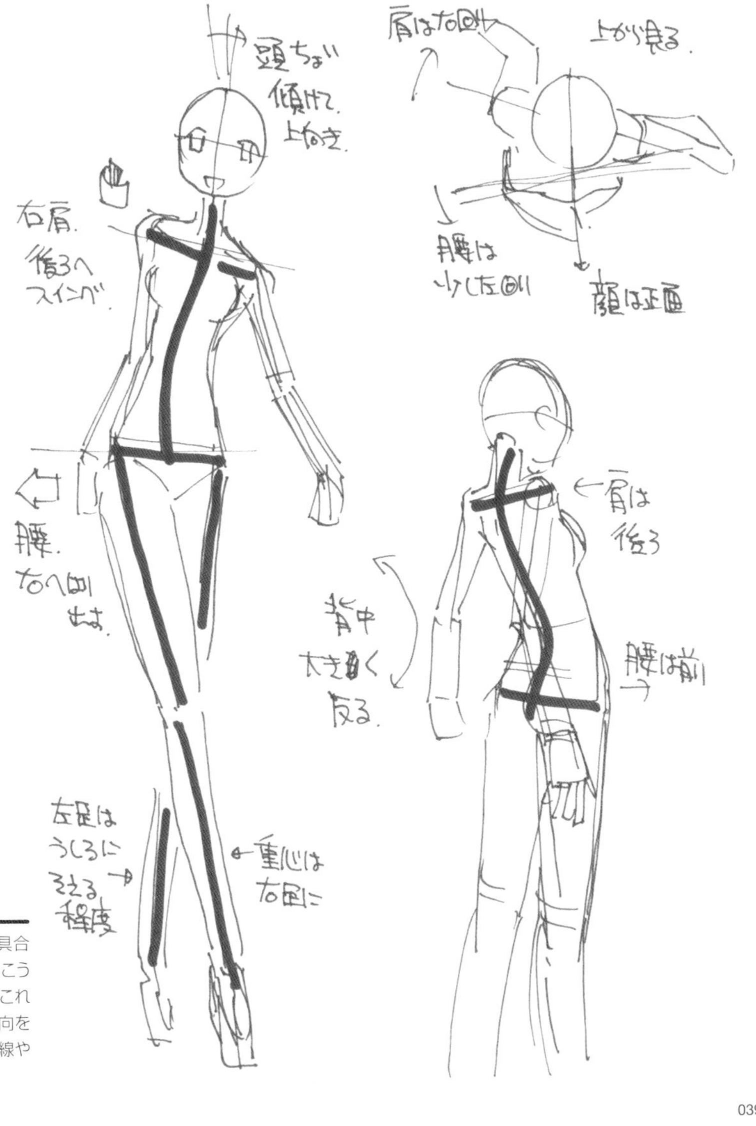

第3章②

ポーズ&裸造形

CHAPTER

02

針金を曲げて ポーズをつける

さてここから実際にポーズをつけていきましょう。手順としては、
①ざっと針金を曲げて、仮にポーズをつけてみる。
②干渉している部分があれば関節をバラしてエポパテを削る。
③場合によっては軸を差し込む穴の位置を変更。
④微調整を繰り返す。
となります。
先のポーズ検討スケッチや元になる絵はもちろん、重心やモノを持つ場合など自分でも実際にポーズをとって確認しながら少しずつ試行錯誤を繰り返します。もちろん理想は、ポーズをとってくれるスタイル抜群の人が身近にいることなんですが、そっちのほうが原型作るよりよっぽどハードル高いですよねぇ……。

01

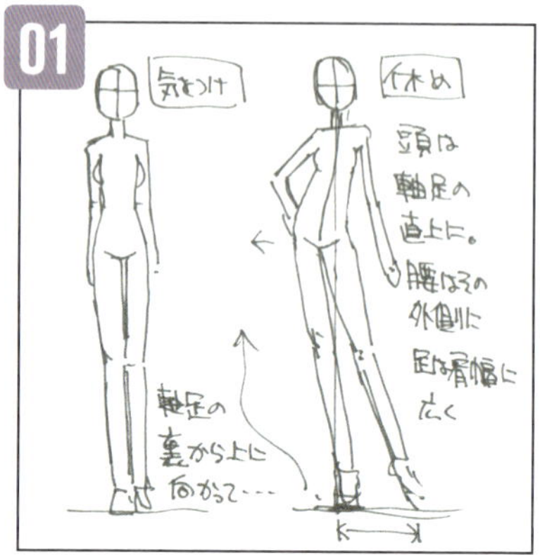

立ちポーズは下から

一般に立ちポーズは重心がきている軸足の足の裏を起点に、ひざ⇨腰⇨上半身と、下から上にポーズをつけていくと上手くいきます。このようなポーズでは重心側のちょうど真上に頭が、腰はさらにその外側にくる、体育の時間に習う「休め」の姿勢をイメージしてみると分かりやすいでしょう。

02

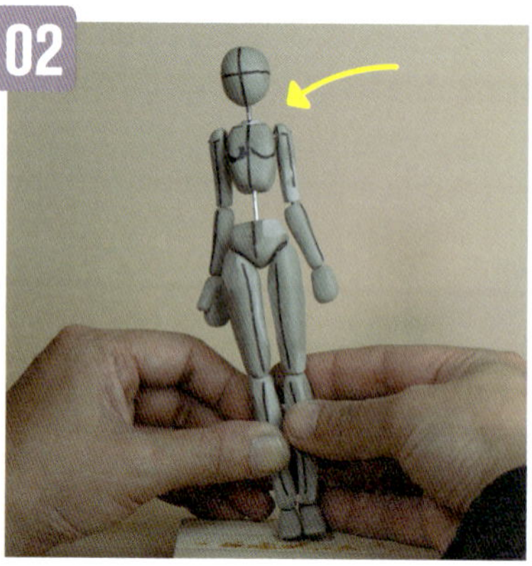

軸足を基準に足首で曲げる

では実際に素体にポーズをつけていきます。今回は軸足になっている右足からスタート。足首の針金を外側に曲げて、全体を右側に倒します。曲げる関節のなるべく近くを持って、狙った関節の針金だけを、抜けないように押さえながらピンポイントで曲げましょう。

03

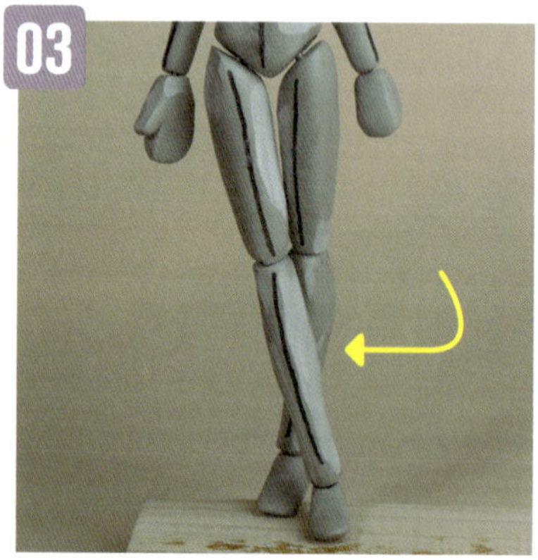

絵に合わせて左脚をクロス

台座に軸が通っていない左脚を、腰の関節で後ろにひねり、右足の後へ交差させます。軸脚の方も腰で微調整、それぞれ前後に脚を振る形になります。ももや股間で部品同士が干渉する場合は後でそこを削りましょう。

04

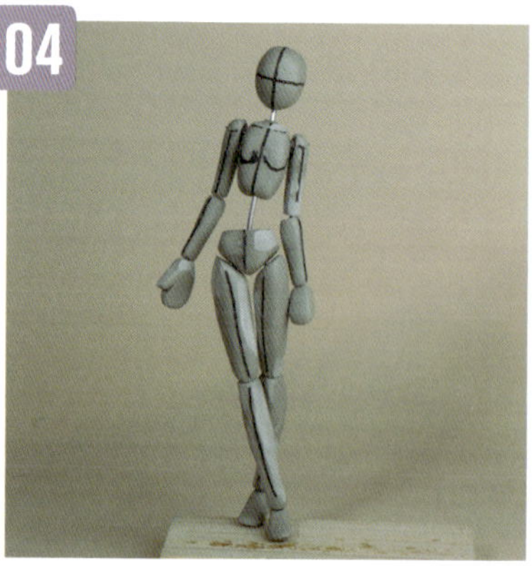

バランスをとって上体を傾ける

さらに上半身を左に傾けます。自分でもポーズをとって、背骨のどのあたりから曲がっていくのかイメージしながら。また左右の傾きと合わせて前後方向にも曲がる(腰が前に出て背中ががちょっと反る)のも再現しました。

干渉するときは削って

今回はシンプルなポーズなので、ほとんど干渉する部分はありませんでしたが、例えば膝を90度曲げるときなど、部品の切り口そのままだと互いに干渉するので、内側半分を45度ずつ斜めに削ります。腰や肩なども同様にポーズ次第では大きく削り、また軸位置も変更します。逆に言うとおなかや首はそれを見越して、あえてポーズをつけるまで肉をつけないようにするとも言えるでしょう。

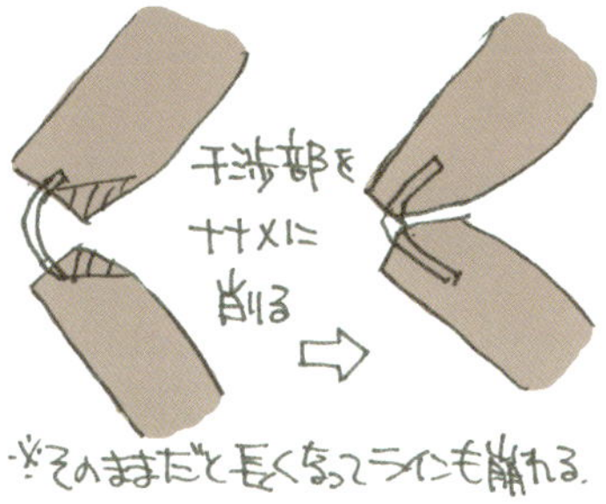
干渉部を
ナナメに
削る
※そのままだと長くなってラインも崩れる.

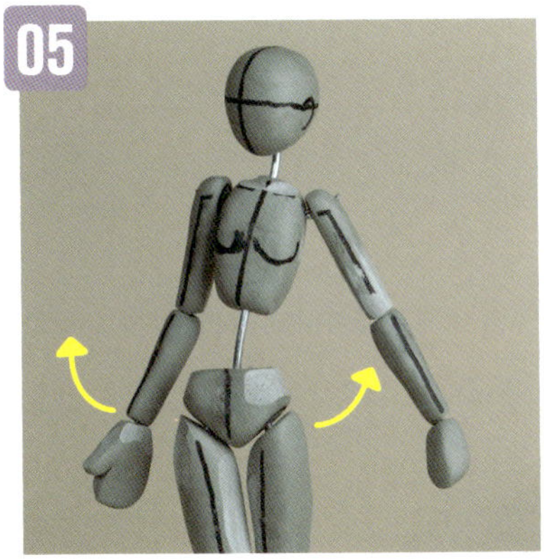
05

腕を肩から開くように

左手を絵に合わせて横に開きます。ここでも絵に微妙に描かれている、ひじをちょっと前に曲げている前後方向の動きを加えて、女性らしいしなやかさを出していきます。

06

右腕は肩の軸も変更

右腕は肩ごと、身体の後ろに回しています。ここは鎖骨から動いたと解釈して、付け根の軸を後ろに開け直して再現。いったん右腕を抜いて、新しい位置を現物あわせで探ります。結果、元の穴から2本分ほど後方に1.2mm径の穴を開けました。

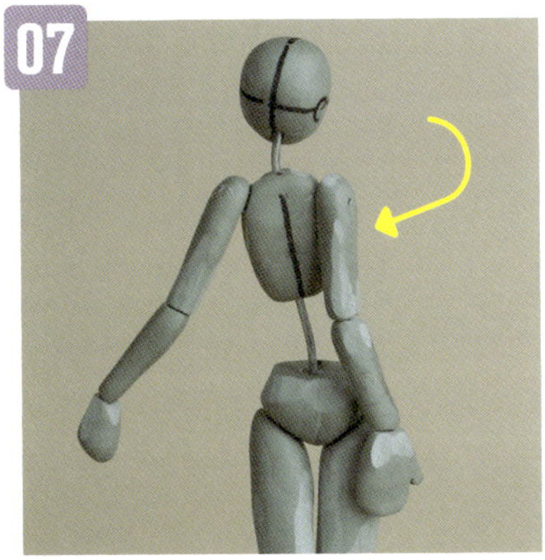
07

肩甲骨の動きをイメージして

自分で触りながら肩を後方に動かすとよくわかりますが、肩甲骨はろっ骨にそってスライドするように動きます。結果、肩の軸位置もそれに合わせて大きく動くので、その連動をイメージして腕を背中側にもっていきましょう。

08

つま先立ちも再現

最終的にはスニーカーをはかせることになる足首ですが、まずは裸足を作ります。その際に靴デザインに合わせてカカトの高さ分上げた状態でポーズをつけます。今回はさらに左右ともに少しつま先立ちにして「ぴょん♪」と、ポーズをとった感じのニュアンスを入れてみました。

09

目線も描いてみる

ポーズをつける際に視線の向きがあるとわかりやすいので、簡単なもので良いので目、視線を描き込みます。ちょっと横目線等、顔の向きと視線の向きが揃っていない場合は、特に視線が分かることが重要になってきます。

第3章②

ポーズ&裸造形

CHAPTER

03

関節を固めてパテで接続

ポーズが決まったところで、各部を固定していきます。
最終的には各部材を作ったのと同じエポキシパテで関節を埋めていくのですが、その際それなりに力がかかるので、前ページで決めたポーズが途中で変わってしまわないよう、その前に瞬間接着剤で関節を固めておきます。基本はアルミ針金の根本に低粘度の瞬間接着剤を流し込む、つまり針金～エポパテの間を接着するのですが、部材の接し方によってはエポパテ～エポパテ間にも接着剤を流し込んで固定しておきます。

01

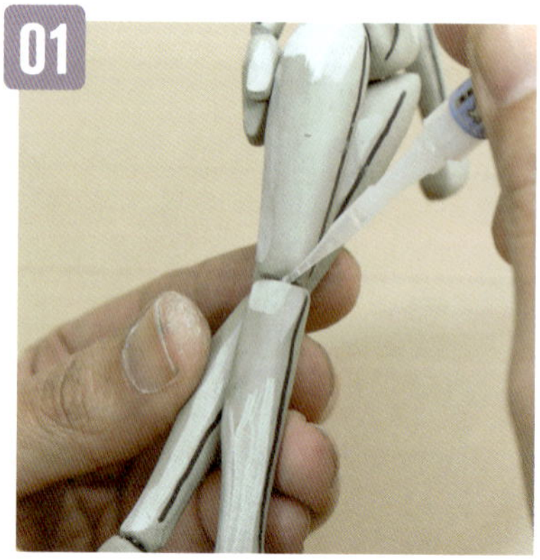

関節に瞬間接着剤を流し込む

接着剤は付け過ぎると、かえって効きが弱くなるので、最小限の量を接合部に流し込みます。低粘度のサラサラタイプは毛管現象で合わせ目に染み込むように流れていくので、部品と指の間にもどんどん流れ込むので注意しましょう。

02

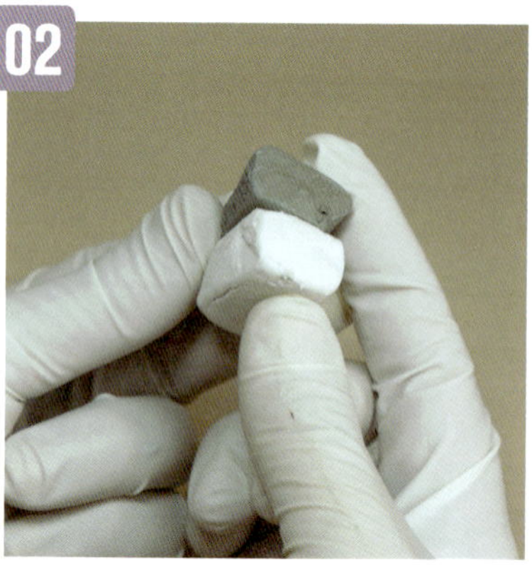

パテを接着剤として使う

関節部分は本体と同じエポキシパテで埋めるようにして繋ぎます。つまりパテを接着剤として使うわけですね。ここからは使う量も少なくなるので、毎回、最小限の量を切り出して練り合わせます。

03

細く"ひも"状に延ばして……

パテのべたつきがそのまま部品への密着力になるので、合わせ面には水や油が付かないように注意しつつ、関節部分を埋めていきます。隙間が狭いところではパテをひも状に延ばして、接合部に送り込むように置いていきます。

04

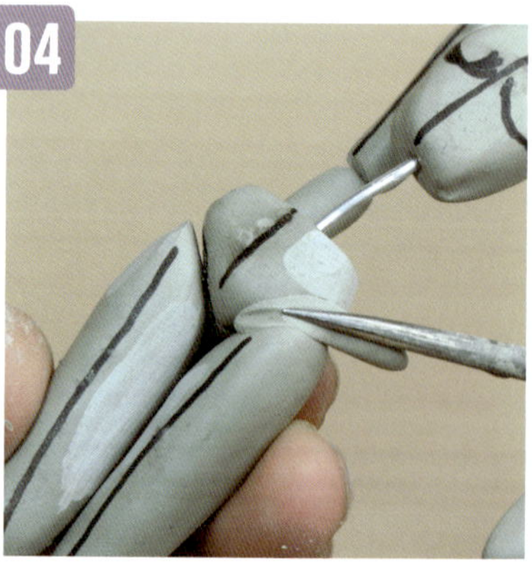

金属棒で押し込むように

その後、うすめ液をつけた丸棒などで、合わせ目に押し込むようにして密着させます。一番奥まで押し込んで、接合面の中心部に空洞が残らないようにするのが理想ですが、多少空洞があって強度的に問題はないでしょう。むしろ無理に押し込んでポーズが変わらないように……。

“ひざ”はむしろ“逆反り”くらいで

人間は特に意識せずに力を抜いて立ったときに、ひざ関節は伸びきって、一直線を少しだけ越えた、逆反り(逆関節)になります。実はこの角度でロックが効いたようになって、特に筋肉に力を入れなくても楽に立っていられるんですね。試しにひざを少しでも曲げると腿の筋肉がぷるぷるしてくるので、すぐ実感出来るでしょう。なので、動きの途中や力を込めたポーズ以外では、ひざはちょっと逆反りを基本に考えるくらいでちょうど良いかもしれません。

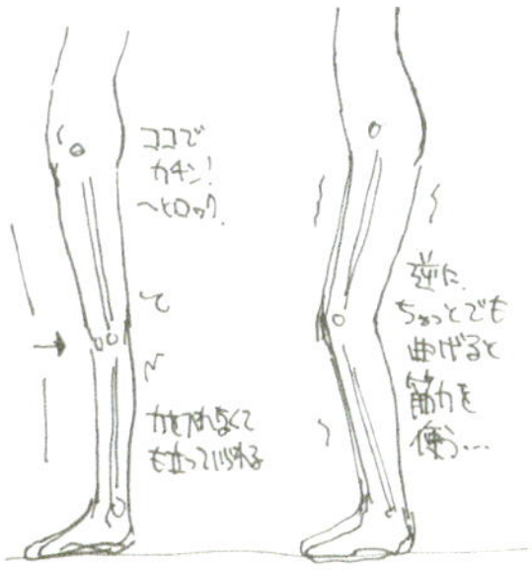

05

おなかは“腹巻き”のように

おなかや首のように大きく空間を開けた部分は、この接続工程が最初の肉付けになります。針金のように細いものの周りで、ロール状にくるくると巻きつける動作を繰り返すと、中心から浮き上がってくるので、エポパテの厚めのシートを手早くぎゅっと締め付けるようにしておなかを繋ぎます。

06

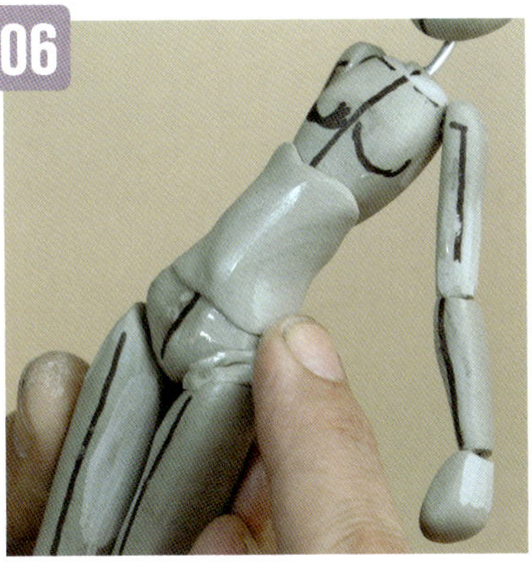

指を濡らせて滑らかに

ぎゅっと巻いたら、胸、腰部品にパテをなじませます。指先にアクリル塗料の溶剤(うすめ液)を少量付けてなでつけるのは第2章と同じですが、おなかの中心部をいじりすぎて、ぶかぶかと浮かせないように気をつけながら作業してください。

07

手が入りづらいところは金属棒で

脇腹などの、そのままでは手が入りづらい部分をなじませるのには金属棒を使用。うすめ液を付けて棒をローラー状に転がしながら押し付けます。また首も同じように、シート状のパテを芯の針金に巻きつけて、胸-頭の間を接続します。

08

手足の関節も同様に

肩、ひじ、手首、さらにひざや足首も同様に、細く延ばしたエポキシパテを巻きつけ⇨押し込み⇨うすめ液でなじませて繋いでいきます。今回はシンプルなポーズなので同時に作業しましたが、慣れないうちは、下半身が硬化してから上半身、といったように何度かに分けて良いでしょう。

09

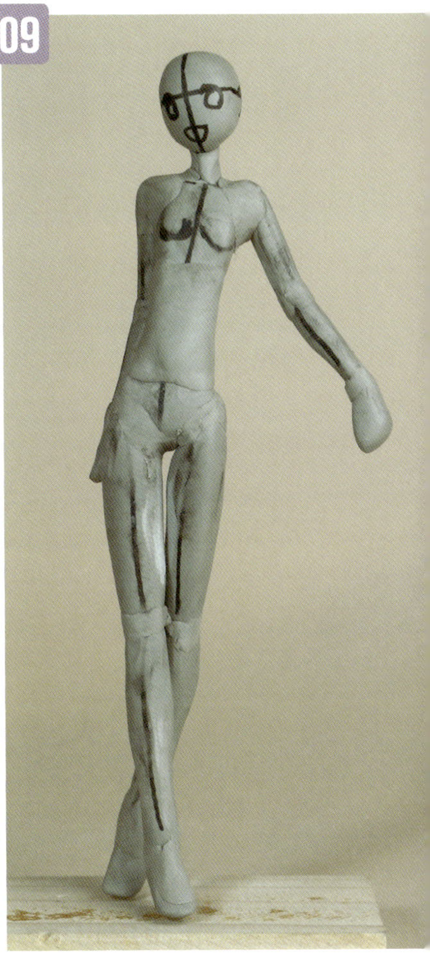

まずは全身を固定まで

ひとまず全部の関節を繋ぎました。人体としてはデッサンや筋肉のバランス等々、おかしいところもありますが、それは次の工程で考えるとして、ここではポーズとして破綻していないかどうか、魅力的(かわいい、カッコイイ)かどうか、やりたいイメージになっているかどうか、に問題を切り分けてチェックしましょう。また画像にはありませんが、ここで接合部を中心にドライヤーで加熱して、さらにパテが密着するようにしています。

CHAPTER 04

胸、おしりを盛り足す

ここからは何度かに分けて、パテを盛り足して、裸の全身を作っていきます。
慣れてくると、ここまで段階を経なくても、一気に作ることも可能なのがエポキシパテの強みですが、今回は少しずつポイントを絞って盛り足していきましょう。前のページの状態で一番足りていないところは、ほぼ芯のままの胸と、小さめに作っていた腰周りだったので、まずはそこから。盛り付けた直後の軟らかいタイミングで、おっぱいやおしりをへらや丸棒でじっくり整形して完成させることも出来ますが、ここでは後で削って仕上げる方式ということで、若干多めに盛っていったん硬化させます。

01

エポパテを胸にのせる

前ページと同じように必要量混ぜ合わせたエポキシパテを、適量より少し多めに胸にのせます。この後の工程であちこちに力がかかるので、関節をつないだ、前工程で盛り付けたパテは完全硬化している方が良いでしょう。

02

まずは指で大まかに整形

左右のおっぱい分をひとつながりで、胸の芯になじませるように押し付けていきます。最終的に服を着せるのなら、胸の造形はTシャツを着て、左右のおっぱいがくっきり分かれて見えない程度の状態で止めておいてもOKです。

03

脇や谷間を押し付けて造形

今回は水着で完成させるので、おっぱいも裸に準じて作ります。胸の谷間部分を丸棒を転がしながら押し込んで、左右を分け、そのまま下乳⇨脇の部分に丸くラインをつなげるイメージでパテを押し込んで、おっぱいと胸郭を分けることを優先。おっぱいそのものの曲線は硬化後に仕上げます。

04

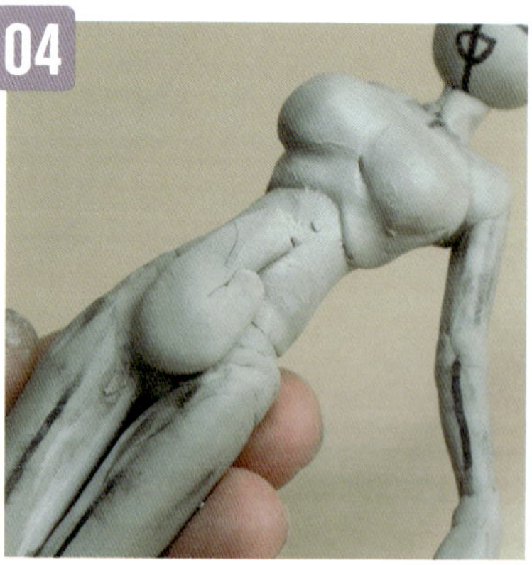

おなかにもパテをのせて…

ポーズ検討スケッチ(P.039)にあるように、反らした状態とバランスをとって、腰を前に突き出しているので、その分も合わせて腰骨が前に張り出すようにパテを盛ります。

金属棒は“転がしつつ押し付ける”

工具の項(P.011)でも触れましたが、金属製の丸棒をへらとして使うときは、素材の上を滑らせるというよりは、ローラー状に転がしながら押し付けて使います。力の入れ加減を工夫して余ったパテを少しずつ進行方向に逃がして、必要な部分のボリュームを表面を滑らかに整形しつつ小さくすることが出来ます。最初多めに盛り付けておいて、転がし整形で必要な量をコントロールしながら造形するという技は、ファンドやスカルピーなど粘土系の素材全般に使えるので、他の素材を使う方も機会があったら挑戦してみてください。

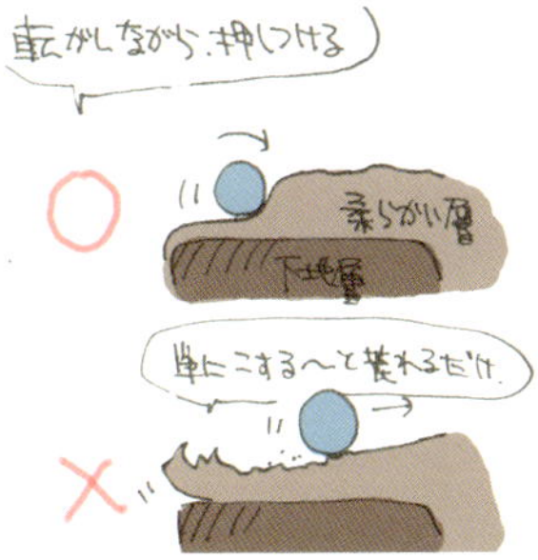

05

指でならして下腹部に

胸と同じく、濡らした指で押し付けながらなじませます。腹筋は洋服のズボン等のベルトの線より下まできているので、その盛り上がりをイメージしながら下腹部を盛り上げます。またパンツの下側、いわゆるビキニラインの上、パンツ側が痩せていたので、そこにもパテを延ばしました。

06

おしりはひとまず左のみ盛り付け

おしりの右半分は右手と重なっているので、ここは後回しにして、左のおしりを造形していきましょう。横にも後方にも盛り上がるようにパテを盛り付けます。

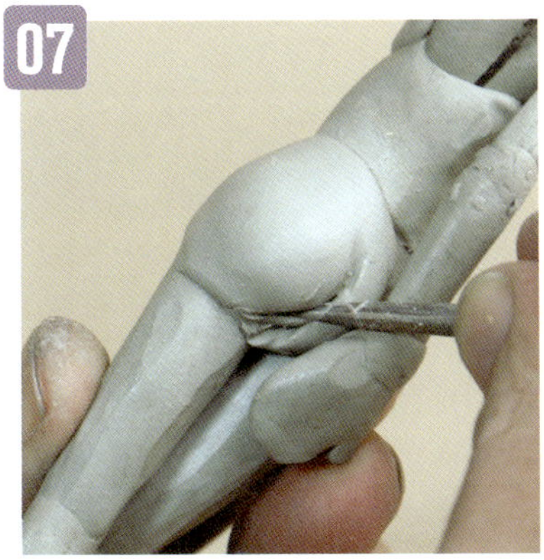

07

こちらも丸棒を押し付けて造形

全体になじませたら、丸棒でおしり左右の割れ目を押し込み、下⇨両脇と丸みをつけながら境界になる凹ラインを整えて、しり肉を太ももや背中と分けていきます。ここでもひと通り整形が終わったらドライヤーで加熱、密着を良くしておきます。

08

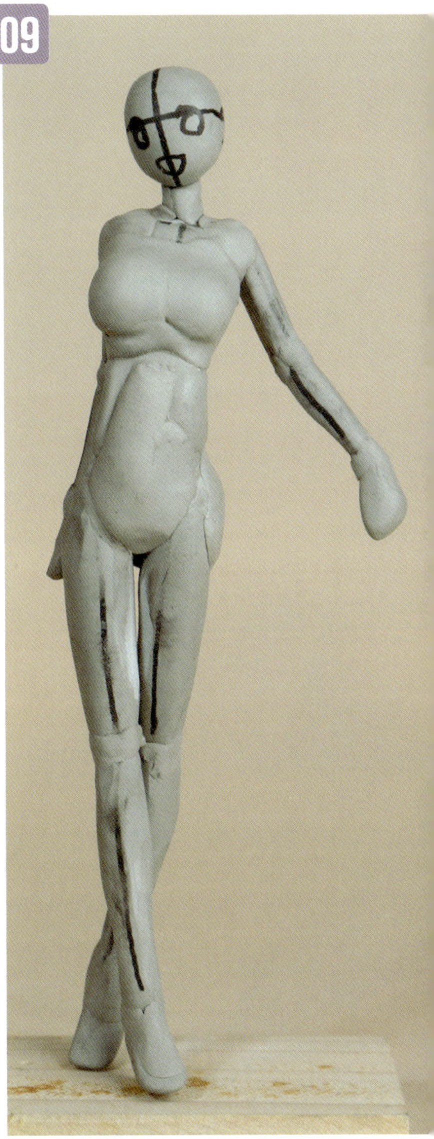

09

1回目の盛り付け終了

前工程で棒っぽかった身体が多少、女性らしくなってきました。逆にちょっと多めに盛り付けているので、身体のラインとしてはもっちりし過ぎているので、次の工程では気になるところを中心に削りを入れていきます。

第3章②

ポーズ&裸造形

CHAPTER

05

ポイントを決めて削り出し

1回目の盛り足しが十分に硬化したところで、盛り過ぎた部分を削って形状を整えます。
本書では説明の都合もあって、一か所ずつ順番に作業していますが、実際には、ラフなデッサンを描き込むときのように全体のバランスを見ながら、気になる部分をちょこちょこと、右肩を少し削って、左のおしりをちょっと削る……という風に少しずつ平行して削っていくことも多いです。

01

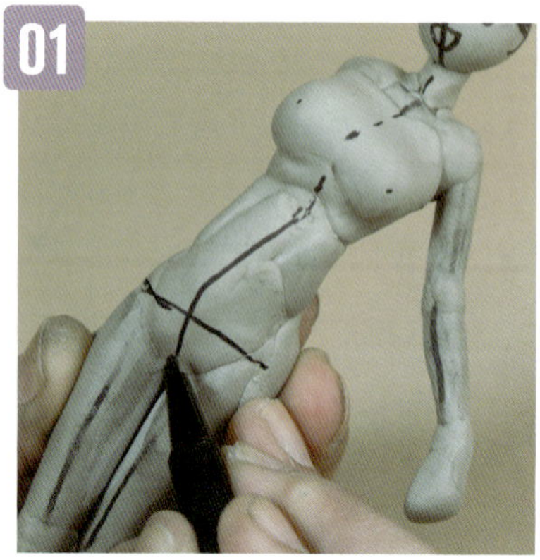

“補助線”を描き足し

胴体の中心線や腰骨の傾きを示す基準線など、必要に応じて改めて描き足します。今回のように背骨がS字にカーブしている場合は特に、気がつくと、直立に近い姿勢に無意識に戻してしまいがちなので、S字をキープするためにも描いておくと良いでしょう。

02

胸はトップ（乳首）を基準に

おっぱいの曲面を整形する際にはトップを仮に決めて、マーカーで記入し、そこを基準にします。実際にはブラの有無でトップの高さやおっぱいの位置、フォルムはかなり変わりますが、ここから作るのは「水着で矯正されたおっぱい」を仮に水着無しで作る、ということで。

03

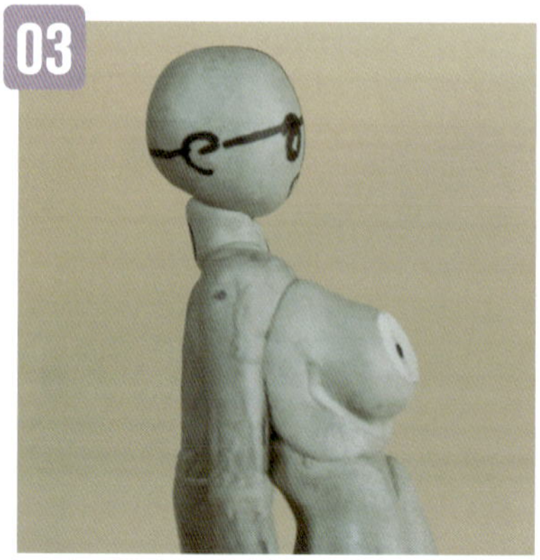

前方への突出量を決めてから……

右のおっぱいが高さ（=前方への突出量）直径とも少し盛りすぎたので、ボリュームを落とします。まずはその高さを、左のおっぱいと同じ程度になるように、トップを平らに削り落として平面にして、先ほどと同じように乳首の位置をマーカーで描き込みます。

04

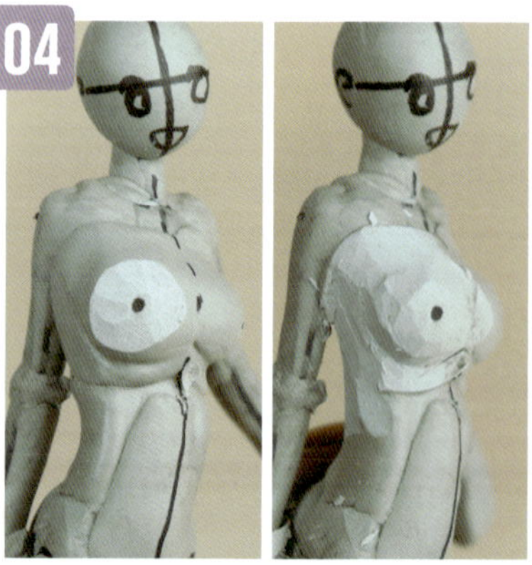

複合円錐として削り出す

今回、乳首は作りませんが、乳房だけでも乳首を中心に曲率が変わるので、まずはそのように再現します。マーカーでポイントしたトップを頂点に、まずはゆるい円錐になるように一周分削り出し、その外側に少し角度をつけた円錐を削る、という風に何段階かに分けた円錐と捉えて加工します。

おなかは前に出るくらいでちょうどいい

「おなかが出てる」=太っている、というイメージのせいもあって、つい造形でもおなかをひっこめたくなりますが、腰を前に出す姿勢、いわゆるS字立ちではまず下腹部が前に出てきます。またロリータ的な幼女の身体つきの表現でもおなかが前に出ます。いわゆる“くびれ”表現は、左右方向と背中側を凹ませることで表わして、正面は「おなかぽっこり」のエロさに使ったほうが良い、というのを、このへんの表現に迷っていた頃、絵描き友達に教えてもらいました(笑)。

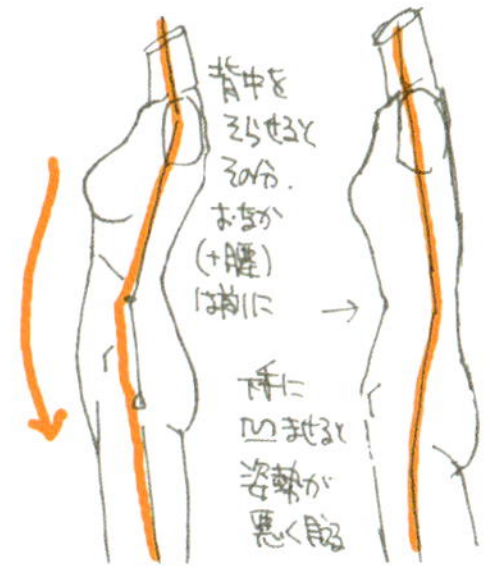

05

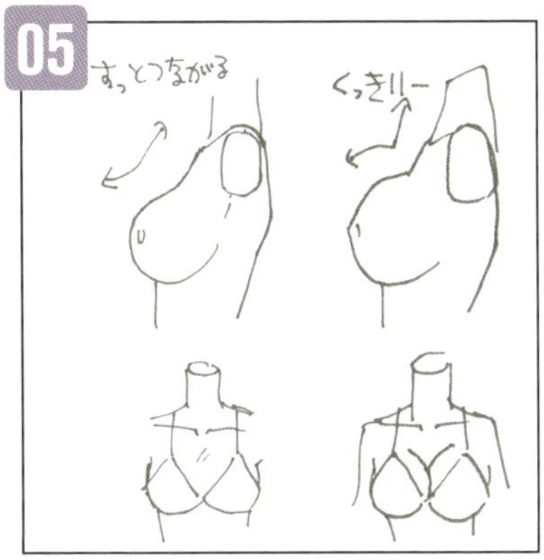

“おっぱい上端”をどうつなぐ?

おっぱいの上側の裾、胸郭との境目は、くっきり折れ目が出るタイプから、なだらかなラインまでさまざま。おっぱいは元々個人差が大きい上に、ブラ次第で形や見え方が違って見えるので、ここの処理も「これが正解」というより「今回はどう作るかを選ぶ」になるんですが……。

06

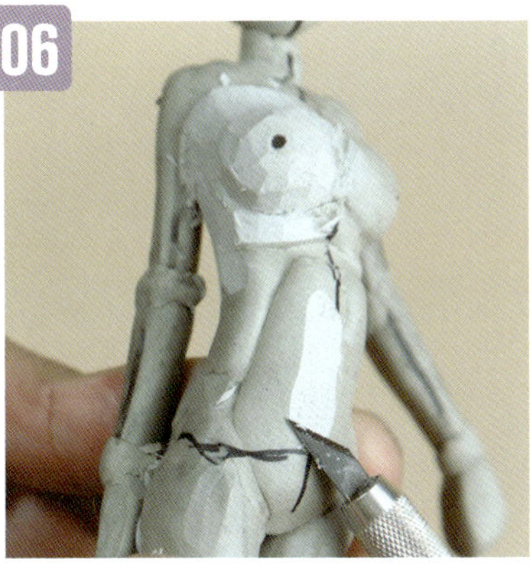

おなかも狙った所を削る

おっぱいがひと回り小さくなったところでおなかへ。おなか全体が前に出ていると太って見えるので、中心に腹筋がおなか全体の1/3程度の幅で残るイメージで、両脇を締めるように削ります。

07

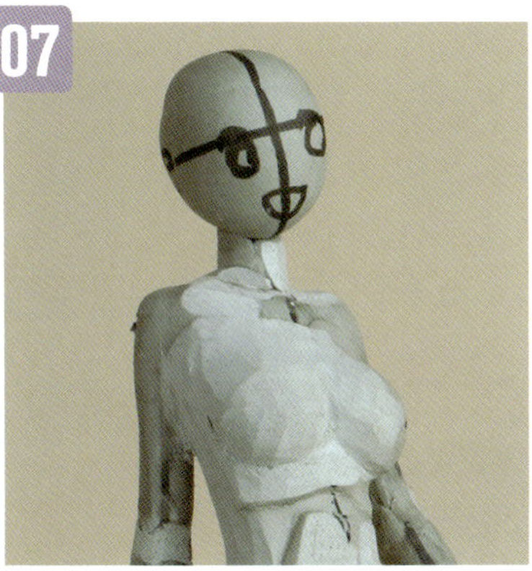

ここまでくると右肩が…

肩を後ろに回す動きを強調して軸位置を変更した右肩ですが、おっぱいからつながる脇の下周辺が出来たところで見てみると、肩幅が狭いというか、腕が肩にめり込み気味にデッサンが狂ってきたので、ここで修正しましょう。

08

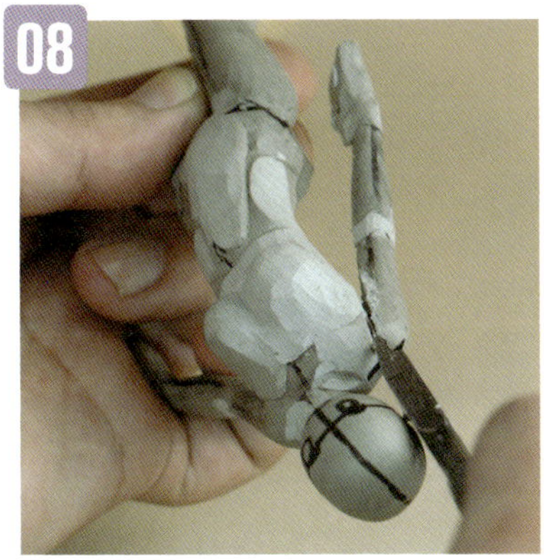

修正のためにニッパーで切る

この後さらに盛り削りが続くので、仮の分割と割り切って、それほど丁寧に切らなくても良いでしょう。接合部を狙ってニッパーで切れ目を入れてやると、テコの原理で簡単に「メリッ」と外れます。

09

軸の穴も開け直して

既存のアルミ針金を抜いた状態で腕部品を肩に当て、適正な位置を探ります。ちょうどよい位置でまた腕部品の外側からドリルを通して軽く開孔、さらに腕をどけてその穴を深くします。以前の穴と近いようなら、古い穴を瞬間接着剤と削ったパテの破片で埋めてから作業しましょう。

10

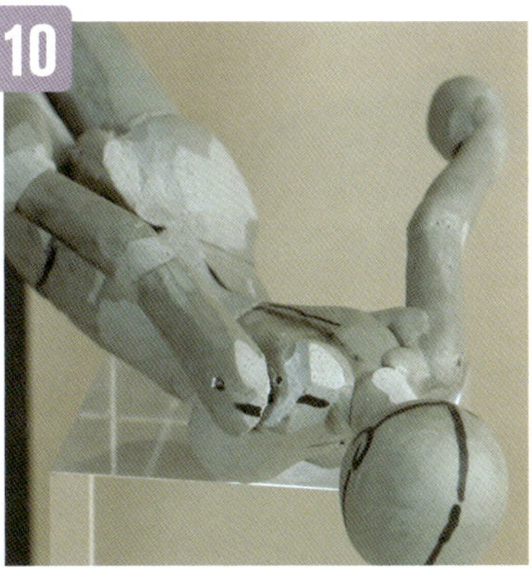

前方外側に移動しました

新しい穴にアルミ針金を差し込み、腕を仮につけてみました。補助線は修正前のものなので、取り付け位置が変わったことがよく分かるでしょう。他にも気になる部分があれば、裸の造形と並行して少しずつ修正していきます。

CHAPTER 06

2セット目の盛り足し（肩甲骨、骨盤）

1セット目の盛り削りでまた足りない部分が見えてきたので、そこを中心に2セット目のパテを盛り付けます。便宜上「盛り付け」と表記していますが、後の工程になるにつれ足していく厚みはどんどん薄くなっていくので、なじませた後の状態からイメージするとパテを「貼り付け」ているという感じになっていきます。

01

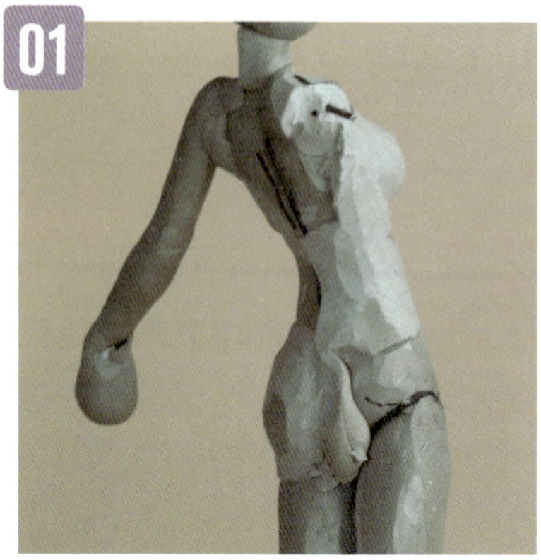

右手があった部分には……

前の工程で右手をいったん分割したので、このタイミングで右手に隠れていた部分を造形していきましょう。また併せて肩幅が広くなる分の、接合面の厚みも足しておきます。

02

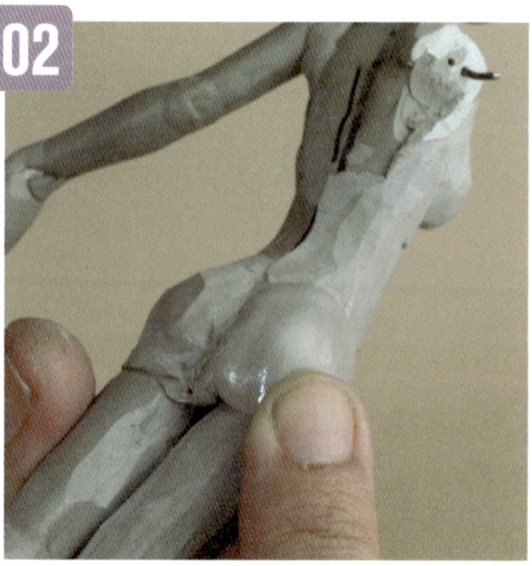

右のおしりにパテ盛り

腰部品と太もも部品が接しているだけだった右のおしりにパテを盛ります。左写真の肉のない右しりと、左しりを比べると、しり肉がどういう風に付いているのかがかえって分かりやすいと思います。左右のバランスは合わせながらも、腰は右に振っているので、その動きは無くさないように。

03

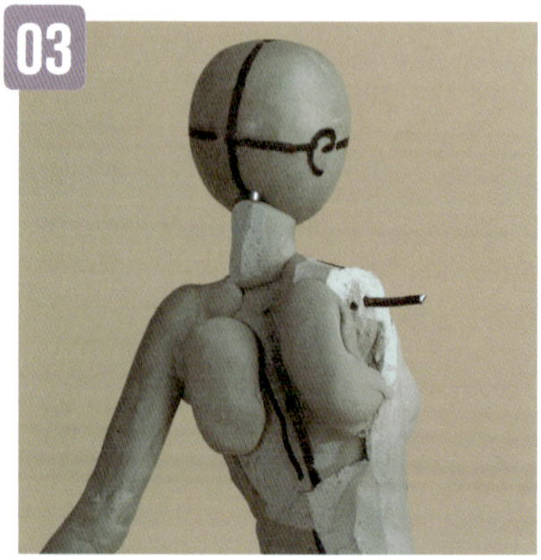

肩甲骨にもパテをのせる

背中には肩甲骨《けんこうこつ》という3角形の板状の骨が埋まって、上腕の基部になっているので、それをイメージして胴体と肩を繋ぐようにパテを盛ります。ちょっと難しい構成なので、同じポーズのグラビア写真などを参考に、よく観察しながら造形してください。

04

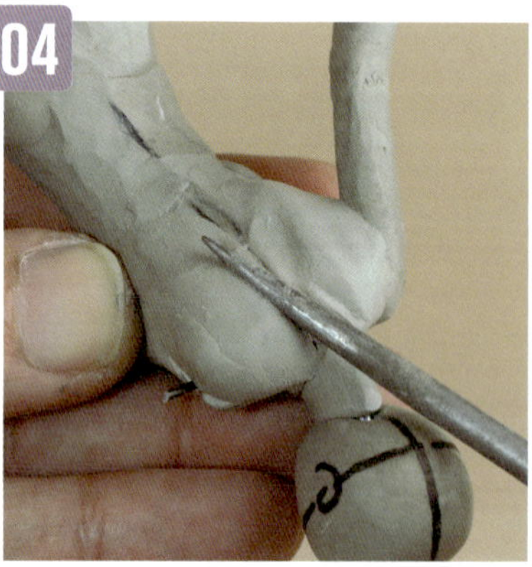

逆Rを丸棒で作り込む

肩甲骨の上には筋肉や脂肪の層が重なっていますが、場所やポーズによってその厚みが変わるので、骨の形は一律に表に出ていません。今回のポーズで比較的はっきり出るのは、肩甲骨の内側の縦の線。ここにゆるい逆Rが出るように丸棒でパテを押し込んでいきます。

“骨”をアクセントに

ちょうどここで盛り足した、鎖骨や肩甲骨、腰骨は比較的浅い場所にあるので、身体の表面にもうっすらと出てきて裸のラインにも影響を与えています。元になる絵のタッチやデフォルメ具合にもよりますが、こうした「ちょっとした骨の線」を表現してやると、立体としても良いアクセントになるので、少しずつ勉強しながら反映していくというのも良いかと……。

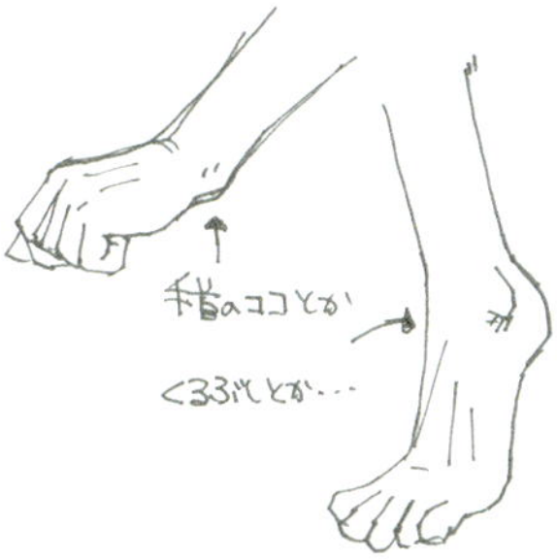

05

1セット目で足りない部分にも

前工程で整形した胸、おなか、おしりの間、空き地のように凹みになって痩せた部分が残っているので、そこを滑らかに繋ぐようにパテを置いて、またうすめ液でなじませるように延ばして密着させていきます。

06

ポイント的に盛り付け

みぞおち部分は滑らかに繋いだだけですが、腰の両脇には骨盤のでっぱり（いわゆる腰骨、ベルトがひっかかる部分）を意識して少し前に盛り上げておきます。この写真では、おなかの中心の稜線が尖っているのが気になりますが、ここは最終的には丸く削って整形する予定です。

07

鎖骨《さこつ》は骨の形にパテを置いて……

肩甲骨に対応して、胸の全面で体幹と腕を繋いでいるのが鎖骨（厳密には鎖骨⇨肩甲骨⇨上腕と繋がるので上腕と鎖骨は直接連結はしてない）です。チャームポイントにもなるので、多少簡略化しつつも再現したいところ。まずは細く延ばしたエポパテを骨の位置に置いて……。

08

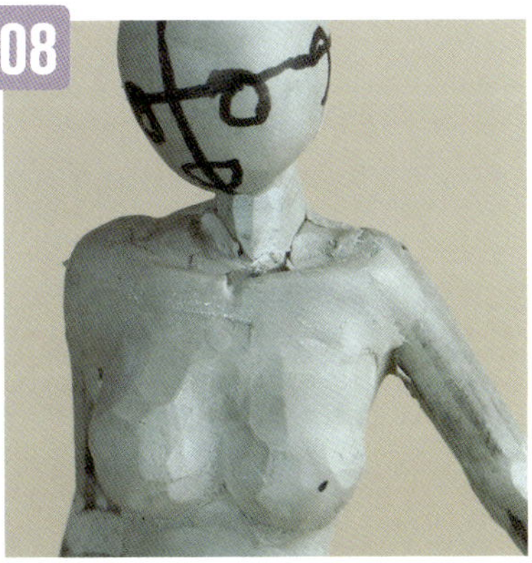

逆Rはスパチュラの背で整形

ひと呼吸置いて、パテがなじんだところで押し付けながら整形。骨を頂点に肩や胸郭に向かってなだらかな逆Rでつながっていくので、骨の形をキープしながら、周辺を丁寧になじませていきます。こうした“閉じた逆R”の面にはスプーン型スパチュラの背の丸みをうまく使いましょう。

09

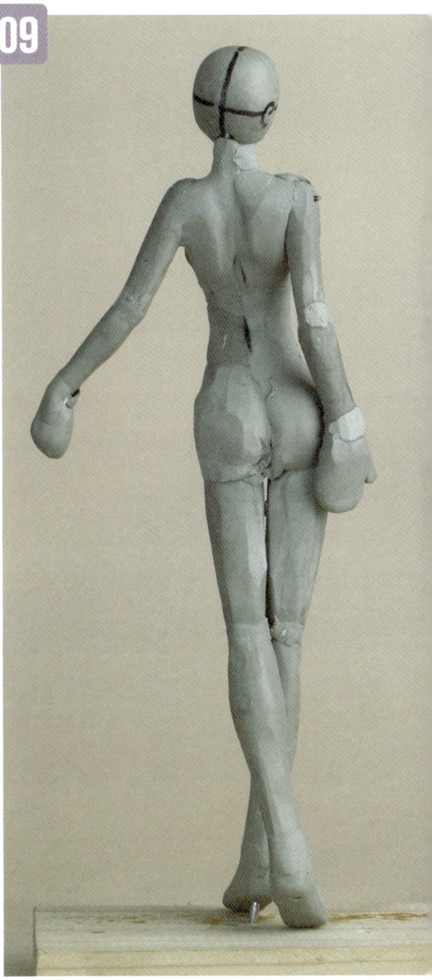

右手も仮に繋いでいます

鎖骨や肩甲骨を作る際には腕が無いと繋がり方等、上手く処理出来ないので、仮にですが右手を針金で接続して作業しました。断面のラインは繋がっていますが、ガッチリ接着したわけではないので簡単に外れます。必要な場合は瞬間接着剤を1滴垂らしてゆるく固定。こうした「作業に合わせての厳密ではない分割」も適宜使い分けて人体の整形を進めていきましょう。

CHAPTER 07

おしりの造型

工程的には2セット目の削りですが、ここからは部位ごとに解説していきます。まずはおしりについて。おしりの造型はおしり本体だけではなく周辺との関係、大きさの比率や繋がり、あるいはどこまでがおしりでどこからが太ももか? の境界線も重要なポイント。「どうも良くない……」というときはそのあたりをチェックしてみてください。また「良いしり」観は年々変わるものなので、それを前提に「今はコレ!」というその時々のゴールになる「良いしり」観を、写真なり好きなフィギュアなりで持っていて、迷ったときの指針にするのもおすすめ。

01

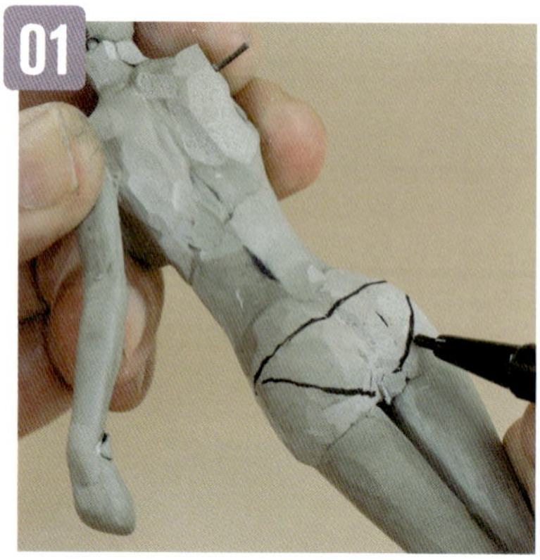

パンツのラインを描く

水着、下着のラインはその道のプロが人体をきれいに見せるラインを研究した果てに決められているので、裸よりもスタイルが良く見えるように考えられています。そのラインを、形状探究の補助線として描き込むことで、見えてくることも多いので、まずはおしりにパンツの線を描き込んでみましょう。

02

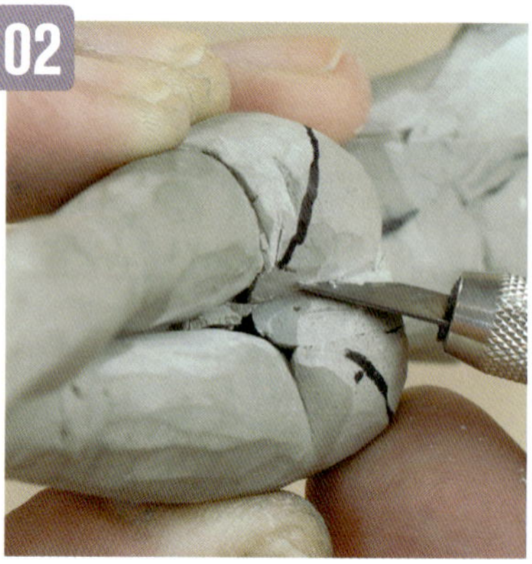

“谷間”が上に切り上がるように

左右のおしりの谷間が少し浅かったので、V字の溝状に深く切り込みました。真後ろから見たときに、上に向かう丸みも不足気味だったので、丸みをつけつつ上方に切り込んでいきます。最終的にパンツの布でこの谷間はふさぎますが、丸みの再現には裸状態の谷間で作るほうがてっとり早いでしょう。

03

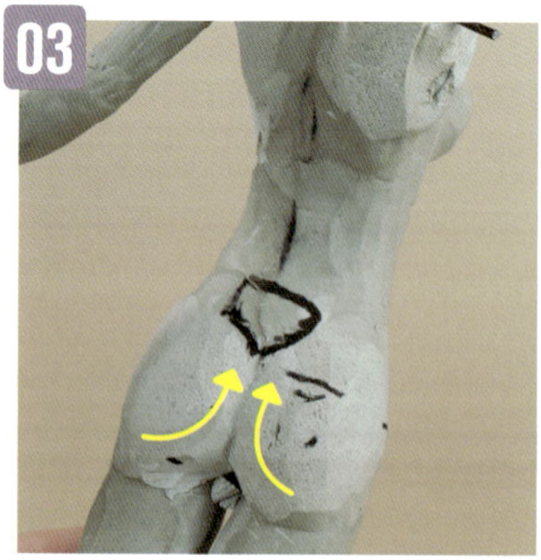

おしりの“上端”に平面を

補助線として描いたパンツの線がキレイに収まるように、左右のおしりの丸みをナイフで整形していきます。背中側との境界になるおしりの上端は、割れ目が終わると同時に逆3角形の小さな平面があらわれるので、そこを明確に削り出しておきます。

04

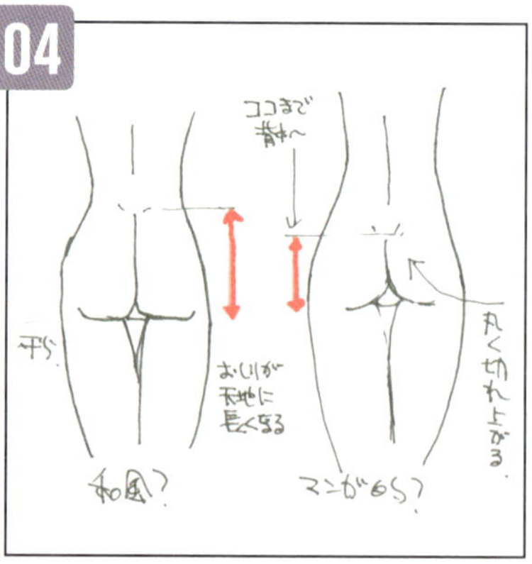

“割れ目”が短くなるとキュート

その逆3角形の平面が“おしりの始まり”だとすると、太ももとの境界の段差が“おしりの終わり”。この間の距離が大きすぎるとおしりが大きく見えます。左右の幅が多少広くても、上下を短めにとると小尻に見えます。さらに内側の切れ上がりを大きめにとって、割れ目を短くするのも同じ効果があります。

欧米的ヒップアップ?

下の解説で「"割れ目"が短くなるとキュート」と説明しましたが、逆にそこが長くなるとちょっとドンくさく、ある意味ではリアルになります。同じようにおしりの奥行きが高いと若くポップに、低いと、生々しいエロさが出てきます。外国のグラビアを見るとこの奥行きが高い、盛り上がったおしりがいわゆる「良いしり」という価値観になっているようです。今回のようなアニメ的なデフォルメだと、やはりこの高くて丸いおしりの方が似合うんですが、低くて四角いラインも意図的に使うと、和風な独特の肉感的な感じが表現できます。ここも「どちらが正解」というよりも、狙いや意図によって使い分けるポイントとも言えるでしょう。

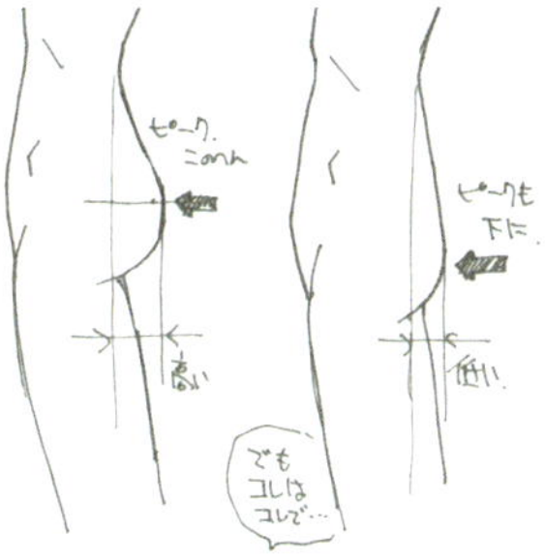

05

サンドペーパーで滑らかに

今回はナイフでほとんどの形状を出してからサンドペーパーをかけました。#80番の布ヤスリを使い、当て板有り⇨フリーハンドの順で磨いています。割れ目に向かって、キュッと上に締まっていくラインが分かるでしょうか?

06

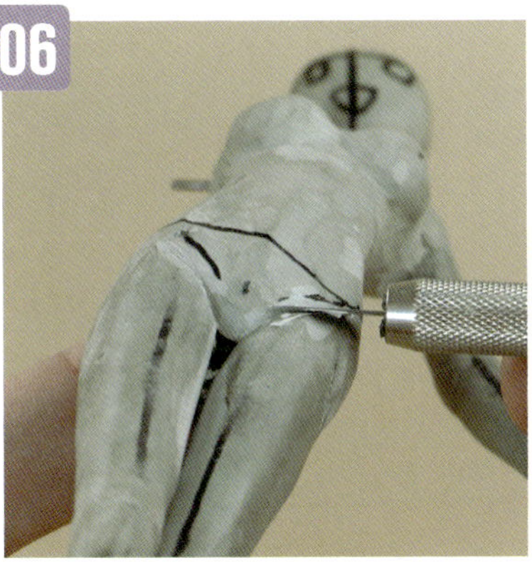

ビキニラインをナイフで

前に回って、これも補助線として描き込んだパンツの線がうまく収まるように周辺を削り込んでいきます。ビキニラインは、実際の水着のカットラインと一致しない場合でも柔らかく凹むのでそのように整形しました。

07

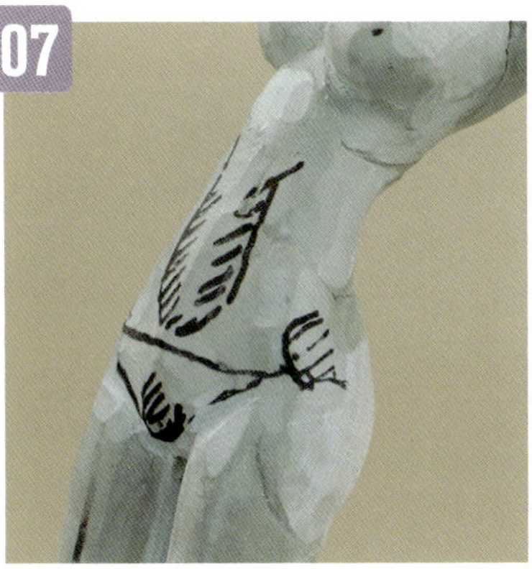

斜線部を削り残す

おなかの中心の腹筋、腰骨のでっぱり、股間の頂点(恥丘、いわゆる"土手")部分が凸状になるので、そこに補助線を引いて目安にします。

08

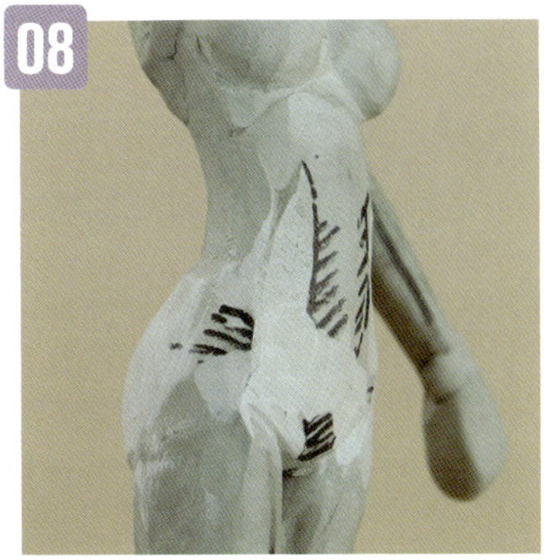

骨盤、筋肉の間を平らに

斜線部の間は一段痩せているんですが、表面は皮膚が張っているので、単純な凹みではなく、凸部分をぴったり包み込んだフィルムをイメージしてゆるい逆Rでつなぐように削っていきます。このあたりはここで一気に決めるというよりはまだちょっと削る余地を残して寸止めくらいでもOKです。

09

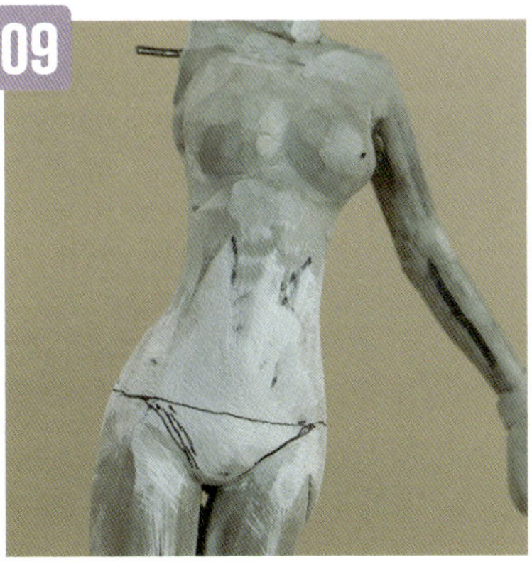

補助線を引いてチェック

サンドペーパーをかけたところで再度パンツの線を引いてみます。グラビア写真でもよくわかりますが、腹筋〜凹み〜腰骨の関係は、パンツの上の切り口の高さで一番凹凸が大きくなるので、このラインと断面を比較することで上手く再現出来ているかがまた分かりやすくなります。

10

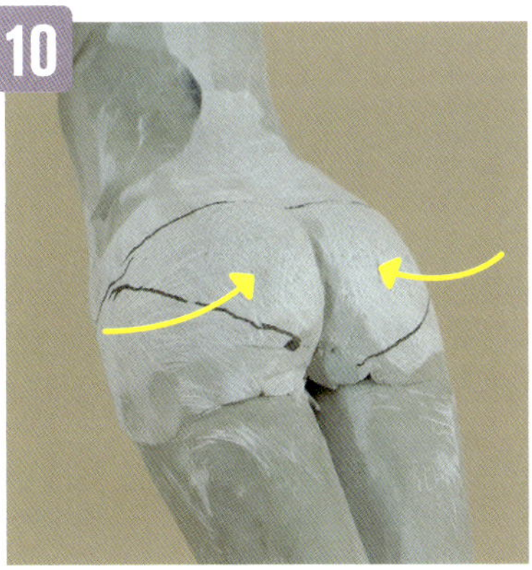

球体を押し付けあっているイメージで

おしりのフォルムは、基本的には柔らかい半球形が2つ、ぴったり並んで押しつぶしあってる形と捉えます。その曲率はおしりの上下で、さらに内側と外側で、逐次変わっていきます。ここが均一なRになると硬くメカっぽく見えるので、注意深く表情をつけて柔らかさを表現します。

第3章②

ポーズ&裸造形

CHAPTER

08

おっぱいの造型

1セット目の盛り削りであらかた削り出していたおっぱいですが、他の部分が出来てきたので、精度を上げる気持ちでさらに整形していきます。おしりと違って、基礎となる胸郭（ろっ骨と背骨で形成される骨で囲まれた基礎構造）の上の別パーツとして乗っているので、結果3次曲面の上に3次曲面が食い込むように乗るので、周辺との兼ね合いがおしり以上に複雑になっています。今回は2セット目の削り工程でほぼ完成していますが、場合によってはこの後、削り過ぎたり、違和感の残る部分に再度エポパテを薄く盛り付けて、3セット目、4セット目と盛り削りを重ねて微調整を加えることも……。

01

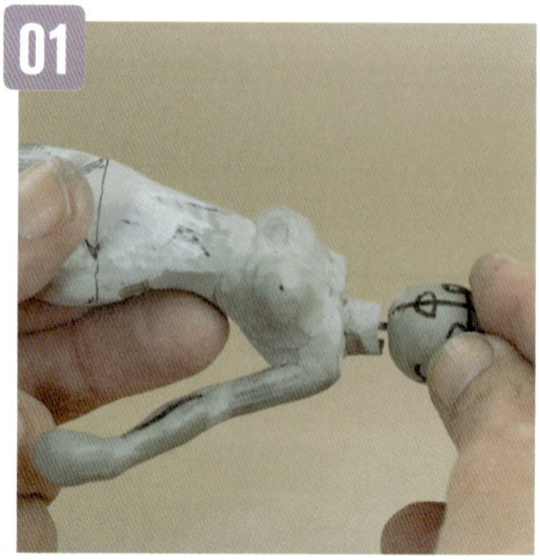

作業のために頭をカット

次のパートで顔を造形する際にどのみち頭部は切り離すのですが、胸周りの工作でも刃物が干渉するので、ここでひとまずカット。首は胴体に残したほうが鎖骨周りがキレイに仕上がるので、首の上端、後頭部との接点で切って頭を外します。ここもニッパーを入れてやると簡単に分割出来ます。

02

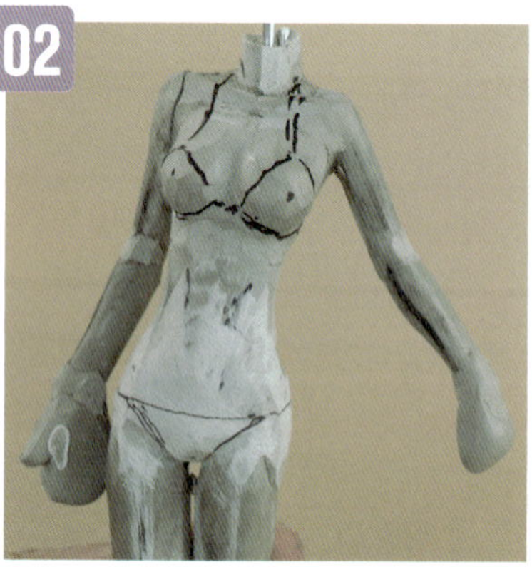

3角ビキニの補助線を

おしりと同じく、水着のラインを補助線として描き込みます。おっぱいをちょうど45度の斜めに横切る、いわゆる3角ビキニが、胸のラインがキレイに見えて、かつ資料になるグラビア写真も多いので良いでしょう。首にかかる肩ひもの線も肩幅のチェックに役立ちますよ。

03

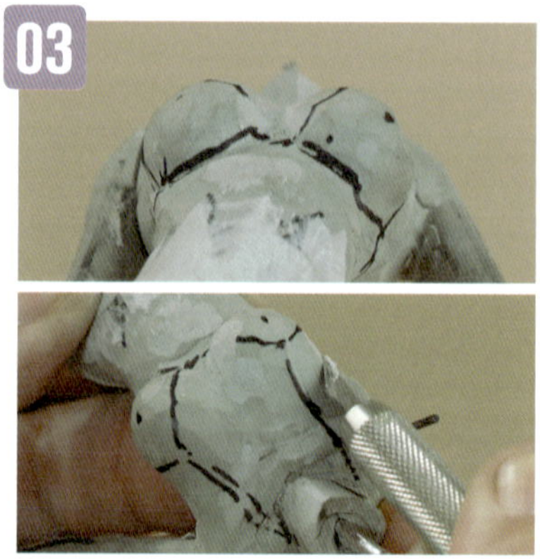

上下から見たラインにも注意

おっぱいの丸みと、胸郭との関係は上下からもよく見てチェックしましょう。この例題フィギュアでは、アニメ的なデフォルメとして胸郭をかなり小さく作っているので、相対的におっぱいが大きくなって胸郭の左右にはみ出して付いています。

04

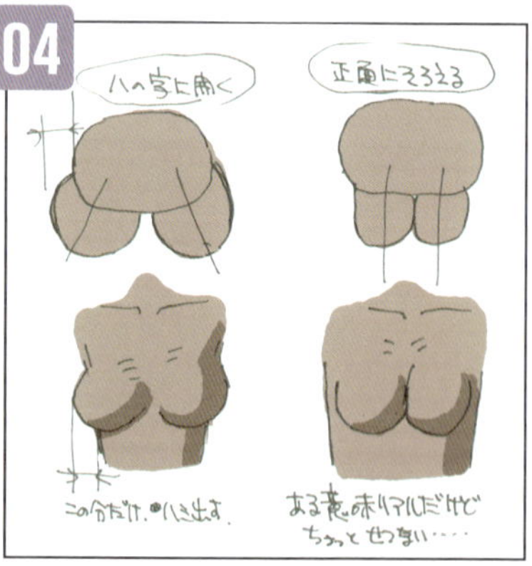

おっぱいは“ハの字”に生えてます

実際の人体でもおっぱいは胸の正面に向かって平行にではなく、胸郭の外側のエッジからハの字に開いて付いています。ただ、リアル女性では、そこからブラでまた内側に寄せているので話はややこしくなりますが、フィギュアではこの部分はキャラにあわせていいとこどりになってます。

3次元的に脇に回り込む

人体はほぼすべてがそうなんですが、曲面と曲面が組み合わさってできているので、その境界のラインは立体的でそれなりに複雑になります。いわゆる「横チチ」部分もその典型で、おっぱいの下の丸みのラインは胸郭の前面でぱつーんと終わるのではなく、胸郭の両サイドに丸く回り込んで、脇の下まで逆Rになりながら連続的に繋がります。こうした縦でも横でもない、微妙な線は、会得するまではやっぱり大変なんですが、一度しっかり研究しながら作り込んで理解すると、どんどん血となり肉となるので、これまた少しずつコツコツと「知っている部位」を増やしていくしかないですねぇ……。

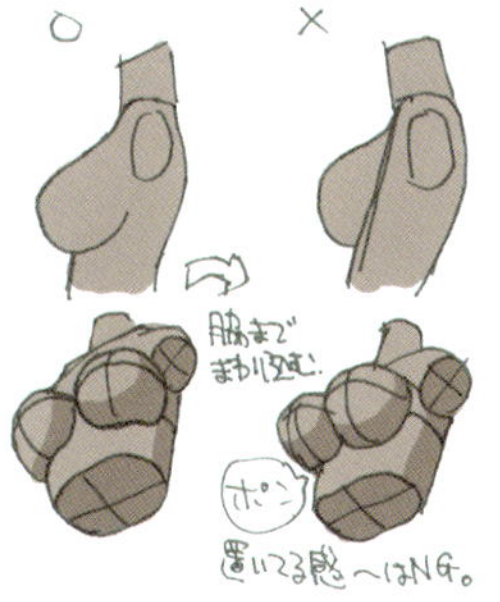

05

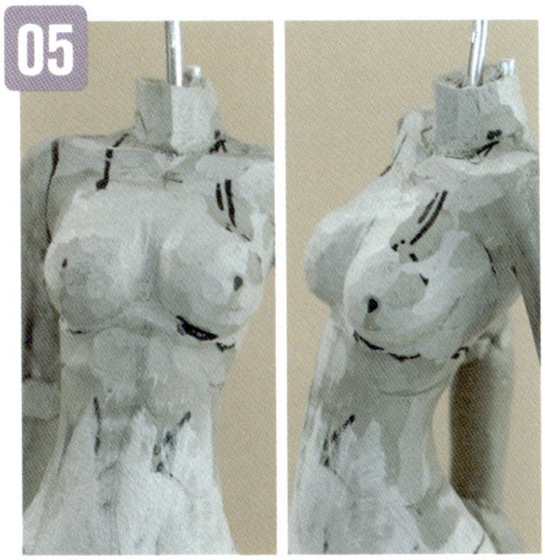

曲率に注意して削り込み

ここもキャラや絵描きさんのタッチによって変わってくるところですが、おっぱいの丸みというか曲率、つまりたっぷりと膨らんでいるのか、直線に近い痩せたラインなのか、を元の絵をよく見て反映させていきます。単純な大きさだけでは巨乳にならないときなど曲率を見比べてください。

06

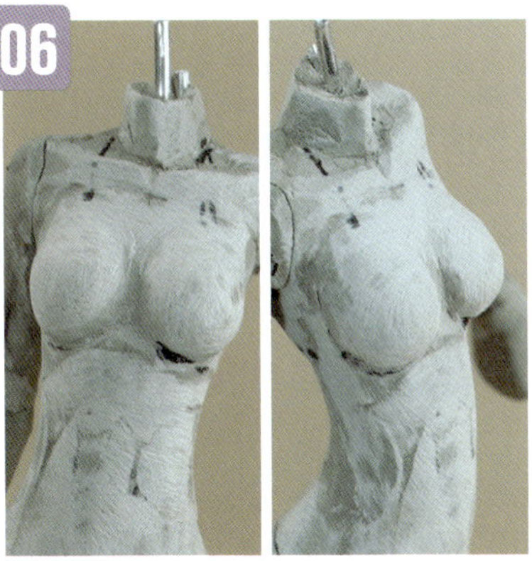

さらにペーパーがけ

ナイフ作業の後はサンドペーパーがけ。おっぱいの下半分の丸みを強くぽってりと、上半分の丸みを抑えてすーっと流すと柔らかさが出ますが、やりすぎると"垂れた"ラインになるので難しいところ。今回は水着で上に締め上げているということで、ほどほどです。

07

谷間の逆Rが見せ場です

巨乳キャラの場合、胸の谷間はいわゆる「寄せて上げて」の結果、中心にはおしりのようなくっきりした"割れ目"が出来て、胸郭との境界も明確に出ます。今回はそこまでいかないので、左右のおっぱいは別の曲面で出来ているけど、その間はごくゆるい逆Rくらいの線にまとめています。

08

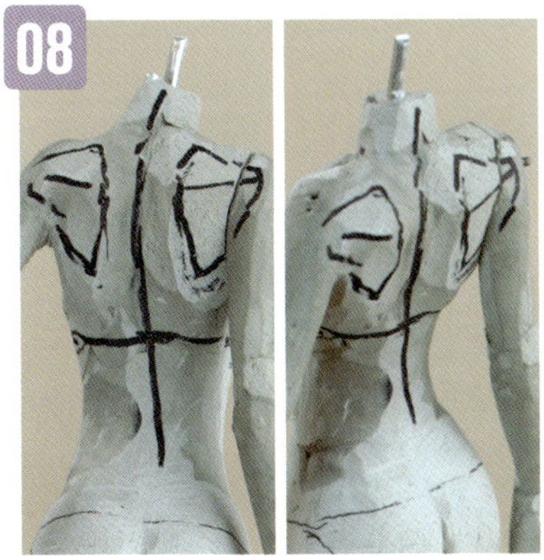

肩甲骨も下書き

2回目の盛りで作った肩甲骨も若干大き目だったので、厚みを抑えて、周辺から削り込みます。単純な平面ではなく、ゆるく曲がっているので、その折れ線も下書きに描き込んでいます。ここも基本的な部品は左右対称だけど、動きの結果位置はちょっと違うことを意識して造形します。

09

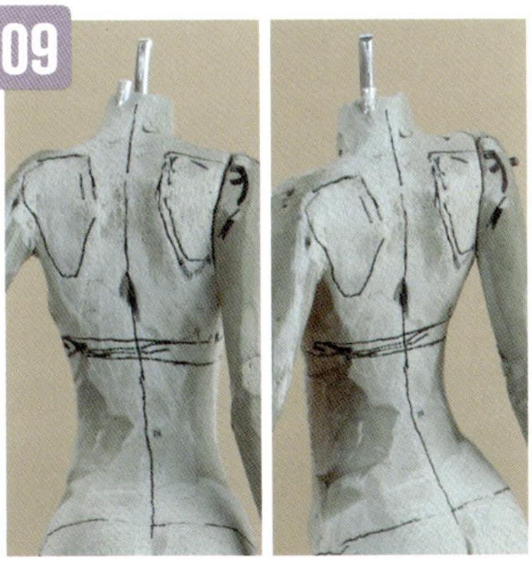

骨の周りを逆Rで削り込む

肩甲骨の周り、首すじや背筋、わき腹とあわせて整形していきます。背骨が曲がっているのにつられて、くびれの形が左右で違うのに注意。また肩口が厚くなり過ぎると女性的な華奢さがなくなるので、前後の厚みにも気をつけてください。

10

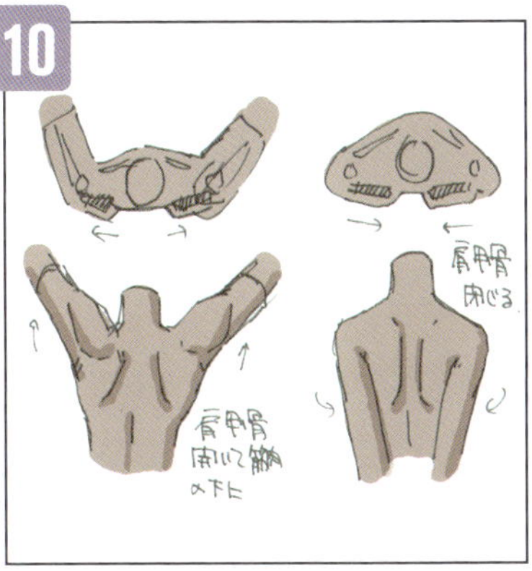

ポーズで大きく表情が変わります

先にも触れたように、複雑な部分は写真資料をよく観察しながら作るのですが、ポーズや動きによって外形が大きく変わる部分では、違うポーズの資料が混ざると変なことになります。肩甲骨から背中も、典型的に変形する部分なので、参考資料を選ぶのもセンスの一部と意識して気を付けましょう。

CHAPTER 09

脚の造型

3セット目の盛り削りは脚と、一部盛りの足りない部分（今回はろっ骨の下半分）の加工になりました。一番最初の芯の段階で少しおとなしめに作っていた太ももがおしりや体幹部分がしっかりしてきたので相対的に貧弱に見えたので、ここで盛り足します。これまでの工程でもそうですが、盛り足すときは漠然と全体に盛るのではなく、ある程度意図をもって「ここが足りないから」「断面で考えると正面よりちょっと外側を一段階出っ張らせたい」等とピンポイントで狙って、考えながら足していきましょう。天然の天才タイプ以外の人にとっては、そうした分析的な考え方が案外、上達の近道だったりします。

01

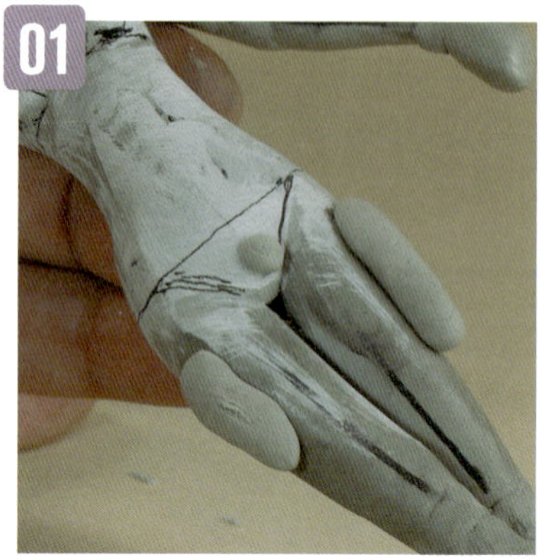

ボリュームを足したい部分にパテ

腰骨から下の太もも外側が、おしりや腰周りのボリュームに負けているので、そこを狙ってエポパテを盛り足します。太ももは単純な丸断面ではなく、前方内側がちょっと痩せた楕円に近いので、断面としても外側にボリュームを足していくように延ばしてなじませせます。

02

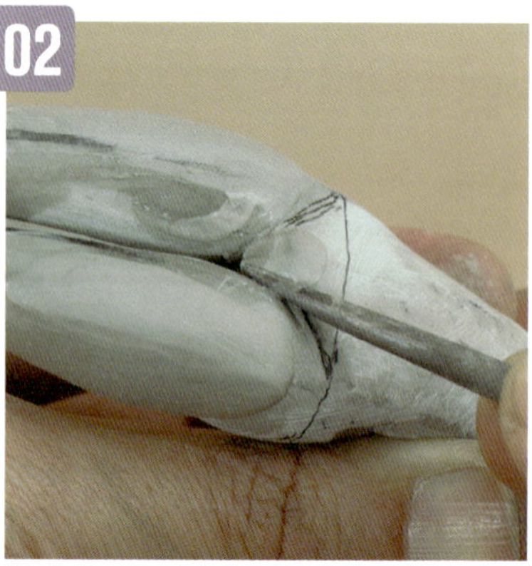

ビキニラインにそって盛り上げ

股間も痩せて見えるので、パテを乗せて"恥丘"部分を中心に延ばしてボリュームを足しました。恥丘の頂点はかなり前まで隆起していますが、そこから一気に落ち込むので、左右はビキニラインに、下方では性器周辺に繋がるので、そのように周辺のパテを押し込んで造形します。

03

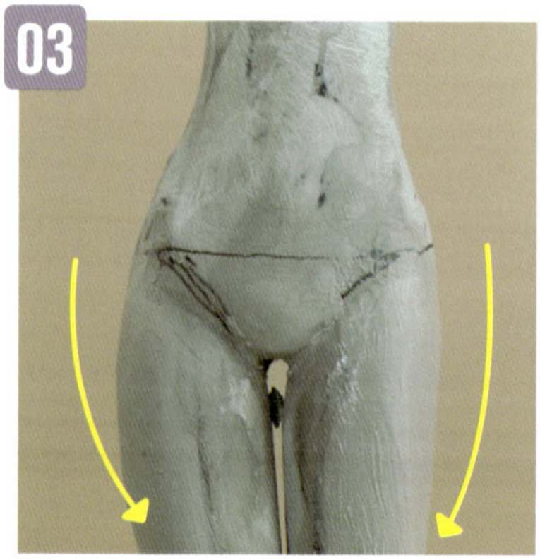

太もも外側が痩せていたので……

太もも、股間を整形した状態です。ももは上から1/3程度のところを中心に太らせて、逆にひざ回りは元のまま、結果下にすぼまるテーパーが強調されて正面からのラインが逆三角形に近くなりました。実はこのテーパーの強弱もキャラを似せるポイントで、三角に近いほど女性的になります。

04

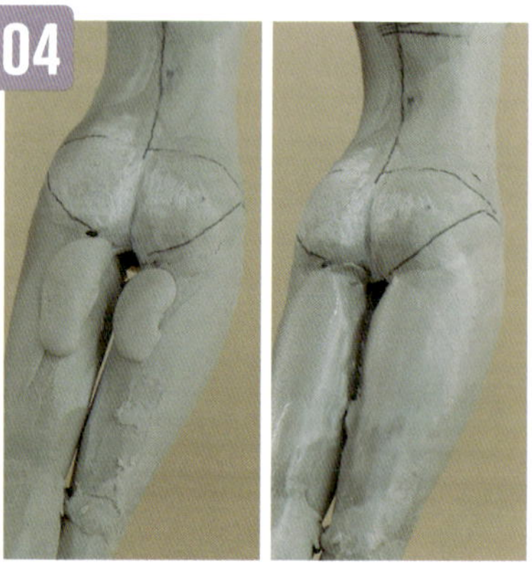

後ろは逆に内側に

太ももの後ろ側は逆に、内側が痩せて見えたのでこちらにパテ盛り。おしりのしり肉の直下にちょっと柔らかくたまってるイメージです。このクロスしている脚の内側にも、パテを盛り削りしてラインを整えるのは、分割の後で。まずは外側やおしり周りを一体のままに仕上げていきます。

資料を見ながら作る

造型の際には元のモチーフになるキャラクターの画稿はもちろん、同じポーズの水着グラビア等をなるべくじっくり見て作りましょう。模型塾の現場で参加者の方を見ていると、キャラ絵すらほとんど見ないで進めている人がいますが、人間の脳内にはそんなに人体の知識は入っていません。全部を暗記する必要はもちろん無いのですが、分からないところ、上手く作れないところがあったら、「その部分を勉強するチャンス!」くらいに思ってこまめに資料に当たるのが良いと思います。

05

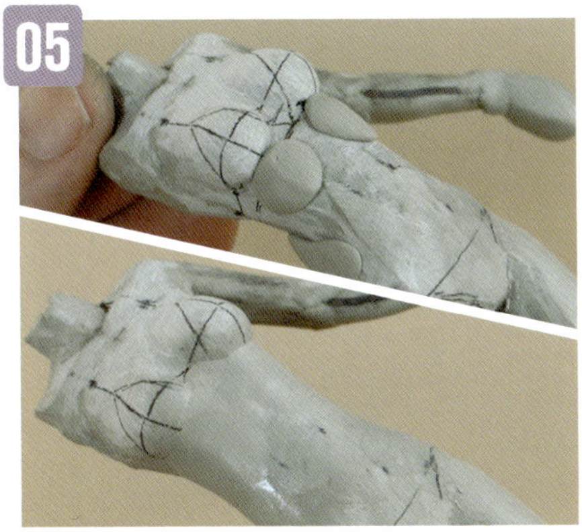

胸郭も相対的に凹んで見えたので

前ページで作ったおっぱいとおなか周りの間で、おっぱい直下の胸郭が若干落ち込んで見えて、ラインがつながらなかったので、そこにピンポイントでパテを足しました。骨格の表現でここにろっ骨の凸凹を彫り込むこともありますが、"美少女"からちょっと外れてしまいますので、今回は一番下のろっ骨の下をゆるく逆Rでおなかに繋げる程度に止めてます。

06

硬化したところでペーパーがけ

3セット目の削り作業で脚のラインを整形。パテで太らせたもものラインを滑らかに、盛り足しをおこなわなかったすねは、ふくらはぎの周辺をシャープに削り込み、ひざ回りにもひざの皿の凸凹や、ひざ裏の腱が交差している部分を削り出していきます。

07

くるぶしの骨を削り残して表現

足首は左右のくぶし部分に骨のでっぱりがあるので、軽く凸状に表現します。芯がそれなりに太目だったので、でっぱり部分を下書き。その周辺をゆるい逆Rで痩せさせて骨を削り残しています。ここもでっぱりの上下で面の表情が大きく異なるので、よく資料を見ながら作業を。

08

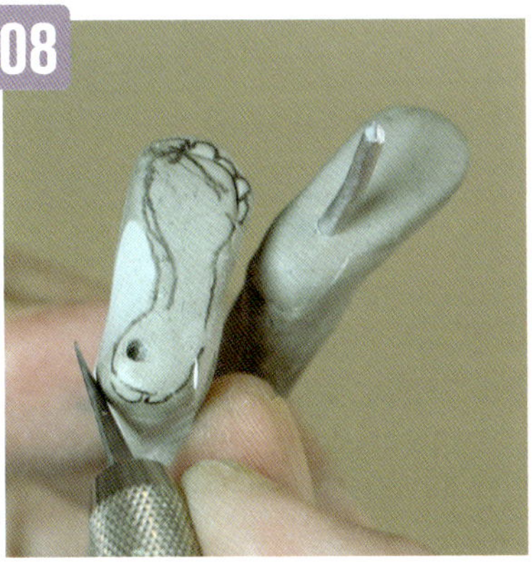

はだしの場合は……

今回は最終的にスニーカーをはかせるので、半分自己満足なのですが、軽く裸足を造形しました。足の裏にまんが的な足跡状の下書きを描いて、それをガイドに土踏まず等を削り込んでいきます。このあたりは自分自身のパーツも観察しやすいので、じっくり観察出来ますね。

09

裸がひとまず出来上がり

ということで、ポーズをつけるところから、ひとまずの裸状態が完成しました。上の写真は撮影順の都合で顔と髪、手首が出来ていますが、これは次のパートで解説します。おへそや背筋等はまだ手つかずで、表面も荒いサンドペーパーをかけただけですが、そこは後回しにしてむしろ髪や服など他の部品を、ラフでもいいので全部揃えてバランスをチェックするのを先行させた方が良いでしょう。もっと言うと、仮にここで丁寧に仕上げても、後工程でそれなりに修正することになるので、「まだ直す」ことを前提に次工程に進んでいきます。

第3章③

顔の造型

CHAPTER

01

アニメ的造形と似せるコツ

ここからはいよいよ最難関である「顔の造型」について解説していきます。
実際の造型に入る前に、まずはポイント、もしくは陥《おちい》りやすい罠を少々。長年の業界関係者の切磋琢磨によって今でこそ、「アニメ的な美少女顔」（※注）の正解、もしくは最大公約数的な共通解と言っていい立体表現があるので、昔ほど手探りではないのですが、それでも初めて作る人には、写実的で人体そのままの造型と「同じで良いところ」と「思い切って変えたほうが良いところ」の切り分けが難しいとも思います。そのあたりのヒントとして読んでください。

※注:本書では「アニメ的」を、80年代以降の美少女アニメ、美少女ゲームに出てくるような、大きく誇張（デフォルメ）されたフォルム全般という意味でゆるく使っています。具体的には、大きな目、鼻の穴が描かれない小さな鼻、記号的に省略された口、短く切り詰めたアゴ、身体つきでは長い脚に狭い肩幅、くびれたウエスト等々。決して的確な言い方ではないのですが、他に良い表現も思いつかなったので……。また便宜上、「アニメ的」な造形と対になる写実的なフォルムを「リアル造形」と称しています。

01

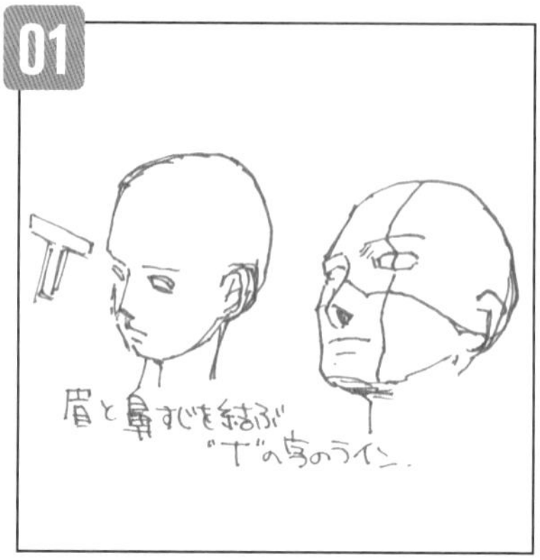

眉と鼻すじを結ぶ
"T"の字のライン。

リアル造形には"Tゾーン"がある

左右のまゆの山の盛り上がりと鼻筋を結んだTの字の部分を"Tゾーン"と呼びます。化粧品のCM等で使われるので女性にはなじみが深いでしょう。私たち「ひらたい顔族」は、他の人種の人達と比べて彫りが浅いとはいえ、造形的にはそれなりにこのTゾーンが盛り上がっています。

02

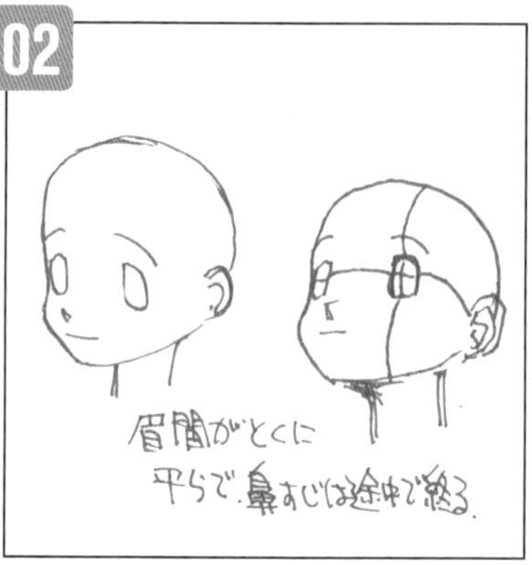

眉間がとくに
平らで、鼻すじは途中で終る。

Tゾーンがぼやけるアニメ顔

アニメ的な造形がリアル顔と一番違うのがこのTゾーンの部分。絵のタッチによって強弱はありますが、目の間が平らで、鼻の稜線が途中で消えてなくなったりします。一般的な、彫りが深い＝美形と真逆の価値観になるので、まずはそこからマインドセットを切り替える必要がありますね。

03

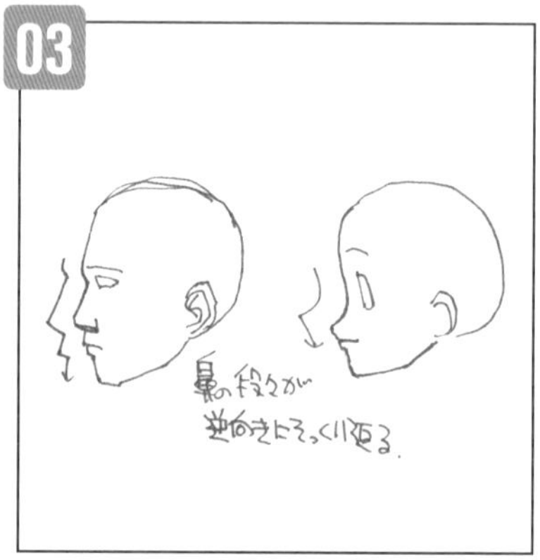

鼻の段々が
逆向きにそっくり返る。

横顔では鼻の向きが逆に

横顔では、そのTゾーンから鼻、口、下唇のかげ、アゴと階段を刻むようなラインになるリアル顔に対して、鼻の上でそっくり返るラインに。これも普通だと鼻の下面が前を向く、ブタっ鼻になるところですが、鼻の穴を描写しないアニメ顔ではむしろかわいくまとまります。

04

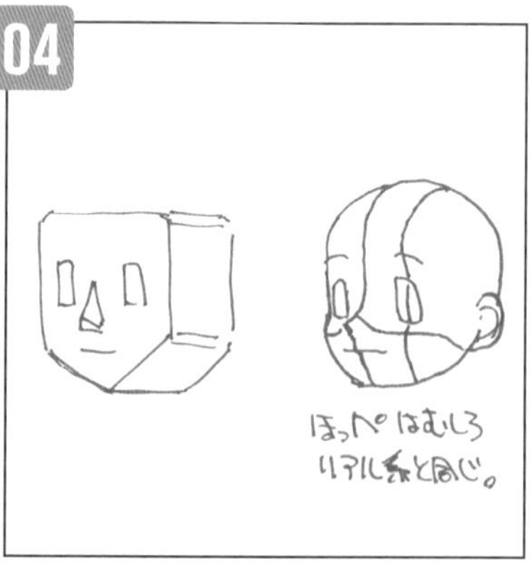

ほっぺはむしろ
リアル系と同じ。

かといって平面というわけにもいかない

逆に、おでこの断面やほっぺがゆるく回り込むライン、アゴの裏面から耳に繋がる構成はリアル造形に通じるので、やけになってこの絵のように、平たい板に目鼻を貼り付ける、という構成にはしないで、ちょうど良い落としどころを探っていきましょう。

奥義？ “スキ間”を見比べる

下に挙げた似せるポイントで、いろいろな要素を元の絵と見比べて、それでもなかなか似ないんですけど、という方に、模型塾からの秘伝をひとつ公開しましょう。それは、例えば目や髪などの部品そのものの位置や大きさを見比べるだけではなく、部品に囲まれたスキ間、空間の大きさや形状を比較するんです。図のようにほっぺの、何もない空白の形が縦長いの三角なのか、台形なのか？ 等ですね。……と、勿体つけて言ってますが、実際、腕のいい絵描きさんはみんな、無意識にやっていることでもあります。

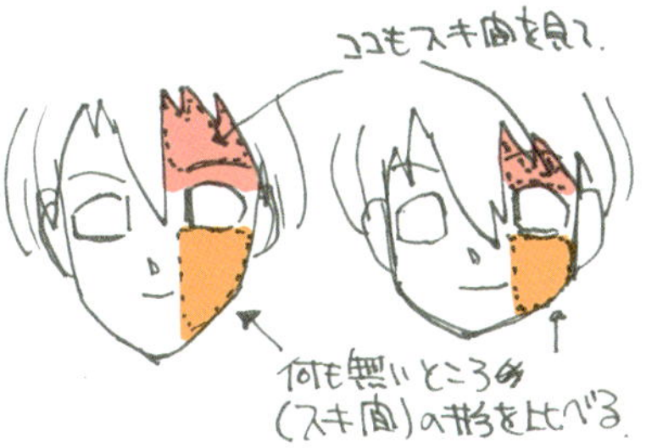

05

目の“割合”で似せる

また実際には、アニメ的なデフォルメの中でもまた流行や絵描きさんのクセ、キャラの描き分けなどで細かな差異が出てきます。そこを丁寧に拾っていくのが“似せる”ことに繋がります。多種多様な要点がありますが、まずは顔面に占める目の割合に注目してください。特に目の間隔は重要なポイントです。

06

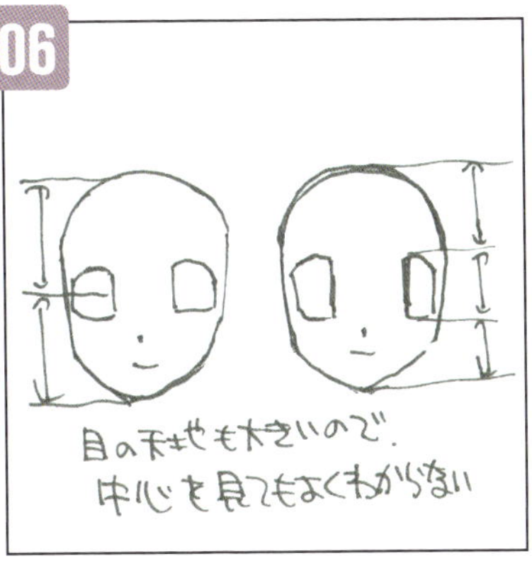

目の高さは中心よりも上下端で比べる

「なんか似てない……」と思ったとき、次に比べるのが、顔と目の、上下方向の位置関係。アニメ顔は目が上下に広いので、単純に中心の高さを元絵と見比べるだけでなく、上端(上まぶたの頂点)と下端(下まぶた)が絵と同じ高さになっているかチェックします。

07

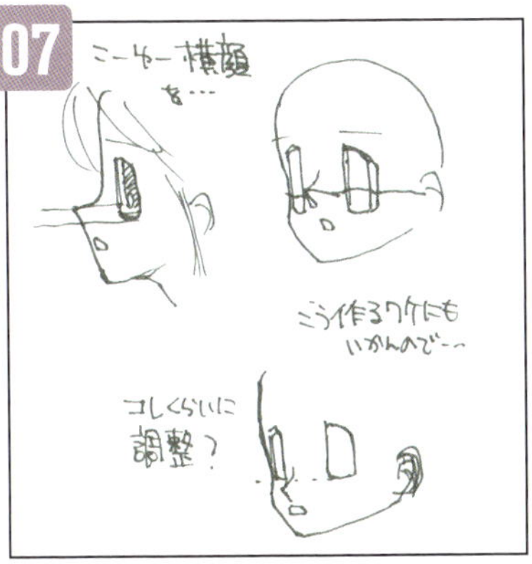

鼻が目の間にめり込む？

横顔絵は、その1枚単体での見映えを追及して、前後に長めにデフォルメされた“犬顔”でまとめられがちなので、正面や斜めから見たときに違和感の無い程度まで平らに……。上下方向も、鼻と目、口の位置関係が雰囲気、情緒優先で配置されてることがあるので、適宜調整するのが無難でしょう。

08

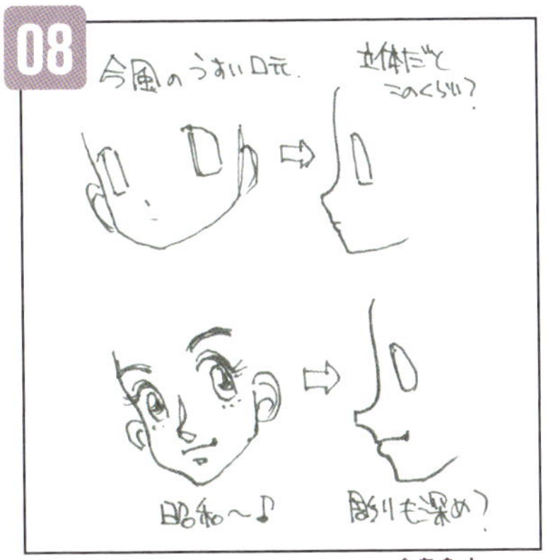

存在感が薄くなる口許《くちもと》

これは時代性、流行が大きいと思いますが、アニメ絵の中でも口と鼻の表現はどんどんおとなしく、存在感の無いものが出てきました。鼻も口もほんの小さな点に近い線で描かれていても記号的に表情を読み取る、受け手のリテラシーが上がっているので、特に不都合も無いということかもしれません。

09

アイラインの薄い顔

また、眼元の表現でも薄口の、アイラインをクッキリ実線で描かずに、白目と肌色の塗り分けだけで表現する絵も普通になっています。こういう眼は立体でも彫り込みをごく浅く、段差も最小限に表現することになります。逆にここがクッキリ描かれるキャラは濃いめの造型が出来ますね。

10

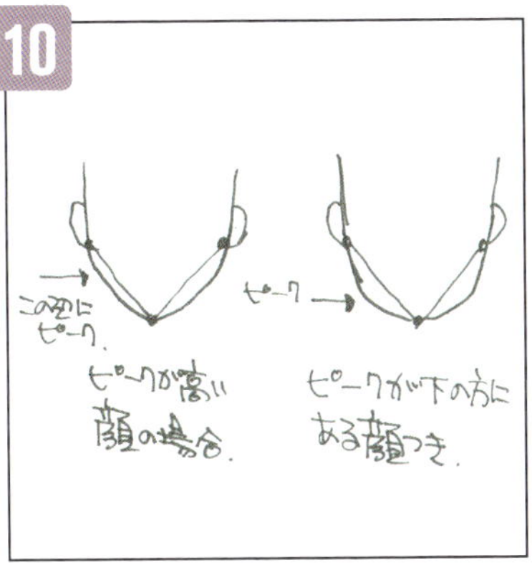

ほっぺはピークと曲率で似せる

頬《ほお》の丸みは年齢や性格を描き分けるポイントです。これも似ていないときは元絵と見比べて、アゴの先端と耳の付け根を結んだ補助線の、何%くらいのところにどれくらいの高さのピークがきていて、どれくらいの丸み(曲率)で繋がっているのかを解析してみてください。幼い丸顔キャラはふんわりと、お姉さんキャラはシャープに表現します。

CHAPTER 02

2回目の盛り削り（おでこ、鼻、眼窩《がんか》）

顔の造型の実作業はここから。まずは頭を胴体から切り離すところから。

今回は全身のラフ➡頭部と、明確に分けて掲載していますが、もちろん平行して作業してもOKです。実際には顔に盛り足すパテは少量ずつなので、その分だけ混ぜるよりも、胴体の盛り削り用に混ぜた分で同時にちょこちょこと進めるのが現実的かもしれません。また今回とは逆に、顔だけを先行して完全に作り、納得のいく顔が出来たら、それに合わせたバランスで身体を作る、という方法もありますが、初めての人の場合、なんせ顔が難しいので、そこでてこずっているうちに心が折れる恐れもある、諸刃の剣……。

01

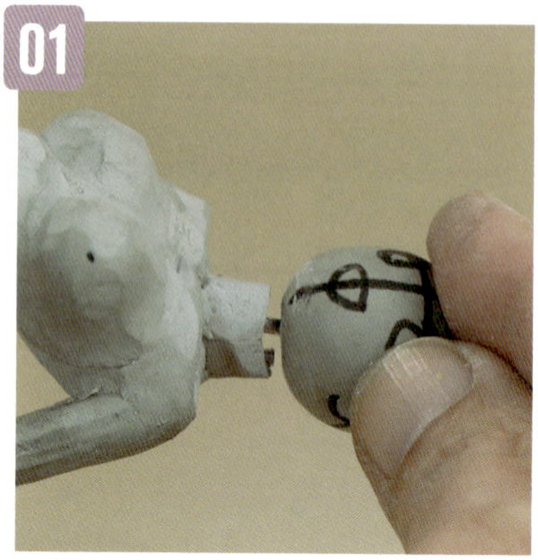

頭を銅から切り離す

今回は、前のパートで胸周りを作るために切り離していましたが、まだ一体で作っていた場合は、顔の工作のスタートはここから。"首"部品を頭側に付けての作業は、バランス取りが難しいので、ひとまず頭単体で、首は胴体側に残して顔の工作にとりかかります。

02

顔を下書き

いつものように顔も下書き。顔の場合は縦横の中心線を十の字に。また目、鼻、口、耳、場合によっては前髪の線なども描き込みます。今回は芯のエポパテがちょっと小さいのでここにパテを盛り足すところから始めますが、大きめだったら、下書きをガイドに削りからスタートします。

03

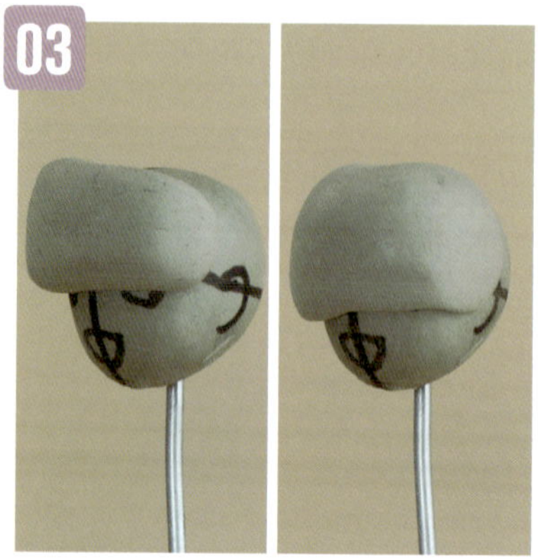

おでこにエポパテを盛る

一見して、目から上のボリュームが足りないので、まずはおでこにちょっと厚めにパテを盛り足します。ここは比較的リアル造形寄りに考えて、ゆるくカーブしたおでこが、こめかみ部分でゆるいカーブを描いて耳の前に"コの字"に折れ曲がっているイメージで整形します。

04

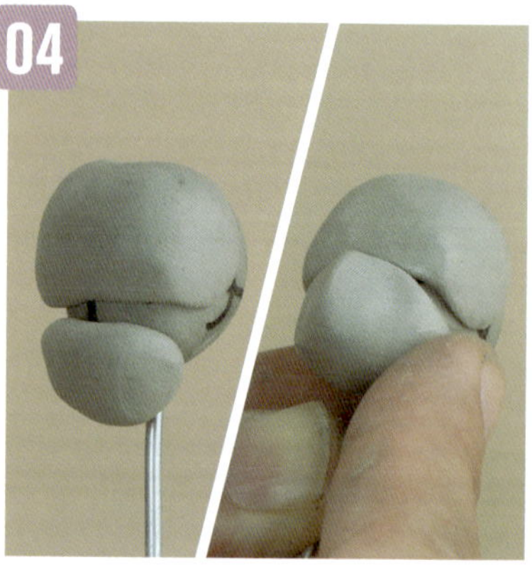

鼻＋口をセットで盛り付け

次に鼻から口もと⇨アゴと、前に出ている部分をひとまとめに捉えてセットで盛っていきます。口や鼻の両脇の逆Rは後で削ることにして、ここではマスクをつけた状態の口元を作る気持ちで鼻の稜線からほっぺに繋がる面をなでつけながら形にします。

ちょい盛りとちょい削りを併用してますが……

エポキシパテは、軟らかいうちに粘土のようにへらで整形してゴールの形まで一気にもっていけるので、そもそも上手な人は、ここに挙げたような段階を経なくても一発の盛り付けでカタチにできます。当然そのほうが材料の無駄もないし、時間も早く、素材本来の性能を生かした作り方です。この本の作り方はその意味では、実は一番遠回りな方法（故に初心者向きともいえます）なので、慣れてきたら、一度「一発で作る、一回の盛りからへらで一気に作る」方法にも挑戦してみてはどうでしょう？ 眠っていた才能があっさり開花するかもしれませんよ……。

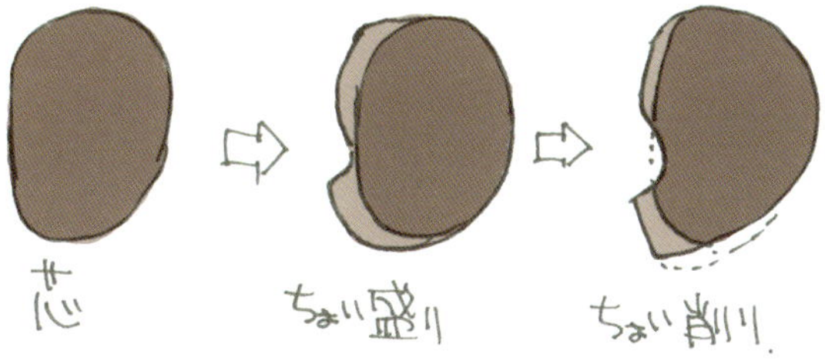

05

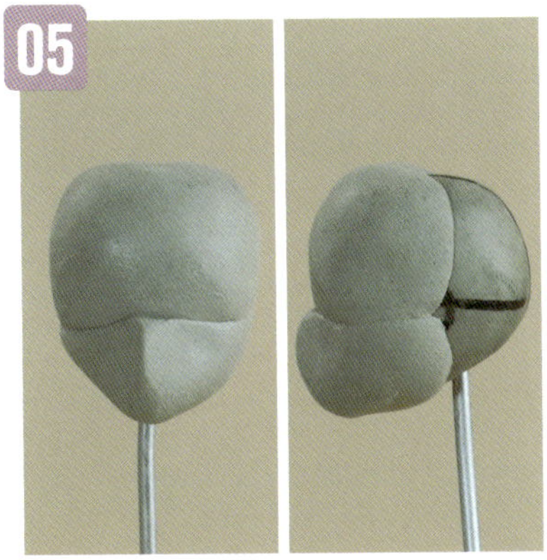

まずは横顔を作る気持ちで

後頭部がまだ芯のままですが、あまり欲張って同時に盛ろうとすると、せっかく作ったおでこや鼻のラインをつぶしてしまうので、横顔のアウトラインの前半分が出来たらいったんドライヤーで加熱、密着度を上げながら、約3時間程度硬化を待ちます。

06

再度、顔を下書き

硬化後、改めて顔を描き込みます。今度は少し精度が欲しいのと、それでも写真に写るように、細目のマーカーを使いました。皆さんは、鉛筆やシャーペンの方が修正しやすいので良いと思います。今回は前髪と眉毛も描いてみました。次の工程の眼窩《がんか》を彫り込むガイドにします。

07

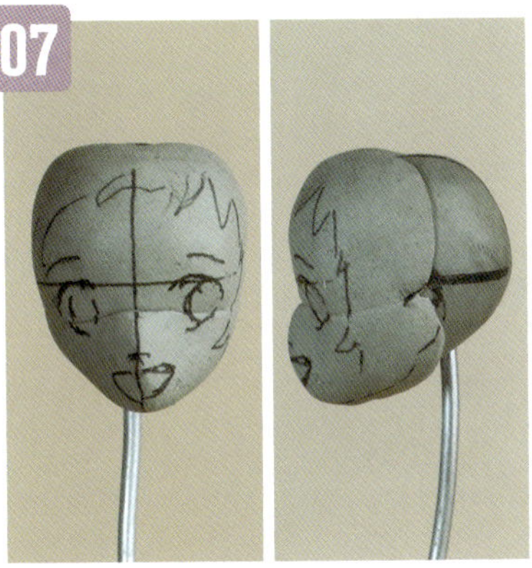

バランスをチェック

硬化後、顔を描き込んだ状態です。ほっぺがないので正面顔が情けないのですが、途中写真はこんなもんです。横顔もちょっとサルっぽいので、次のページで手を加えましょう。

08

眼窩《がんか》を彫り込む

眼窩とは、眼球が入るおおきな窪みのことです。顔の造型としてはまゆ山のでっぱりと頬骨の間。リアル造形では明確に凹んでいますが、アニメ系の特にほんわかした甘口の顔では写真のようにごくゆるい逆Rになります。ゆるくとはいえ、ここが凹んでいないとギョロ目な感じに見えます。

09

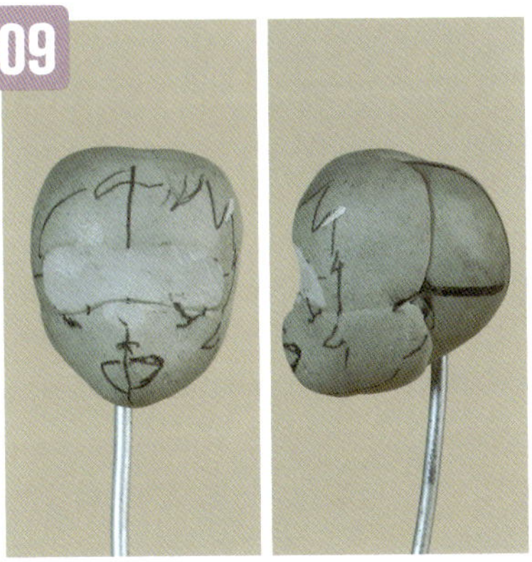

彫り込み過ぎないように

ごく軽く削ってこの状態に。かなり後の工程（P.066）で、眼窩よりひと周り小さく目そのものを彫り込むので、最終的に目の位置はここからもう一段奥まったところになるので、この時点では「浅すぎかなぁ……」くらいで止めておいてください。

10

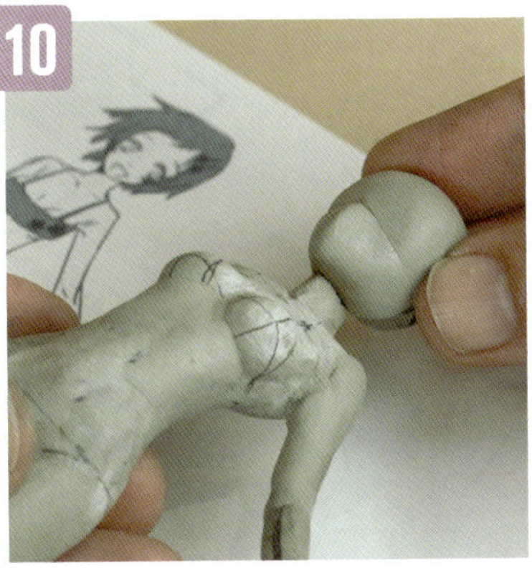

胴体とのバランスに注意

頭単体で作業していると、盛り過ぎで大きく、あるいは逆に、削り過ぎでどんどん小さくなることがあるので、折々に胴体に仮に戻してバランスを確認します。“○頭身”かがキャラの特徴付けのひとつになっているように、頭の大きさと身長の比率もまた似せる重要な要素です。

第3章③
顔の造型

CHAPTER
03

アウトラインを徐々に形作る（おでこ、鼻筋、頬《ほお》）

先に盛り足した1回目のパテを少しずつ削って顔の形にしていきます。胴体に比べると削る量は少なく、薄皮1枚の差でも表情が変わってくるので、注意深く削りましょう。また人間の脳は原理的に、他人の顔を“立体造形物”としてではなく“記号”というか、“表情をシンボル的に表示するディスプレイ”として認識しているので、放っておくと、目、鼻、口、とわかりやすい要素をバラバラの部品として表現してしまいます（子供の絵に典型的なスタイルですね）。実際にはそれぞれが“切れ目なく繋がっているデリケートな凸凹の一部”です。言葉にするとちょっと分かりづらいかもしれませんが参考までに……。

01

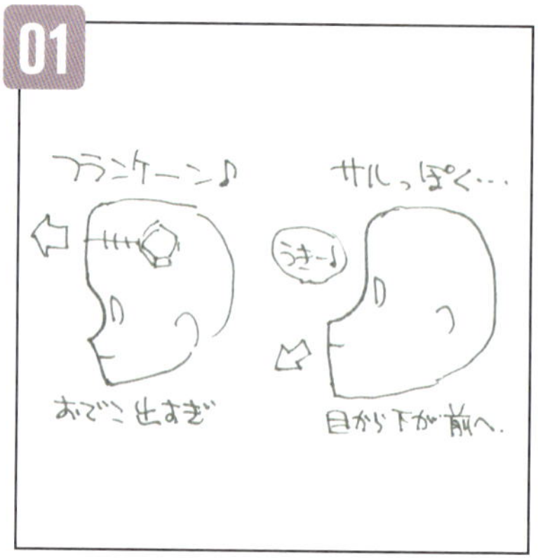

フランケン顔vsサル顔

横顔の処理で陥りやすい失敗例を2つ。おでこが垂直に立ちすぎてフランケンっぽくなる。逆に鼻から下が前に出てサルっぽくなる……正面顔だけにとらわれて横顔を見ないで進めるとよくハマる罠です。おでこ、眼窩、鼻、アゴの前後関係にも気をくばってここからの削り工程を見てください。

02

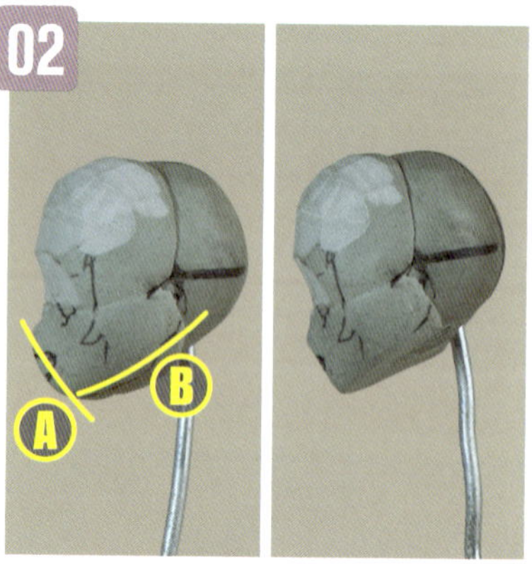

鼻ーアゴを結ぶ線Aでカット

現状の横顔を見ると、盛り足したパテが多めだったので、その、サル顔っぽくなっています。仮想的にアゴの先端と鼻の頭を結ぶラインをイメージして、そこより前のパテをまずはスッパリと切り落として、横顔を整形。右写真は加工後ですが、まだちょっと鼻の頭が足りないですね。

03

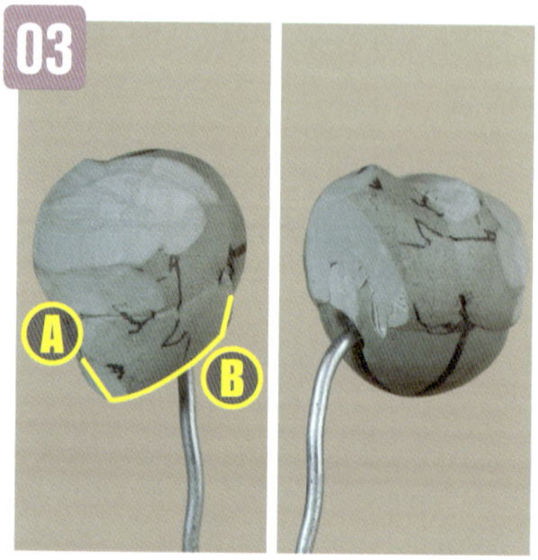

アゴ〜耳の下を結ぶ線Bも……

口のあたりは先に切った面で平らになっています。次にアゴの先端と耳の下を結ぶ線、上写真のBのラインの外側を削ります。ただし、こちらは直線ではなくゆるいRになるように。このカットラインが横から見たときのアゴの稜線になります。

04

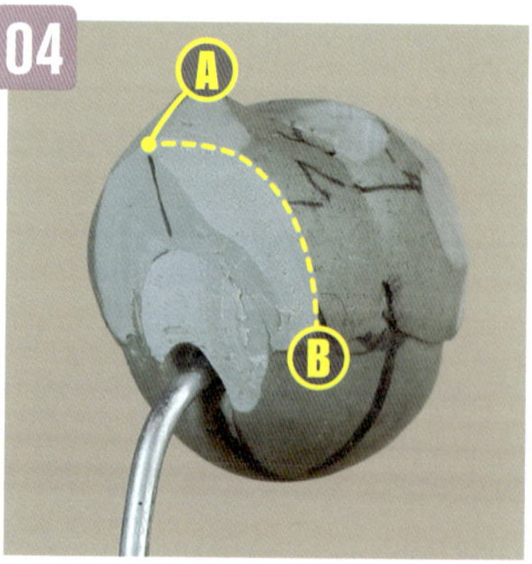

口のつく面をV字断面に

Aの線は平面からスタートしましたが、実際には、顔の中心にそって稜線が走る、ゆるいV字断面になってそこに口がつくので、中心線を引いてV字になるように削っていきます。

横顔の“中心軸”としての耳

髪型によってはほとんど隠れてしまう耳。いっそ作らない、と言う人もいますが、私は耳で横から見たときの顔全体のバランスをとる、いわば中心軸に耳を使うので、必ず作ることにしています。上下位置の目安としては目の中心あたり、仮にメガネをかけさせたとしたら、両脇のつるが水平に伸びた先が耳の上端、下端はアゴの終わりですね。前後位置はリアル造形ではかなり後ろなんですが、アニメ的なデフォルメが強いほど前にもってきて、顔面を薄く作ってバランスをとります。大きさは、小さめに作るとロリっぽく、頭部から生える角度は横に立てると昔のマンガっぽく(怪物くんですね)なります。

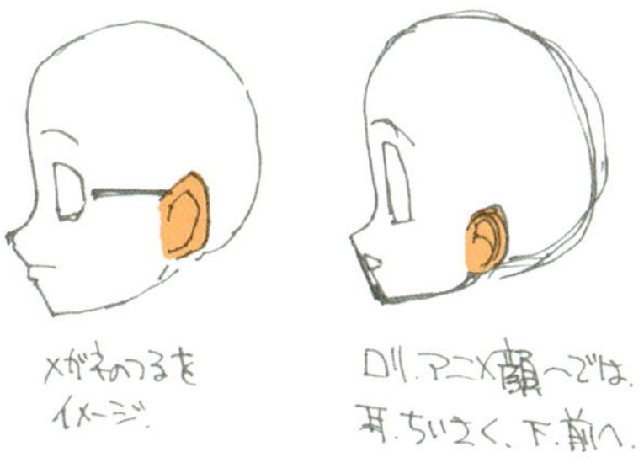
メガネのつるを
イメージ.
ロリ.アニメ顔〜では.
耳.ちいさく.下.前へ.

05

こめかみ部分も削り込む

頬《ほお》の部分は肉が足りませんが、おでこの左右、こめかみ部分から目じりの両脇はちょっと膨らんで見えたので、ここをちょっとだけ平らな面を作る気持ちで削りました。またこのラインは、アニメ顔では若干下すぼまりにするとシュッとした顔つきになります。

06

鼻の両脇を逆Rに

ここまできたところでマスクをしている様な面構成で一体だった、鼻と頬を分けてやります。と言ってもクッキリ境界線を彫るとかえって鼻に存在感が出るので、鼻を両脇をゆるい逆Rで彫り込んで、頬を少しだけ平らに、というよりは鼻より少しだけ奥に配置するイメージで。

07

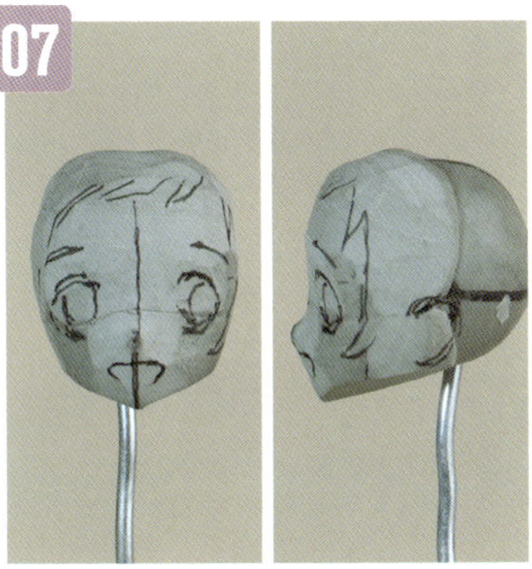

ペーパーをかけてチェック

全体にサンドペーパー(ちょっと細かく#120を使用)をかけて、面を滑らかに、再度顔を描き込んで形状、バランスを確認します。

08

ほっぺが足りないので……

削って作ったラインはおおむね意図した感じになってきていますが、1セット目で盛りの足りなかった頬のボリュームはやはり足りないままです。特に斜めから見たときに大きくイメージから離れています。

09

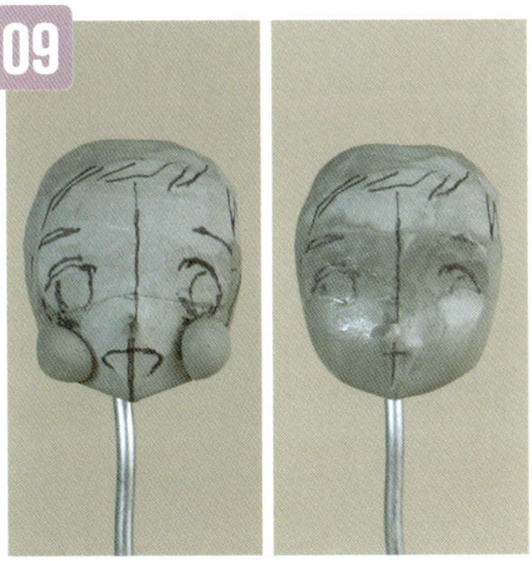

ピンポイントでパテを……

2回目のパテ盛り、まずはこのほっぺを盛り上げます。胴体の後半、少しずつラインを変えたときと同様に混ぜたエポパテを必要量、ほっぺの狙ったところに置き、ひと呼吸待って、くっついたところでアクリル系溶剤をつけた指やへらでなじませながら整形、横&前に盛り上げる形に整形しました。

10

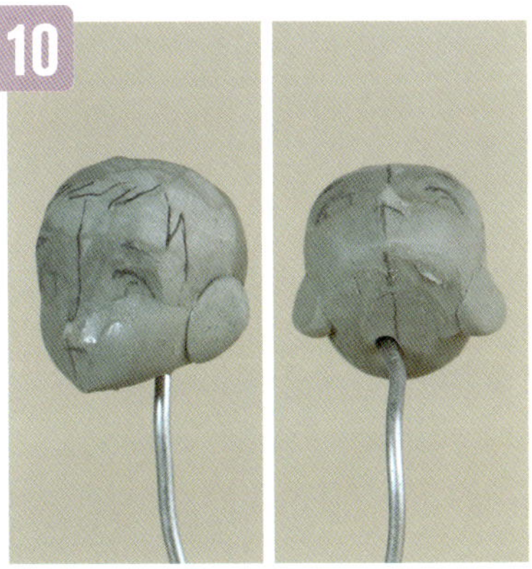

さらに耳を盛り付け

パテを混ぜたついでといっては何ですが、同時に耳も造形してしまいましょう。硬化後に整形することを前提に、ひと周りだけ大きめにパテをくっつけて、前はそのまま頬に滑らかに繋がるように、後ろは耳たぶの裏側を埋めたような形に整えます。

第3章③

顔の造型

CHAPTER

04

頭の“素体”を仕上げる

ここでも“素体”という言葉が出てきましたが、頭の場合で言うと「輪郭まで出来ていて、目、口、髪はまだ」というあたりでしょうか。例えば同じ作品の別キャラクターを何体かバリエーションで揃えたり、顔の表情違いを作るときに、輪郭や基本的なバランスを揃えるために、この段階の顔パーツを複製して加工していくことがあります。また市販のドールヘッドでは、口は造形されていますが、目はツルツルのままで描き込み（アイペイント）だけで特定のキャラに似せるので、フィギュア造型でも目は塗装やデカールにまかせて、造形はここまで出来ていればいい、という考え方もありだと思います。

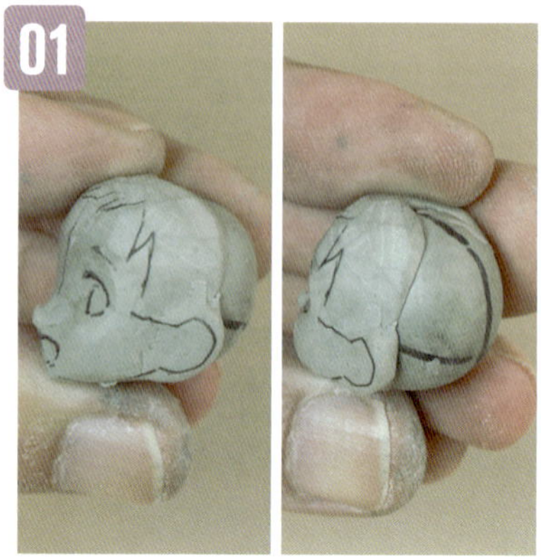

耳の輪郭を下書き

硬化後、まずは耳から整形にかかります。耳の中の細かいところは後回しにして、耳の面をふさいだ形のままで外形を切り出します。ここでもいつものように下書き。頭部品を上、下からすかすように見て、左右の耳の位置が上下、もしくは前後方向にズレないように確認します。

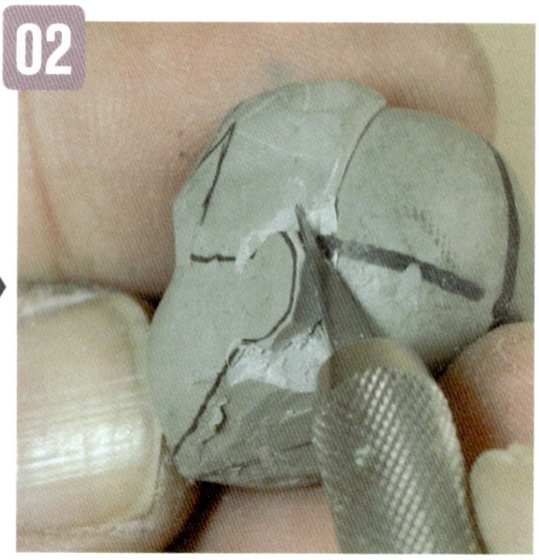

耳の後ろは段差として処理

下書きに沿って外形をカットします。耳たぶは厳密には後ろ半分が後頭部から浮き上がってるので、隙間があるんですが、今回は後ろ髪で見えなくなるので、隙間は埋めた状態で耳の後ろはシンプルに段差状に処理しておきます。

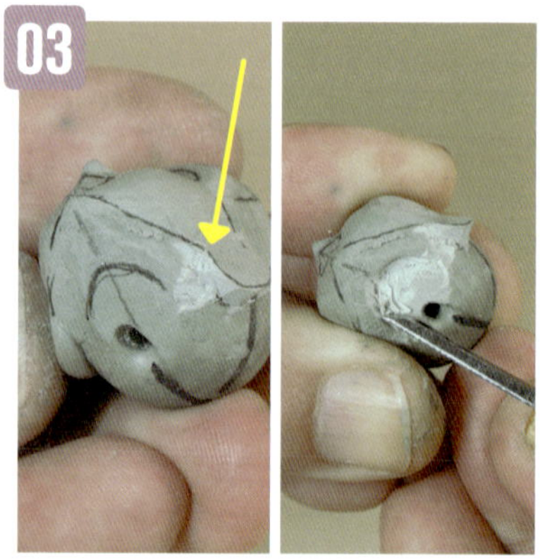

アゴの後端を仕上げる

耳が出来たところでアゴの稜線が耳の下端につながるあたりを仕上げます。横から見たアゴの稜線や正面、斜めから見たアゴのラインも少しずつ様子を見ながら削って小顔にしていきます。またアゴの裏面、首が入り込む部分をソケット状に彫り込んでおきます。

耳の前、頬の側面を削り込み

前ページで頬に盛り付けたパテも少しずつ削っていきます。頬の丸みを適度に残しながらぺたっと平面的にならないように、頬全体のボリュームを減らしていきます。ちなみに両目で見ていると目の間隔の視差の影響で少し太めに見えるので最後の最後は効きめだけで見て確認もしましょう。

“エラ”と“ほっぺ”の誤解

正面から見た輪郭線（図中A）はこういったアニメ的な面構成では一般に、頬の途中を通ります。ここはちょっと柔らかい膨らんだ面の、たまたま一番外側というだけで明確な折れ線はありません。逆にそれなりに折れ線となってスっと通るBの線は横顔から見たときのアゴ稜線で、造形の解釈にもよりますが、正面から見た輪郭線よりも奥で内側になります。リアル造形ではこのBの線がAの線の外に出ていわゆる“エラが張った”四角い顔になったりもしますが、美少女系ではあまり無いでしょう。この解釈がアニメ系造形の“正解”というわけではありませんが、このあたりの面構成に悩んでいるようでしたら、ちょっと参考にしてみてください。

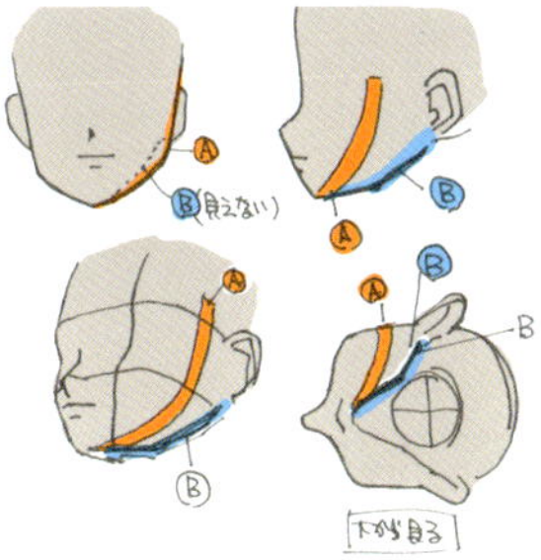

05

アゴ側面➡アゴ底面

細かい部分ですが、ちょっと手ごわい頬とアゴのラインの整え方を説明します。手順としては、正面から見た両脇外側の線を外側から追い込んでいって、そこからアゴの底面がさらに狭くなるようにゆるく絞り込むように……分かりづらくてすいません、2枚の写真をじっくり見比べてください……。

06

全体にペーパーをかけて……

途中写真が読み取りやすいように、あえてアゴの稜線はエッジを尖ったまま作業してきましたが、サンドペーパーで適度に角を丸めます。鼻の両脇などの逆Rはサンドペーパーを丸めて処理。眼窩や耳の周りもひと通り滑らかに整形。気になる部分はさらにナイフ⇨サンドペーパーにて……。

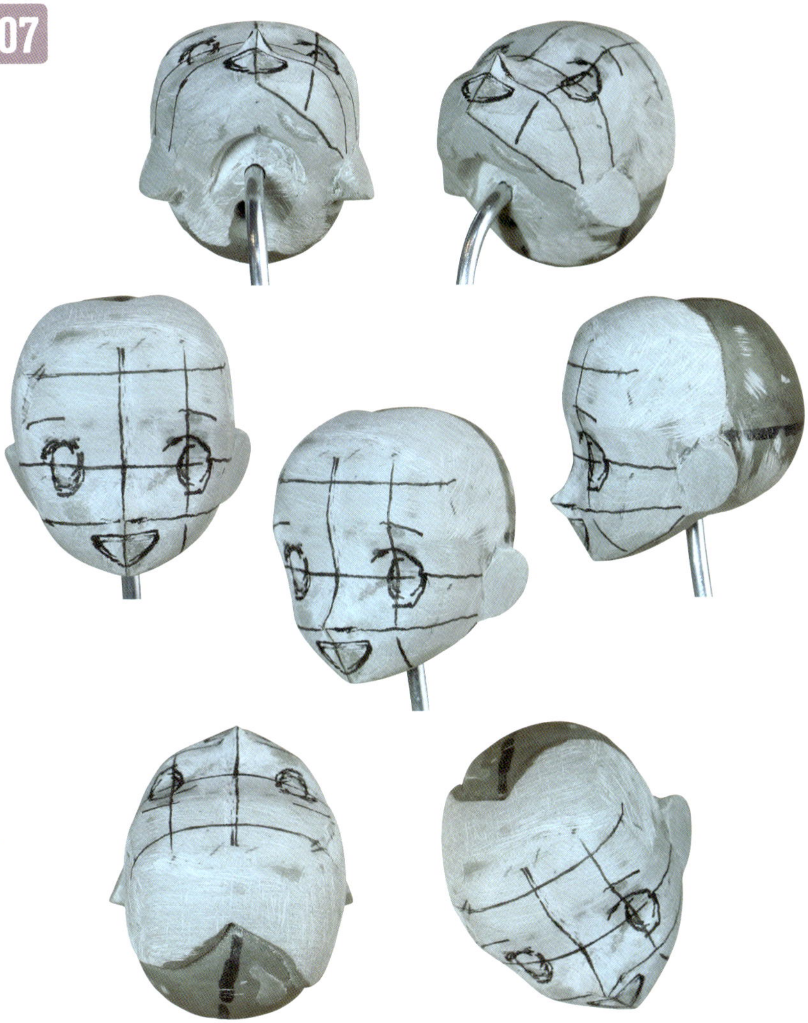

07

頭の素体が完成しました

完成した頭部だけを見ると、シンプルで抑揚もおとなしいので、簡単そうですが、デリケートな寸止め作業の積み重ねでできています。バランスの確認用に目、口と、断面の形状がわかりやすいように補助線を多数引いて写真を撮りました。作りながらひっかかった部分など、じっくり観察して面の流れを“読み込んで”みてください。

第3章③

顔の造型

CHAPTER

05

口を彫り込む

口も人間の脳内ではシンボル的に処理されていて、実際の造型となんとなく思っているイメージが違う部分です。ただ、ことアニメ的な造形となると、アニメ絵がそのシンボルとして簡略化、記号化された口=への字で怒ってる、半円で笑顔etc.を積極的に利用しているので、絵のままペタっと貼り付けたように作っても案外イケてしまうというか、立体感たっぷりに微妙なニュアンスで造形したらNGが出て、きわめてマンガチックに修正、という仕事も実際にありました……。ここでは開いた口を、そのシンボル的な見せ方をベースにちょっとだけ立体的な処理を加えた中間で作ります。

01

下書きに沿ってナイフで穴を

下書きで高さや口の形を十分に吟味したら、ナイフでスジを彫るようにして、まずは一段分の凹みを彫り込みます。極端にマンガ的な造型ではこの一段落ちで造形は止めて、あとは口の内側をピンクに塗り分ける塗装で済ませる場合もあります。

02

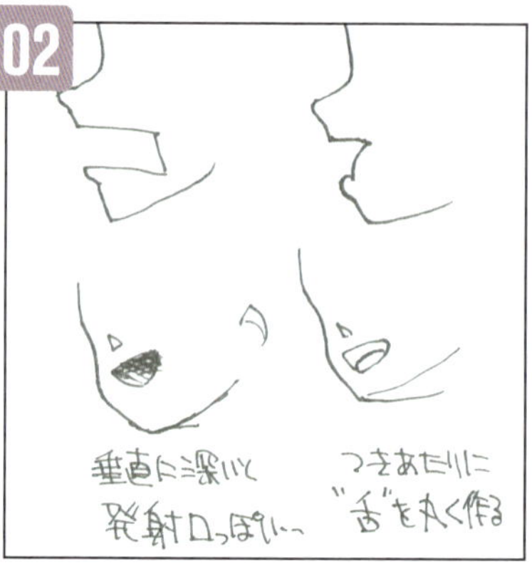

穴は“突き当り”をひと工夫

今回ももう少し作り込むので、そのまま穴を深く掘り込みます。ただ、単純にパイプ状にまっすぐ彫り込むだけだとかえって不自然というか、ミサイルか何かの“発射口”に見えるので、“舌”のイメージで、つきあたりをゆるい半球状のふたが斜めにふさいでるように削っていきます。

03

平刀や極細のノミも駆使

口の奥や突き当りの造型は、テーパーがついた通常のナイフの刃先では難しいので、幅1.2mmのパワーグリップ平刀や極細の模型用ノミ(ハセガワトライツール)などを駆使して加工していきます。最後は平刀の刃を立ててコリコリとなでるようにしてRを滑らかに……。

04

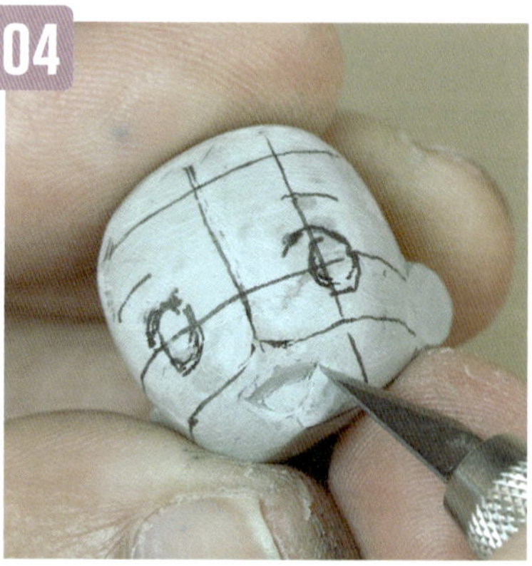

口の周りをRで繋ぐ

口の穴を開けたフチは、実際には唇が上下について柔らかいカーブになるので、エッジをぐるりと丸めます。ここも全周を単純に均一なRにするのではなく、上唇はするどく、下唇はやや丸み強く、両端の口角はさらに丸い……と変化をつけます。

鼻下面はV字断面に仕上げるとかわいくなります

口ができたところで、そのすぐ上の鼻とのつながりを仕上げることができます。ここでも鼻の存在感を弱くするために、鼻の幅を狭く、ピンと尖らせるのが有効でしょう。その際に鼻の下面＝本来は鼻の穴が開く面は単純な平面だとその三角形の面の存在が目立つので、その面をボートの底のようにV字に尖らせると見た目が軽くなります。

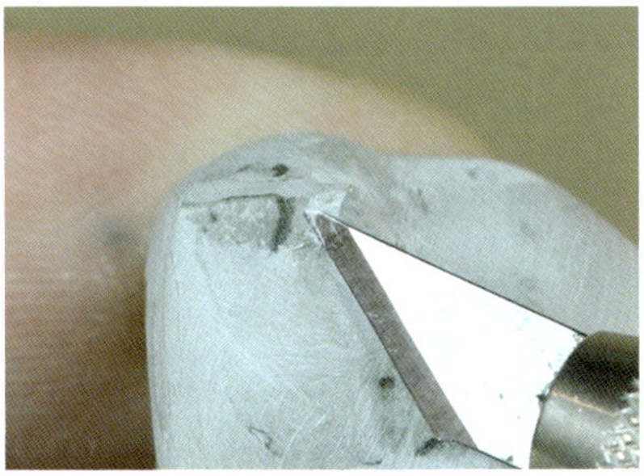

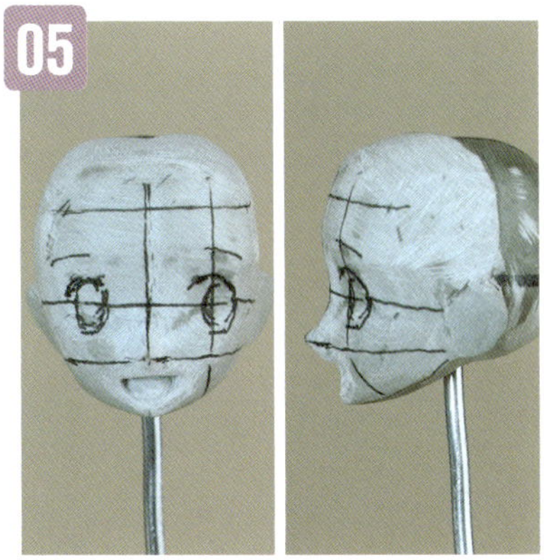

サンドペーパーをかけてチェック

口が開いたところでまた頬や鼻、アゴとの繋がりを微調整、最後に全体に#180のサンドペーパーをかるくかけて面をチェックします。口のつく面のV字断面にしてあったので、三角形の穴を開けただけで横顔で見ても下に向かって開いた口のアウトラインが分かります。

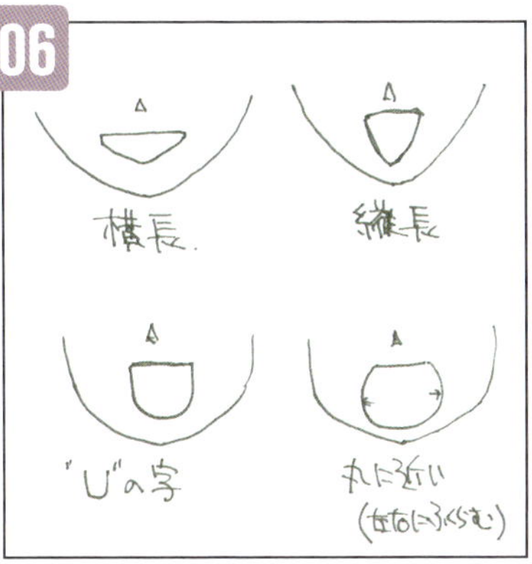

口のカタチ、いろいろ

マンガ的な笑顔を表す口にもちょっとずつバリエーションがあって、絵描きさんやキャラ、表情によって微妙に違います。図のような比較的やせた三角形から、両サイドが膨らんでUの字になり、さらに膨らんで○に近くなるものまでいろいろ。似てないときにはフォルムや縦横比を比べましょう。

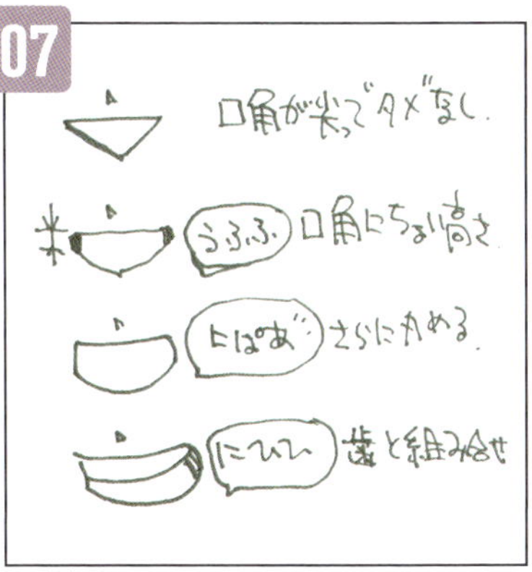

“口角《こうかく》”でニュアンスをつける

口の左右の端を口角と言います。表情筋が複雑に作用してここの動きでいろいろな表情を作るキーポイント。マンガ的な表現でもこの動作でもうひと味加えるのに活用されてます。造形でもここの“タメ”というか、奥行方向の削り込みや上下の幅の取り方で微妙なニュアンスを表現してみましょう。

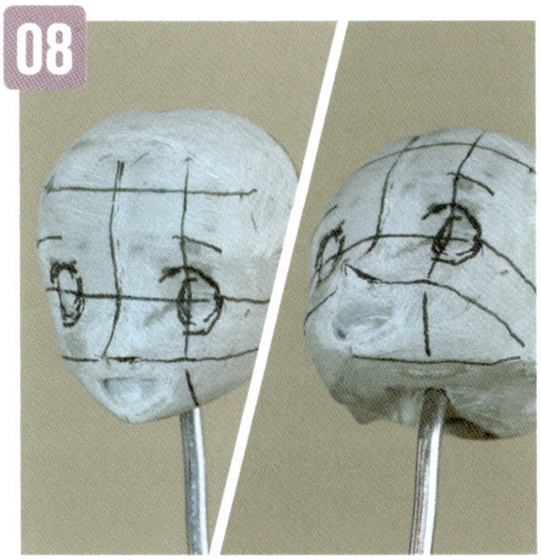

“口角”を丸めつつ奥へ

今回の表情はちょっとはにかんだような笑顔、ということで「ぱかーっ!」っという全開の笑顔まではいかずに口をちょっと横に平べったくもっていく感じになるので、口角を少し奥へ、「ア」を基本にちょっとだけ「イー」の口のカタチが混ざったフォルムを意識して削り込みました。

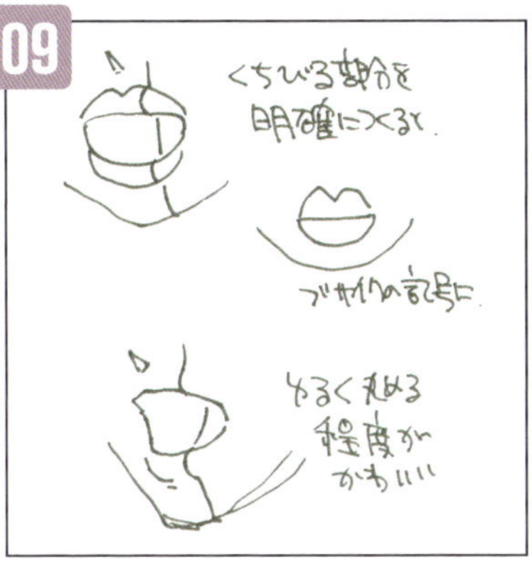

“くちびる”はむしろ作らない

先に書いた「年々、鼻や口の存在感が薄くなってきている」とも関係するんですが、唇も絵での描写はあっさりしてきていて、ストレートな“クチビル”はむしろ厚化粧や不細工の記号になってきてます。そうした淡泊な口元では唇はもはや積極的に作らないで、ちょっと丸める程度のこともありますね。

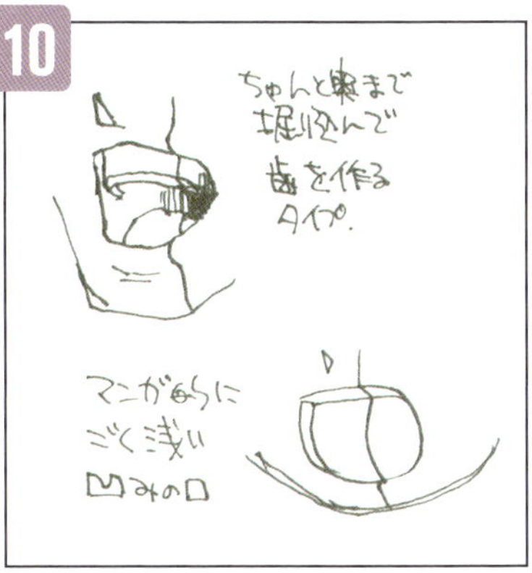

リアルに立体的な口表現

逆に、もう少しリアル寄りに、立体として作り込むのが似合うキャラや絵もあるので、そういった場合は、歯の造型や、開く分アゴが下に動いたりも再現するのも楽しいです。逆に、マンガ的な表現が似合う2頭身デフォルメ等もあるので、このあたりの表現はほんとケースバイケースですね。

第3章③
顔の造型

CHAPTER 06

“目”を彫り込む

ということで、一番最後になりましたが、目の加工です。とはいえ作っていく順番にはあまり意味はありません。最初に目が出来ないとバランスが取れない、という方もいるので、このあたりはお好みで。テキストにまとめる都合で輪郭➡耳➡鼻➡口➡目と部分ごとに説明していますが、慣れてくると、これも同時並行的に作業するようになると思います。また、最終的に似る似ないを決めるのは目の、白目と黒目の関係が効いてくるので、迷ったら鉛筆等で瞳(黒目)やアイラインを元絵にあわせて描いてみましょう。

01

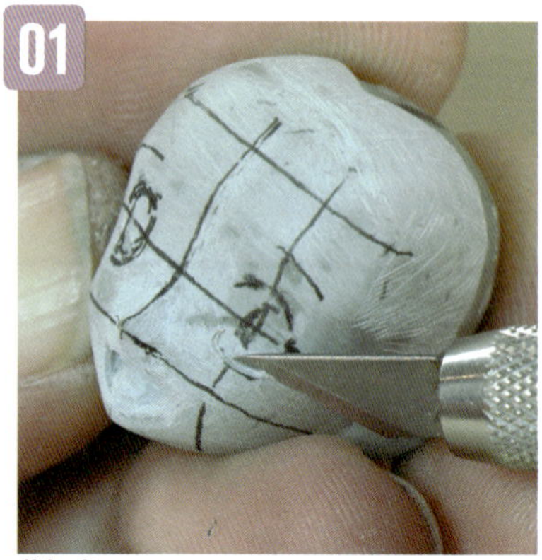

眼窩《がんか》の底に目を彫り込む

P.059でゆるく彫り込んだ“眼窩”の凹みの底にあたる部分に目を彫り込みます。均一に一段凹ませるというよりは、ゆるい凸面が埋まっているイメージで、外周に向かって斜めに凹みをつけていくようにして、中央部(凸の頂点)は元のままとして凸レンズの頂点として削り残しました。

02

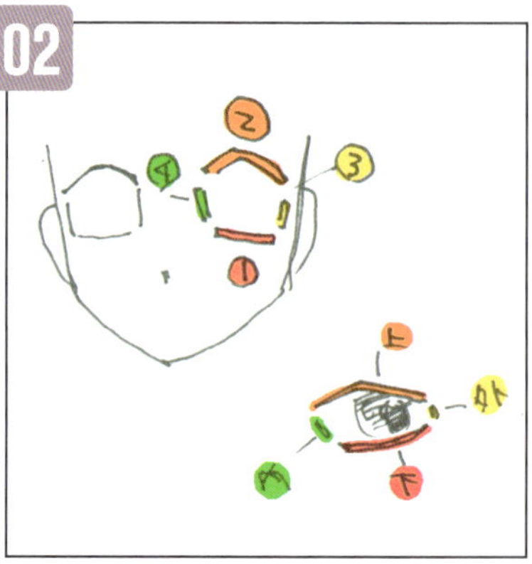

上、下、内、外と4分割で

目の輪郭は、元絵の目の描写によって変わりますが、上下内外の4つの部分に分けて彫っていくと形状が捉えやすいです。似てないときにもこの4要素に分けて比較します。私は下まぶたの線を基準にするので、そこから彫りはじめて下⇨上⇨外⇨内の順に彫っていますが、これもお好みで。

03

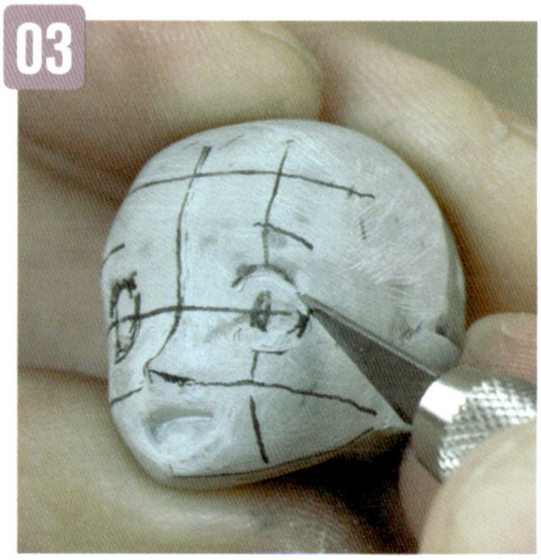

上下のアイラインを加工

エポパテでこうした彫り込みをおこなう際には、削るというよりも切り除くという感じで進めることになります。ナイフを持つ手の、切り込む力と止める力を上手くバランスをとって、寸止め的に必要量だけを切り進めてください。

04

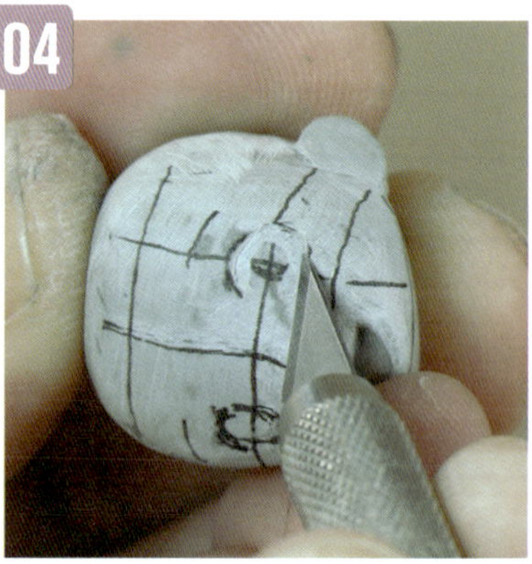

作業しやすい向きに回しながら

刃先と加工部品の接点がよく見えて、刃先が上から下に向かうようにナイフを運べる方向が、細かい工作にむいた向きです。アイラインは4方向それぞれその向きが違うので、頭部を適宜くるくる回しながら、刃を動かしやすい方向で作業します。

眼窩と眼球、目の関係

慣れないうちはごっちゃになりがちなのが、眼窩と目の関係。リアル骨格では図のように、骨に大きなくぼみがあって、そこの眼球が収まってて、さらにまぶたが被ってて、そのまぶたの切り口、開口部が“目”になるので、大きさの関係は、眼窩＞眼球＞目になります。アニメ顔の場合、これを厳密に再現するわけではありませんが、眼窩と目のサイズは切り離して別のものとして考えます。眼窩が作る浅い擂鉢《すりばち》の底に、目の凸レンズがあるイメージ。この眼窩のゆるい凹みは、深すぎるとリアルに引っ張られちゃうんですが、かといってこの凹みがまったくないと、目が飛び出して見えるので、2頭身のマスコット的な造形でも隠し味的に再現されています。

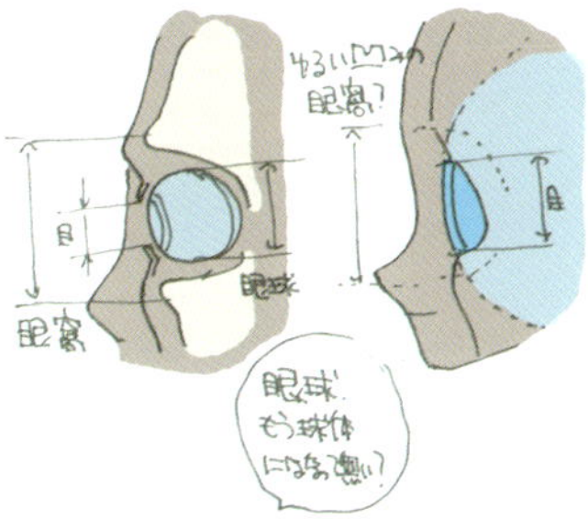

05 サンドペーパーを細い短冊に

細部のペーパーがけにはサンドペーパーを細く切って使います。目の曲面、正確には眼球の凸レンズ面を丸く磨くのに、タミヤ フィニッシングペーパーの#180を幅2mmほどの短冊状に、裏面から定規で刃を当てて切り出します。

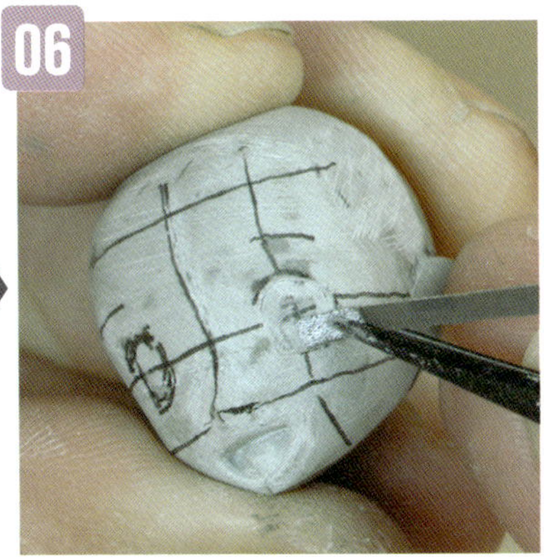

06 ピンセットでつまんで磨く

その短冊の一端を2つ折りにしてピンセットでつまみ、狙った部分をピンポイントで磨きます。力を加える場所（力点）と磨く場所（作用点）が近くなるように、折り曲げた場所＝サンドペーパーの磨く部位のギリギリをつまむのがコツ。このピンセットでつまむ技は他の場所でも多用します。

07 目の周りに出来た段差を……

下図にあるように、眼球側を彫り込むと外周の肌との間には段差が出来ます。こってりした濃い目元など、目の描き方によっては段差が深いほうが良いのですが、今回はさわやかな目元なので、この段差が最小限になるように、今度は肌のほうを注意深く削っていきます。

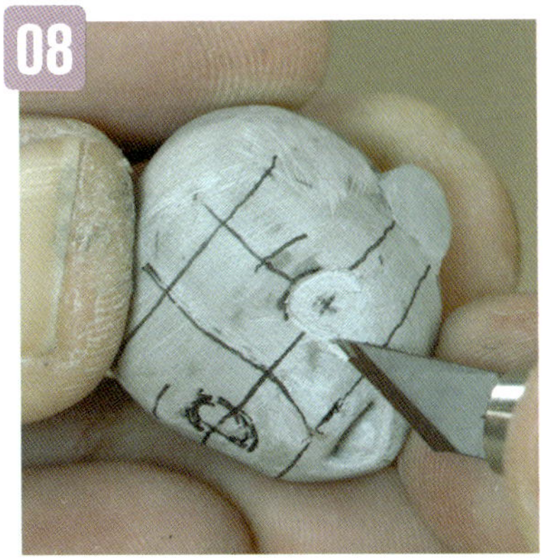

08 今度は肌の方を削り込む

上のアイラインは、表面仕上げ後、最終的には二重《ふたえ》まぶたに加工する（P.131）ので、段差は深めに残しますが、その他の3辺（内、外、下）は肌の側を斜めに削って段差を小さくします。ナイフの刃を寝かして、薄皮1枚分、そいでいく感じで削りましょう。

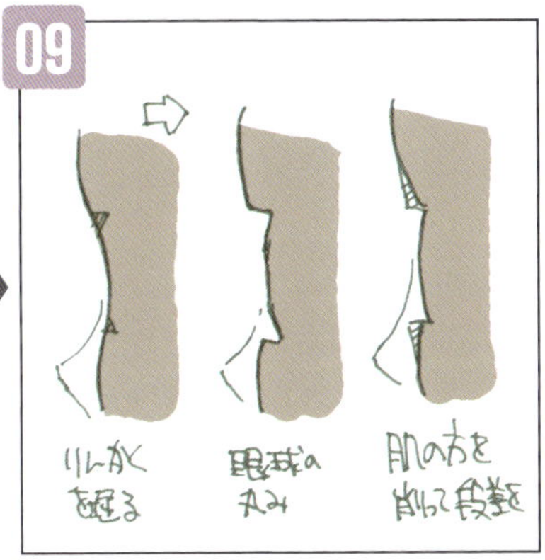

09 掘り過ぎに注意

ここまでの工程が基本的にはスタートの顔部品にどんどん彫り込むことの繰り返しなので、油断しているとどんどん奥へ奥へ、目が深い位置に落ち込んでいくことになります。元のデザインが彫りの深い顔なら良いのですが、幼い、明るいキャラなどでは違和感が出るので、掘りすぎないように。

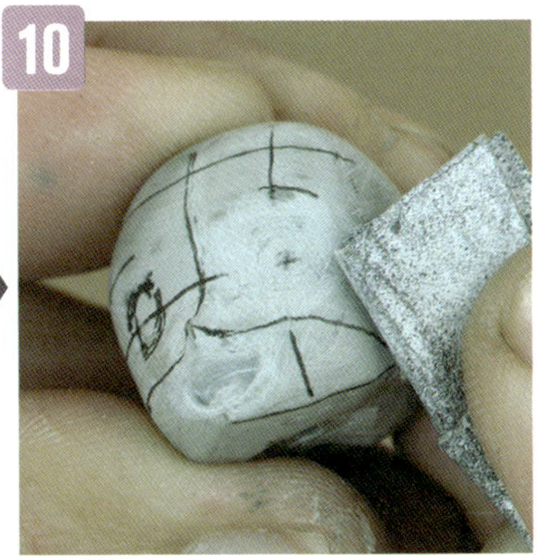

10 折り曲げたサンドペーパー

目の外周側もサンドペーパー（#180）で磨いて滑らかに仕上げます。細かい逆Rではサンドペーパーを2回折り、それも2回目はちょっと丸みをつけるように折り曲げた、半径2mmくらいの曲面を作って、そのR部分を送り込むように磨きます。

第3章③

顔の造型

CHAPTER

07

顔、いったん完成

目が出来たところで、改めてその周辺、鼻の両脇やほっぺの上半分、あるいは眼窩の上側（まゆ山）へ繋がる面を仕上げることができます。逆Rの繋がりや、顔全体での前後方向の位置関係例えば目が前に出過ぎてないか、アゴは後ろ過ぎないか、等々もチェックしてから適宜整形。場合によっては修正点に再度パテ盛り、ボリュームを足して修正します。薄皮1枚程度の盛り足しの場合、削っていくうちに、特に境界部分の厚みがゼロになっていく部分がペロっと剥がれてくることがあります。瞬間接着剤で固めてしまっても良いのですが、地のエポパテと硬さや削り心地が違うので、場合によってはその箇所を2mmほどえぐって、そこを埋めるようにパテを足してもいいでしょう。

01

#180でペーパーがけ

目⇨周辺の繋がりと微妙に修正したところで全体を#180のサンドペーパーで磨いて仕上げます。全部の要素ができてみてはじめてわかる違和感もあるので、そのあたりはここで微調整していきます。

02

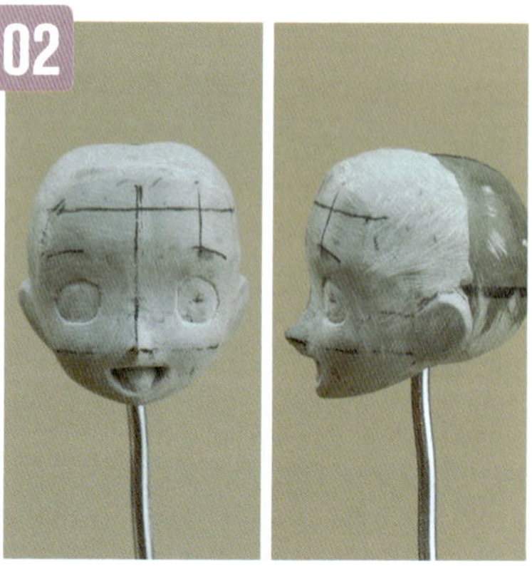

ざっと仕上がった頭部

基本的には右ページの完成状態とほぼ同じ造形ですが、補助線が引いてないので、また参考にしてください。写真によって頭の傾きが違っていますが（すみません……）、アゴの引き方で表情が違って見えるので、確認の際にはなるべく同じ角度に、基本的には視線が水平になるように。

03

耳の中身（?）は髪が出来た後で

撮影の都合で後頭部が無い、髪の造型途中の状態ですが、耳〜首の付け根のソケット状の凹み部分の造型はひとまずこんな感じです。この次の工程で作る髪との位置関係で、耳の大きさや角度も調整することもあるので、耳の中身、細部はその後で作業します。

04

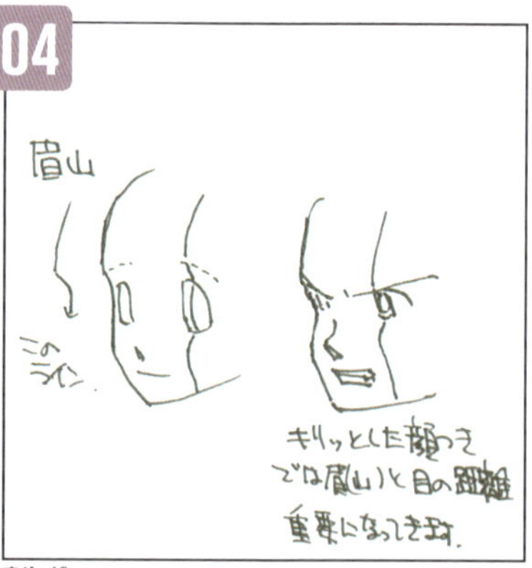

眉《まゆ》毛《げ》、まつ毛は表面仕上げ後に

同じく、眉毛も表面仕上げの後に作業ということで、ここでは作りません。ただ、後で眉を描いた際に眉山（=眼窩の上端）とズレが大きいと変なので、この段階では下書きと比べて「その眉毛が来たときに違和感のないおでこ」を造形することに気をつけます。

迷ったときは好きな原型師の顔を見て

今回例題で作った顔は、アゴのライン等、横や下から見たときに立体として破綻の少ない流派の造型でまとめてあります。美少女フィギュア黎明期から続く古典的な“横顔優先”派。対して、顔面を薄くして、斜めパースで見たときに鼻の向う側の頬のラインが絵に近くなる“斜め優先”派もあって、ネットやパッケージの写真ではこちらのほうが見映えが良い故か、今ではこちらが優勢でしょうか? ぶっちゃけ、商品原型では監修でこちらに直してくれということも多いです。というわけで、どちらが正解というよりも大きな2つの流れが拮抗しているフィギュアの顔面業界。好みの原型師がいる人は、迷ったらその人の処理を参考にしましょう。

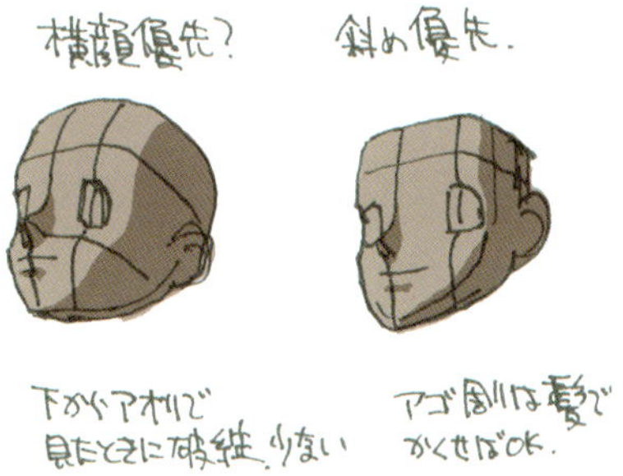

05

“閉じた口”の表現

今回の例題は明るく開いた口を作りましたが、世の中の半分くらいのフィギュアは口を閉じているので、その場合のポイントを簡単に……。図のようにごく薄い段差が、口本体と下唇の下に軽く掘ったところに、表情にあわせて口角を「ん」のカタチに奥に彫り込むようにするのが基本です。

06

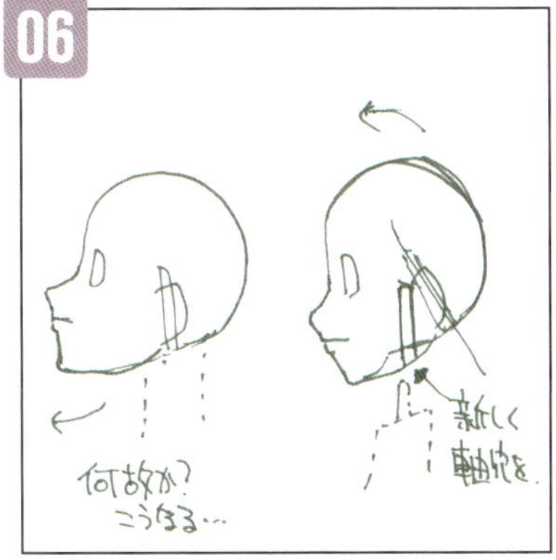

首の前後位置

顔を盛り削りで作っているうちに、アゴが前に出た状態でバランスをとっている傾向があります。これは初心者に限らず割とベテランでもしばしば起こる現象で不思議と逆にアゴが奥まっていくことはほとんどありません。こうなった場合、首の軸穴を開け直してバランスをとり直しましょう。

07

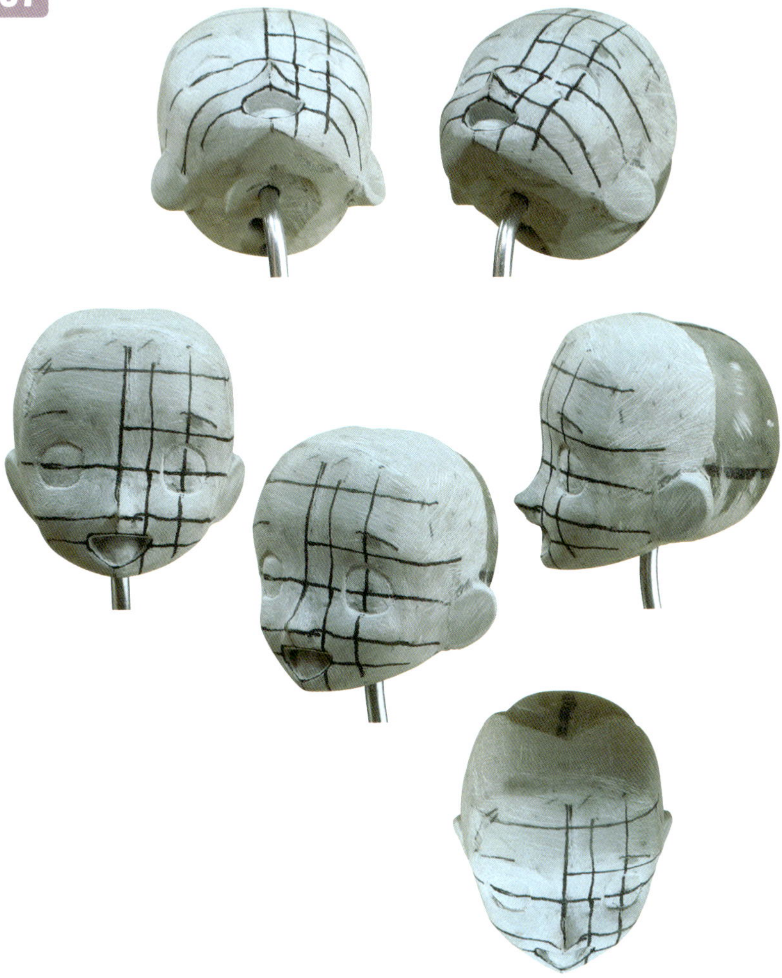

顔の(いったん、仮の)完成

というわけで顔の部品が完成しました。仮の、とあるのは、実際にはこの後の髪の造型との兼ね合いでどんどん修正が入ってくるので。特に昨今の美少女キャラは髪型がアイデンティティのよりどころ、もっと言うと、描き分けの鍵になっているので、髪、場合によってはリボンや帽子がついてみないと似てるかどうかもわからないところがありまして……。なので、顔単体でひとまず作った顔はあくまで仮に部品、最終的には髪と組み合わせて直すものくらいに考えておいてちょうど良いかと……。

第3章④

髪を作る

CHAPTER

01

髪の分割と似せるコツ

ここからのパートでは髪の造型を、考え方から実戦までたっぷりページをとって解説していきます。前半では今回の例題フィギュアの、今風おでこちゃん×短髪な髪型を。美少女キャラでは一般的ではありませんが、男性キャラではたいがい主要キャラにひとりはいるツンツン髪にそのまま応用できます。後半ではそのフォローの意味でもう少し一般的な“ふさ”状の前髪と、立体的になびくロングヘアーの作り方をおまけ的に掲載しています。ではまず、そのどちらにも共通する髪の造型の基本的な考え方から概説しましょう。

01

分割①カツラ方式

今現在、このサイズの美少女フィギュアでは、髪と顔は別パーツで作られることがほとんどで、顔と髪が一体パーツなのは、小スケールや、リアル造型などごく一部です。分割の場合にも2通りあって、まずは図のように丸い頭が全部造型されていて髪パーツは薄くカツラ状になっているもの。

02

分割②生え際で前後割り

対して、頭部の後ろ半分が後ろ髪側に埋まったカタチで、髪の生え際を境に前後2分割になっているタイプ。可動のためのボールジョイントを組み込んだり、表情パーツの付け替えに便利なことから今ではこちらが主流と言えるでしょう。

03

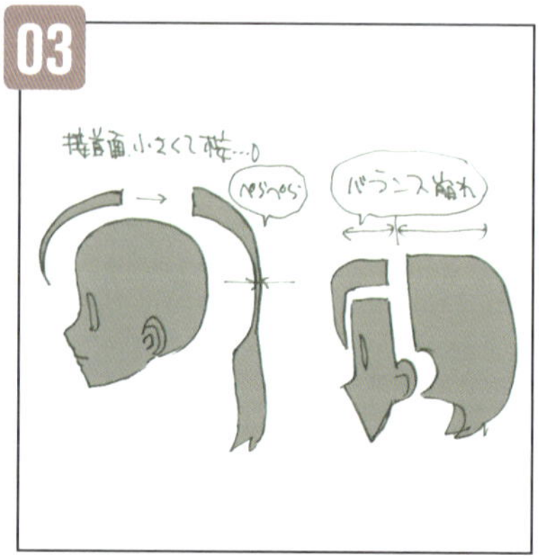

それぞれに一長一短

カツラ方式は初心者にもバランスをとりやすい反面、髪パーツが薄くなって強度や複製で不利に。前後割りでは逆に板状の顔面が薄くなったり、パズル状に組み合わせる前髪パーツが上にズレて顔が上下に長くなったりと、バランスをとるのが難しいという欠点があります。

04

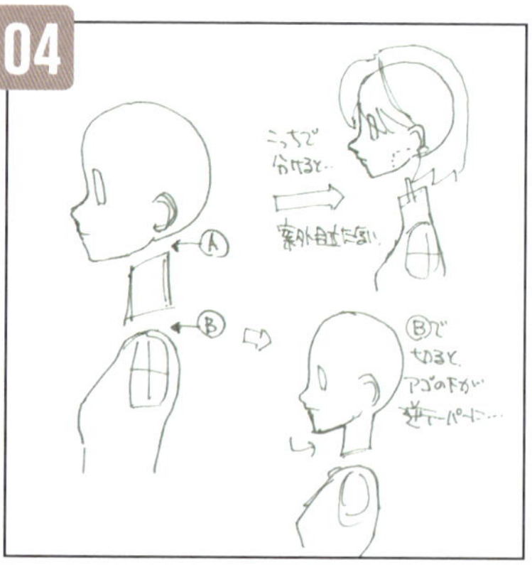

“首”はどっちにもっていくか?

裸の造型でも少し触れた、首を頭側に付随させるか、胴体側に残すか、これも頭と一体のほうがバランスが難しいです。図のA点で分割すると、ここは髪やアゴの陰になるので、分割線が目立たないのと、最後の最後に顔を向きや傾きを微調整できるので、こちらが初心者向けでしょう。

素材と強度/ポキポキ問題

アニメ的美少女で細くサラサラと描かれる前髪では、そのシャープさが魅力なので、原型でもできるだけ細く再現したいところですが、細く長く削り出すと当然ポキポキと折れることに。そこで前髪だけでも少しでも強度のある素材をとなると思います。今回使っているエポパテの軽量タイプは強度的にはだいたい中くらい。エポキシパテの中でも「高密度」⇨「金属用」とより硬いタイプも存在します。またポリパテも一段階ほど硬いのですが、弾力がないので、ポキっといくのは同じ。なので私はここ一番、強度が必要なときには、硬さはエポパテ高密度と同等ですが弾力があってしなる分、折れづらいレジンキャストを使います。髪の場合は形状が複雑なので一度ゴム型複製で素材を置き換える手間がいりますが、いよいよ困ったときには試してください。

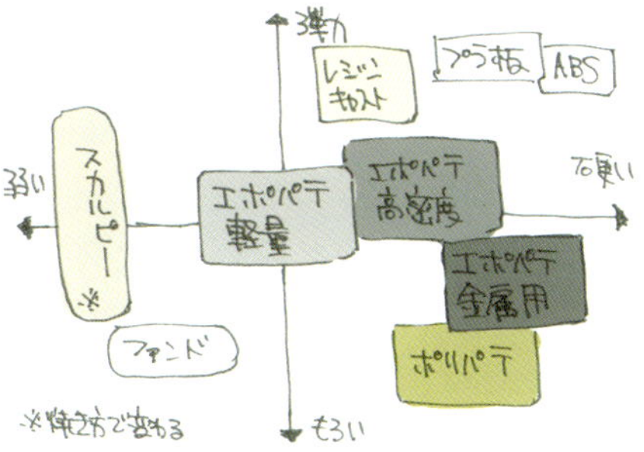

05

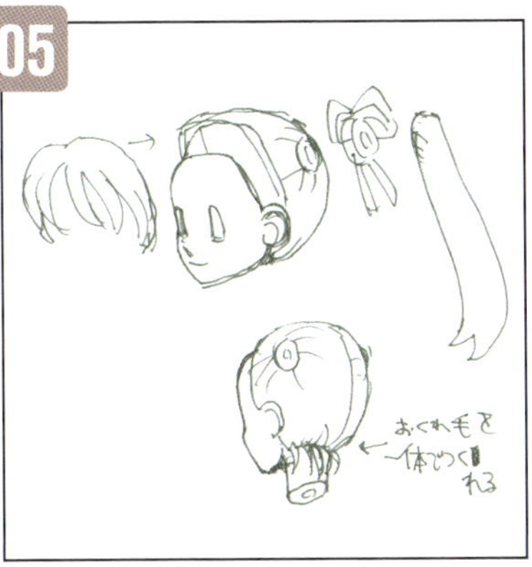

後頭部一体型

ツインテールやポニーテールなど、襟足が捲れ上がった髪型の場合、前髪と後ろ髪部分を別パーツにして後頭部は顔面と一体でも良いでしょう。この場合、首を頭側と一体にすれば襟足の生え際がキレイにまとまります。

06

今回の分割

今回の例題では、カツラ方式と前後分割の折衷案でいきます。頭は最初に後頭部まで全部をバランスを見ながら作って、後頭部を半分ほど削り、そこに別パーツの後ろ髪を造型。前髪は生え際ギリギリまでおでこを出すので、ほぼカツラ方式で額にそって造型します。

07

髪の似せ方①上下位置

前髪は、キャラクター絵に似せる一番のポイント。髪そのものの形状は同じなのに似てないというときは、顔の各部、特に目と眉との上下関係をチェックしましょう。前髪の最下端が目の下アイラインよりも下にきているデザイン(ミク等)も多いのでここは思い切って再現したいポイント。

08

髪の似せ方②隙間の形状

P.057右上コーナーで触れた「奥義! 隙間を見比べる」と同じく、髪の造型でも隙間がポイントになります。前髪の間から覗くおでこ=肌色の面積がどれくらいか、で顔つきや表情の明るさが変わって見えます。また眉の始点、終点が隙間からチラ見えしていることも多いのでそこも確認ください。

09

ほっぺ横は矛盾しがち

前髪の両サイドはキャラクターを描き分ける最前線なので、デザイン的に凝ってるコトも多い部分です。ただし、前パースでは頬の前にきているのに、横顔では逆に頬が前に出るように描かれる等、矛盾も多い、原型師泣かせのポイントでもあります……。

10

どちらをとるか? 悩み所

そこで僕等は保守的な、①前パース優先で頬の前にかぶせて作る方法から、②横顔パースに準して頬の横(正面顔の印象が違いすぎるのでめったにありませんが)、③その中間、④風になびいたことにして、奥の髪を頬の前、手前側は頬の外にといったトリッキーな奇手までとることに……。

第3章④
髪を作る

CHAPTER
02

ワセリンを塗って離型処理

ワセリンやリップクリームなどの固型油脂を塗ったところへパテを盛り付けると、その油脂がバリアーとなって、ぴったり同じ形状の境界面をもつ別パーツが簡単に作れます。この先にも頻繁に登場する基本テクニックなので、便宜上「離型処理」と呼ぶことにします。ここではその代表例として後ろ髪の基本形を離型処理で作る工程をやや丁寧に写真で解説していきます。

01

後頭部をニッパーで

前パートでいったん完成した頭部、その後頭部側を平らに削り落とします。まずは粗くニッパーで加工。"切る"というよりは刃先を立てて"食い切る""つまんでいく"イメージで。この作業は刃先のにぶい電気工事用ニッパーよりも模型用薄刃タイプの方が刃先が食い込むので使いやすいです。

02

ナイフで平面に仕上げる

次にデザインナイフで後頭部を平面に。可動フィギュアではボールジョイントを首の真ん中に仕込むので、分割面は首の位置まで前進する必要があるのですが、今回は耳の後ろ程度で止めておきます。また分割面も、首の接続部を顔側に十分キープするため若干前に傾けています。

03

位置決め用の穴を開けて

後ろ髪の部品とはアルミ針金で接続するので、そのための穴を分割面に開けます。ここでは2mmの穴を左右に2本開けて回転しないよう。また今回はショートカットなので髪部品はごく軽いのですが、ロングヘアーで部品が大きくなる場合も2本軸があると安定します。

04

アルミ針金を短めに

位置決め穴に2mmのアルミ針金を差し込んで短め(4mm程度)に切っておきます。

離型処理に使う油

P.009でも紹介した、固型油脂。半練りになって塗りやすいものなら何でもかまいません。ここで使っているのは、ハンドクリームとして使うドラッグストアで買った安価なワセリン。昔の模型誌で一度「マーガリンを使う」と書いてあったので使っていたことがあったのですが、離型性能は問題ないものの、常温では臭いが気になるのと、しばらく放置しておいたらカビが生えてきました……保存性に問題があったんですね……。(´A`)

05

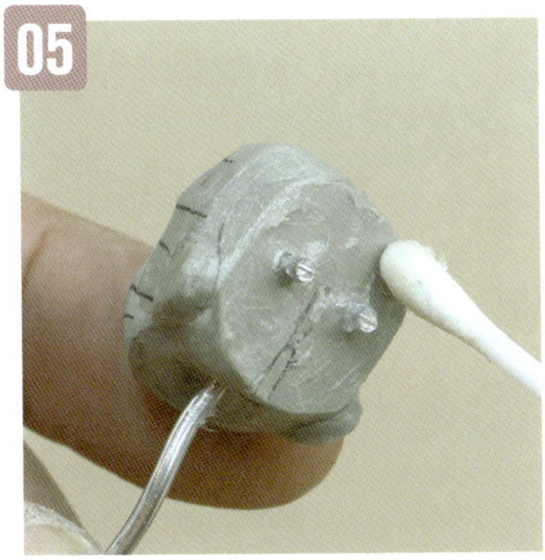

分割面にワセリンを

平らに仕上げた分割面にワセリンを塗り込みます。今回はシンプルな形状ですが、凸凹等のあるときは綿棒や筆を使うと奥まったところまで塗れます。厚みは目に見えるか見えないか? の薄めで。またパテがはみ出すことも考えて、分割面より多少広い範囲を覆うように。

06

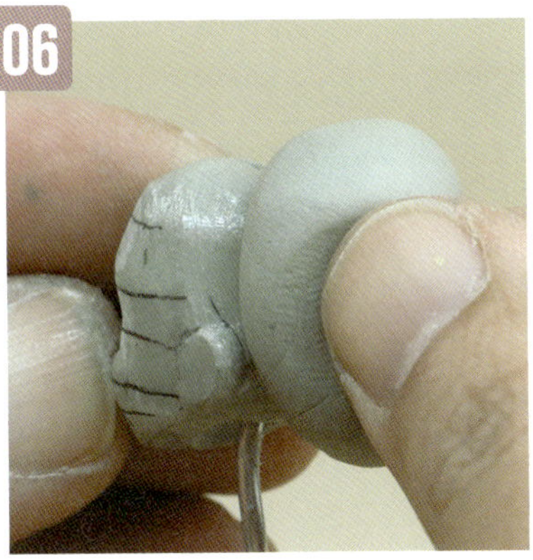

パテを押し付ける

いつものようにエポキシパテを練り合わせて、固まりにしたところで、位置決め用の針金を包む気持ちでパテを押し付けます。顔パーツにある程度の力でギュッと押し付けつつ、こめかみ部分の生え際などに回り込んで、後頭部全体も包み込むように。

07

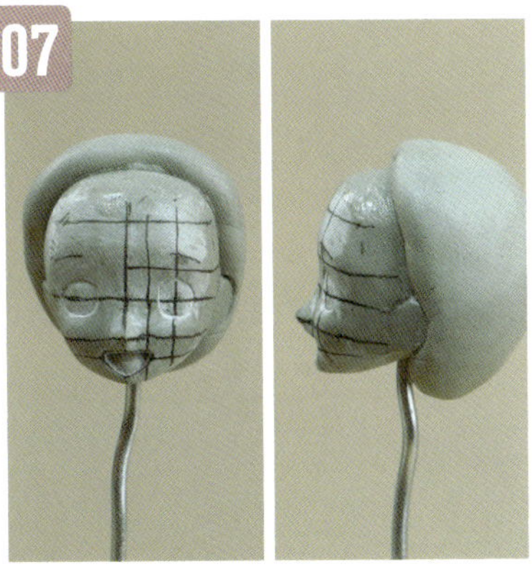

まずは後ろ髪だけを

離型処理でピッタリ合った分割面を作りたいので、一度ギュッと押し付けたらそのまま、追加加工はおこなわずに硬化させます。前髪も同時に盛ってしまいたいところですが、後ろ髪の分割面がゆがんだり浮き上がってくると元も子もないので、ここはじっと我慢。硬化を待ちます。

08

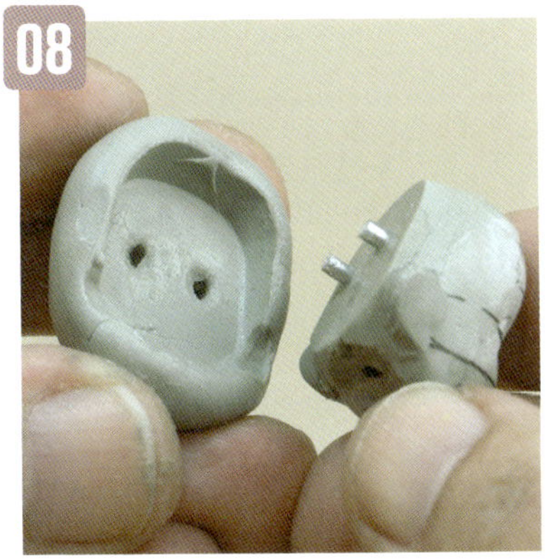

硬化後に取り外し

エポパテが硬化後、丁寧に取り外します。残ったワセリンの処理はP.076にて。硬化の途中で取り外すとその後完全硬化に伴って若干縮み、外した部品が合わなくなることもあります。仮に途中でいったん外した場合もまた組み合わせて完全硬化させましょう。

09

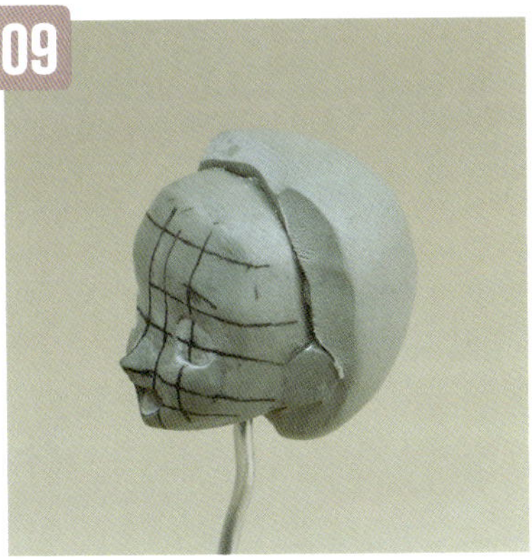

生え際を軽く斜めに

次のページで前髪を盛り付けるので、その準備作業ということで、硬化後の後ろ髪、はみ出した分をカットすると同時に生え際を軽く斜めに削っておきます。

10

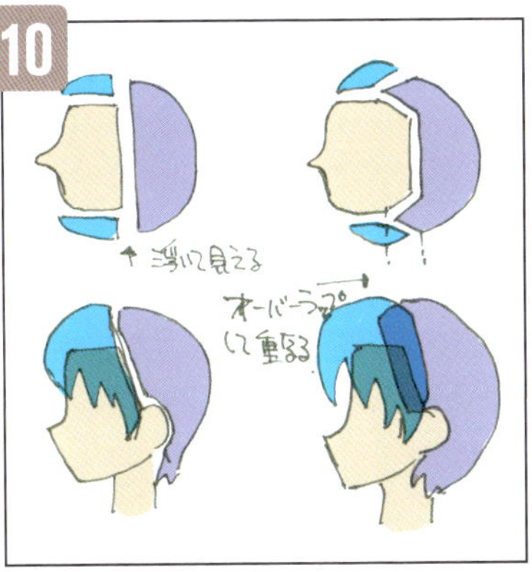

分割面をオーバーラップ

前髪と後ろ髪の分割面を垂直にとると、横から見たとき分割面が深い谷のようになって、いかにも「ここで別パーツですよ」と目立ってしまうので、分割面を斜めに切って、前髪パーツが後ろ髪にオーバーラップして被さるようにするための処理です。

CHAPTER 03

前髪も別パーツで

後ろ髪の第1段階の芯が硬化したところで、同じように離型処理をして前髪部品を作ります。工程そのものはごく簡単ですが、ここからはむしろ、適正なカタチを出すのが難しい勝負になっていきます。具体的には「イメージしたカタチをこの位置、この角度!」と決めて立体上にプロットしていく座標再現的な工作力と、その前段階「そのぼんやりとしたをカタチを具体的なカタチとしてイメージする」の2段階で絵心を全開にする必要があります。もっとも今回のようなツンツン髪は、実際に私もまだうまくイメージできません。そこで妥協策と言いますか、修行段階として「作りながら考える」ということで、「えいや!」と試しに刃物を入れていけそうだったらそれを採用という風な試行錯誤で進めていっています。

01

後ろ髪を付けたままワセリン

前ページで書いた通り、前髪は後ろ髪にかぶせるカタチになるので、顔とセットで後ろ髪の生え際にもワセリンを塗り込みます。撮影用にかまぼこ板にアルミ針金を差し込んだ仮設のベースを作っていたのですが、なにかと都合が良いので固定したまま盛り付けの作業をします。

02

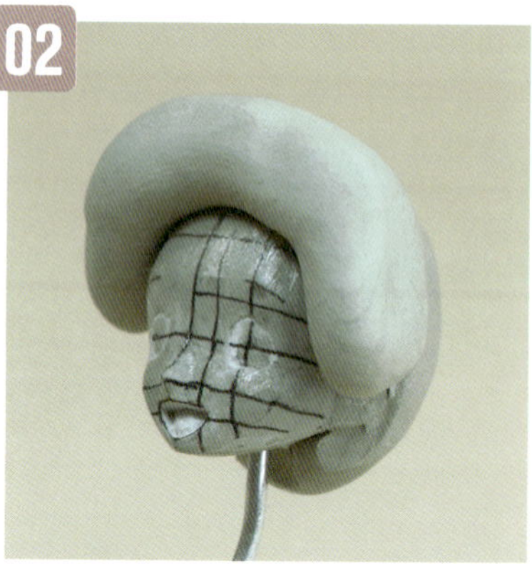

前髪を大きめに盛り付け

再度パテを練って盛り付けます。デザイン画よりもひと周り大きめに盛り付け。前髪は細かいディテールの積み重ねで最終的な印象が決まるので(そこがそれなりに描き込まれた、シルエットですでにギザギザしている絵と比べると)、つるんとしたこの姿はあまりにも落差がありますが……。

03

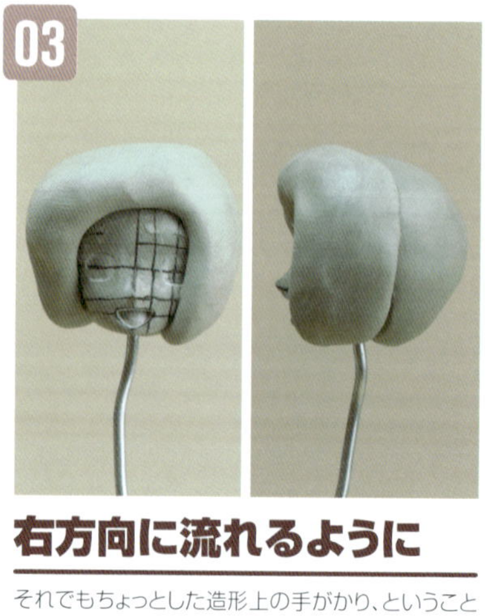

右方向に流れるように

それでもちょっとした造形上の手がかり、ということで、顔の右側に向かって風でなびいた感じになるように多少ゆがめたカタチで押し付けています。また側面から見ると前髪部品が、後ろ髪の斜めに削った斜面にオーバーラップしているのがわかります。

04

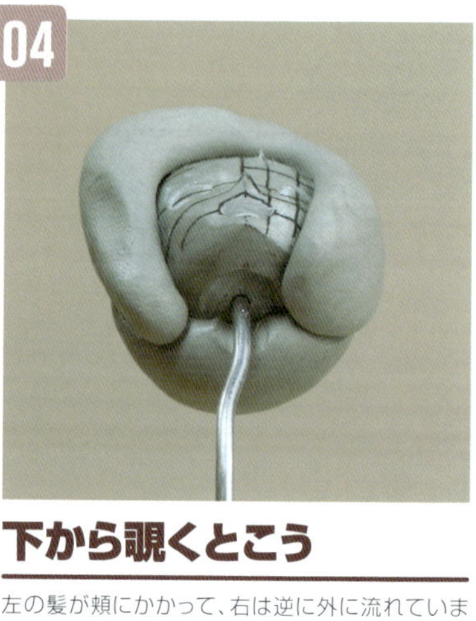

下から覗くとこう

左の髪が頬にかかって、右は逆に外に流れています。またおでこにかかる、狭義の前髪は、髪飾りのかかる分け目部分で薄く、おでこ正面もそれほど厚くない、というアニメ系ではまだ珍しい造形です。

難しい“ツンツン髪”

男性キャラでは主人公級でも定番のツンツンとはねた髪、絵ではイキオイでカッコ良くまとまるのですが立体としてはかなり難しいです。絵では適宜省略される奥行き方向のとがった髪をどのくらいの量作るのか？ にはじまって、複製の向きや毛先のテーパー具合（ピンピンに尖らせると針山みたいになって地肌面が均一になってカッコ悪い）や根本のなじみ具合まで、まだちょっと正解がなく、プロの間でも、それなりに探り探り作っている髪型だと思います。それ故に、定番の解決方法があるストレートロングにはない挑戦しがいがある！ とも言えるのですが……。

05

手がかりになる線を下書き

パテが硬化したところで、いつものように下書きです。キャラ絵を参考に髪のラインを描き込みます。ストレートに“切り口”や顔との境界になるラインではないのですが、それでもギザギザが入るだけでのっぺりしたヘルメットっぽさは消えてどうにかなる希望が出てきました。

06

何はともあれ削ってみる

というわけで「作りながら考える」作業へ。まずは、下書きに沿って大きな凹部を削り込んでいきます。きっかけになりそうなのは髪の分け目。そこから左右に1段ずつ、髪のギザギザを探るように削っては様子見を繰り返します。

07

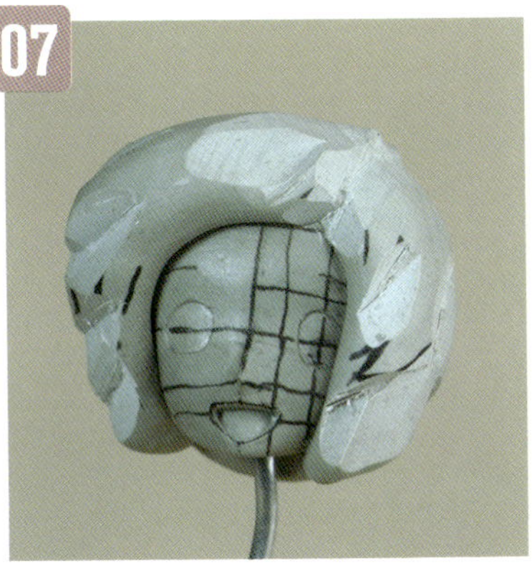

ヘルメットに見えない？

最初の削り込みを終えました。まだ絵の印象からは遠いのですが、ヘルメット的なスタートと比べると、一応は“髪”に見えるようになりました。逆に言うと、表面がつるんとした均一なラインだとヘルメットに見えて判断停止になるので、ラフにでも髪のギザギザを刻むのが大事ということでしょう。

08

右に流したところ

デザイン画で右になびいた髪を再現しはじめた部分です。こちらはまだどうまとめるか定かではありません。後ろ髪でも同じですが、流れていく髪の下流ほど処理が難しくかつ重要になりますが、ここではひとまずラフまで……。

09

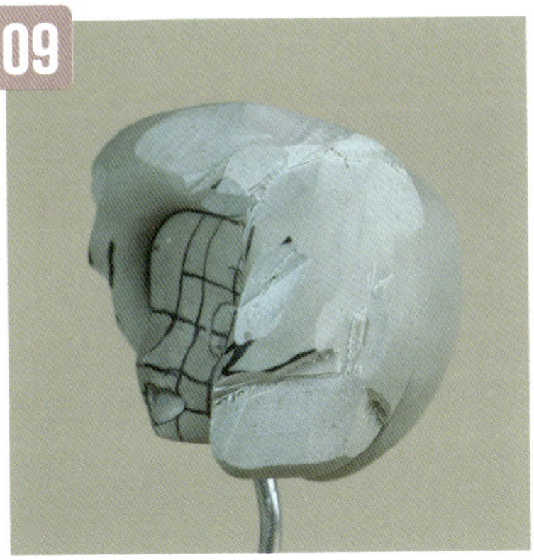

左から見ると……

こちらも一回目の削りではもっさりしてますね。デザイン画の“アゴと、左側の頬かかる髪との関係”に注目すると、もう少しアゴが出ているのがわかります。つまり原型のこの段階では髪の毛先が長く、多いので、ここから徐々に切り詰めていくことになります。

10

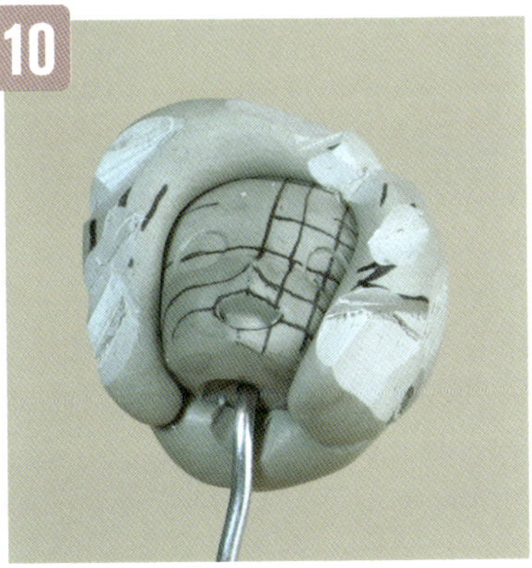

作りながら考えます

下から見た状態はそれなりに髪らしくなっています。デザイン画より1か月程度髪が伸びたあたりでしょうか。美容師になったつもりでここから髪型として整えていく、という考え方で良いのかも。

CHAPTER

04

ツンツン髪の作り方

ということで、何かと手ごわいツンツン髪、前ページのラフな削り出しを手がかりに作業をもう1段階進めていきます。前髪は、ここでいったん顔パーツから取り外して、裏側からの削り作業で。後ろ髪は最初の削り➡2セット目の盛り足しをおこないます。ここでも途中写真を細かく入れています。なかなかテキストでは伝わりづらい工作が続きますが、写真をじっくり見ながら。またこの工程だけでは分かりづらいところもあるので、前のページや、後の工程と見比べながら、ご覧ください。

01

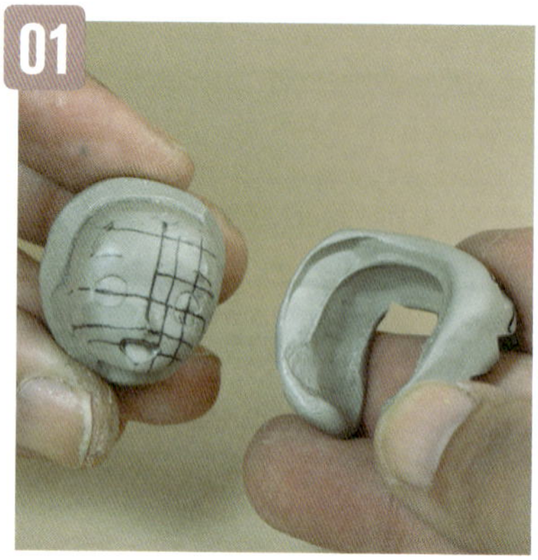

硬化後取り外す

前髪は取り外す前に、前ページで挙げた1回目の削り込みをおこないました。エポキシパテは離型処理がきちんと効くので、硬化後、多少時間を置いても部品が食い付いて離れなくなることはあまりありません。逆に、ポリパテは油断できないので、離型処理では早めに外したほうが良いです。

02

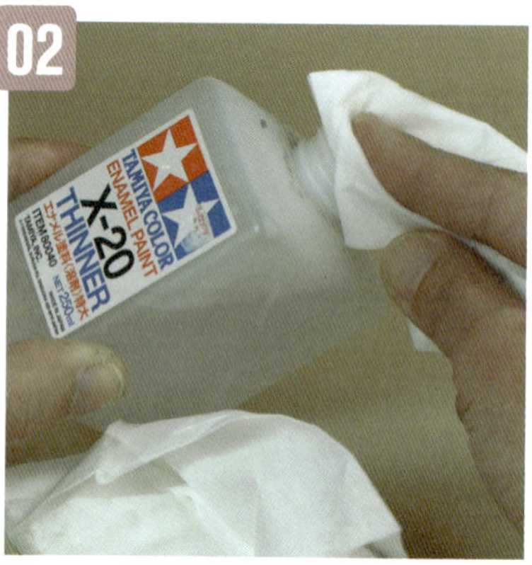

残ったワセリンは……

後ろ髪を外した後も同じように拭き取っていたのですが、誌面の都合でこちらでの初紹介となりました。離型処理に使ったワセリンは硬化後も分割面に残っています。そのままでは手指を経由して部品のあちこちに広がって、次の重ねたパテをはじいたりと悪さをするので、拭き取っておきましょう。

03

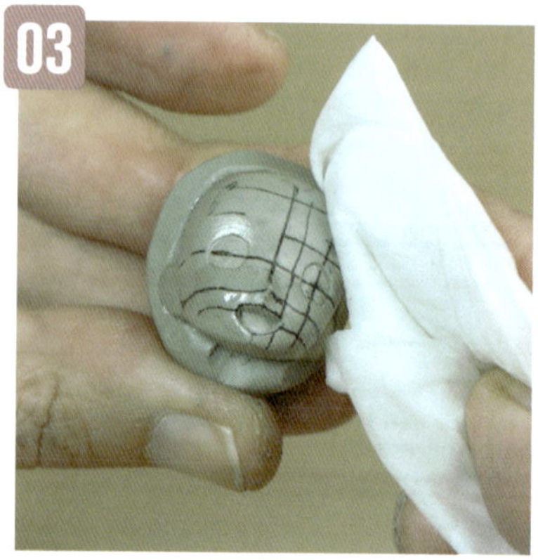

エナメルうすめ液で除去

うすめ液やアルコール等、脱脂に使えるものならなんでも良いのですが、この後の表面仕上げにラッカー系のサーフェイサーを使うので、ラッカー塗料を侵さないエナメル塗料用の溶剤（うすめ液）をティッシュ、綿棒などにつけて、顔部品、前髪裏側ともに、丁寧に拭き取ります。

04

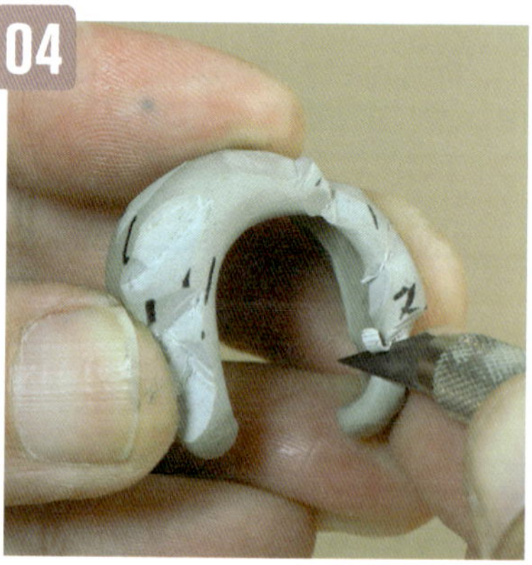

用心深く削りを入れる

取り外した前髪部品、これで髪の裏側にもナイフの刃が届くようになったので、裏側から、先に表からつけたギザギザに合わせるように削り込んでいきます。その際に、裏側からの削りは行き過ぎると生え際が変にスカスカになるので、顔部品にこまめに当ててバランスをとりながら作業します。

複製VS表現力

本当ならはねた髪や重層的に重なる襟足などは、ちゃんと見たままの形状を造形で再現したいところです。ただ、現実には複製に限界があるので、図のように“抜けるための形状変更”が必要になってきます。このあたりは何度か複製作業のトライ&エラーをしてみると、どこまでが複製可能でそのへんから諦めないといけないのか、がわかってくるでしょう。落としどころとしてはこのように表面のモールドを工夫することで「実態としてはゆるい順テーパーで、複製方向には抜ける形状だけど、鋭くとがって（もしくはツンツンはねて）見える」あたりになると思います。

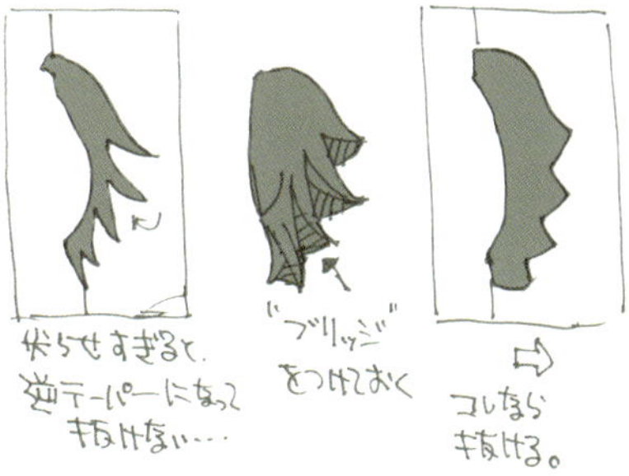
尖らせすぎると、
逆テーパーになって
抜けない…
“ブリッジ”
をつけておく
⇨
コレなら
抜ける。

05

1回目の盛り削り

前髪を裏側⇨もう一度表から、と削った状態です。前髪をある程度の塊《かたまり》として捉えています。最終的にはもう少し優しいラインになりますが、こういうところから削り出していくわけですね。

06

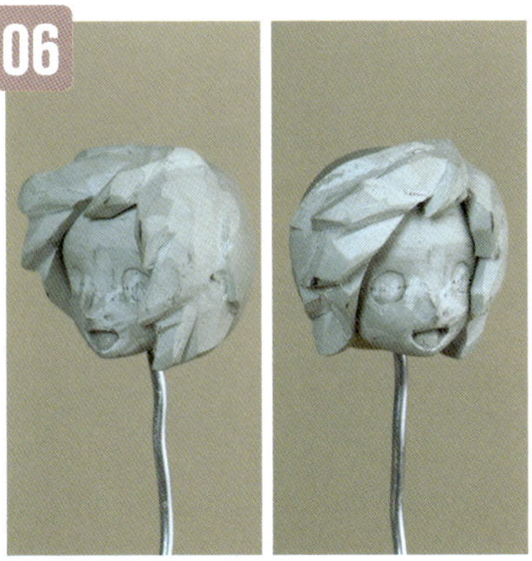

運良くカタチになりました

左右の斜めパースからの前髪。前のページに比べてパテを盛ったままの肌が減って、刃物で作ったラインに置き換わっています。凸凹の凹部分がそれほど深くない＝複製がしやすいところも意識してみてください。

07

散髪するつもりで整える

左写真からさらに整形、髪の左右や上下端で毛先を切り詰めるように削り込んでいます。削る量は最小限ですが、頭全体のフォルムが四角形から丸型へ、幅が一番広く感じるポイントが相対的に上に移動して軽快な印象になってきました。

08

後ろ髪も下書き➡粗削り

前髪が一通りカタチになったので後ろ髪へ。こちらも下書き⇨段差を削り込みで。髪のギザギザは後ろ髪全面にあるとしつこいので、下端ではズラリと並んでるのがだんだん減っていって、つむじのあたりはほぼつるつるというイメージで進めました。

09

ボリュームが足りないので

ざっとギザギザを刻んでみたところ、最初に固めた芯だけでは、はねた髪としてはボリュームが足りないので、上半分から後ろにかけて、ボリュームアップさせるようにエポパテを盛り足します。このあたりも「作りながら考える」ということですね。

10

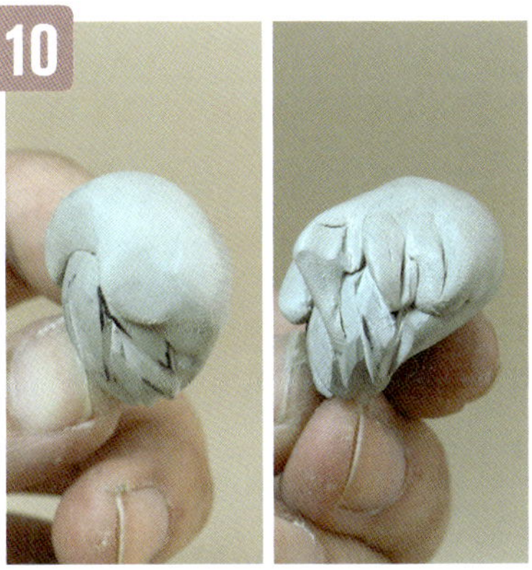

パテを盛り足し

襟足のギザギザ部分にはすでにとっかかりになる段差が刻んであるので、その凸部を強調するようにピンポイントでパテを盛ります。いずれも滑らかに密着してほしいので、アクリル溶剤で溶かしてなじませ⇨ドライヤーで加熱して密着のコースを忘れずに。

CHAPTER 05

ハネ髪を追加して整形

前髪は、大きめに盛り付けたパテを、基本的には削り(=引き算)で作ってきましたが、髪の先端部等、ピンポイントで足りない部分も、削っていった結果見えてくるので、そこに再度パテを盛り足し(=足し算)ます。このように引き算と足し算がほぼ同等におこなえるのもエポキシパテの利点のひとつです。ちなみにP.078までは準備稿を元に作っていたのと、以前仕事で作った別キャラ(おなじくショートだけどちょっと派手なツンツン髪)に引っ張られて、髪の量がやや多め。決定稿のデザインはベリーショートに近いニュアンスなので、この工程で「えいや!」と思い切って髪量を減らしましたが、このページまでの髪型はこれはこれで(男性キャラでは特に)よくあるパターンなのでまた参考にしてください。

01

ハネ髪先端にエポパテ

前髪を削って作った凸部に少量ずつのエポパテを乗せます。ここでもひと呼吸おいて、少しなじんだところで整形作業に。また、出来た髪の先端をつぶさないように針金の仮の軸などの持ち手を付けて作業するのも忘れずに。

02

なじませるように整形

アクリル溶剤でなじませながらの整形は、指を動かす方向を意識して。単純に尖らせるだけなら根本⇨先端方向に絞るようにするのですが、乗せたパテがポロっと外れることがあるので、尖らせながらも力は先端⇨根本に向かって押し付けるように……。

03

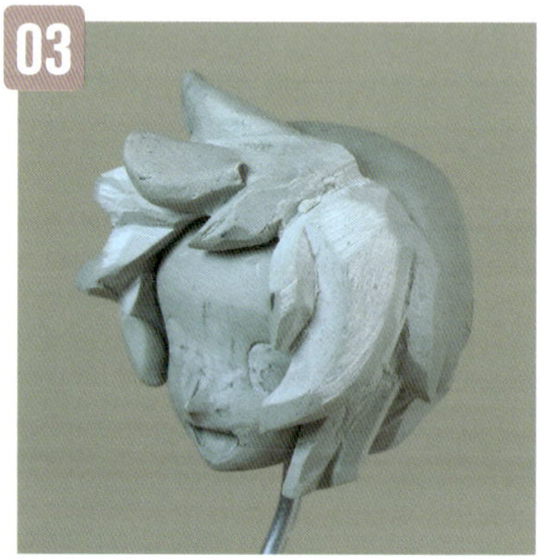

方向性を意識して

今回は左から右に向かって風になびくように作っています。単純に全方向に広がる、あるいは特に流れる向きが無いよりは、方向性があるほうがまとめやすいです。普通の長い髪でもなびかせて、動きをつけて左右非対称にまとめて動きを出すことも見映えをよくする小技のひとつです。

04

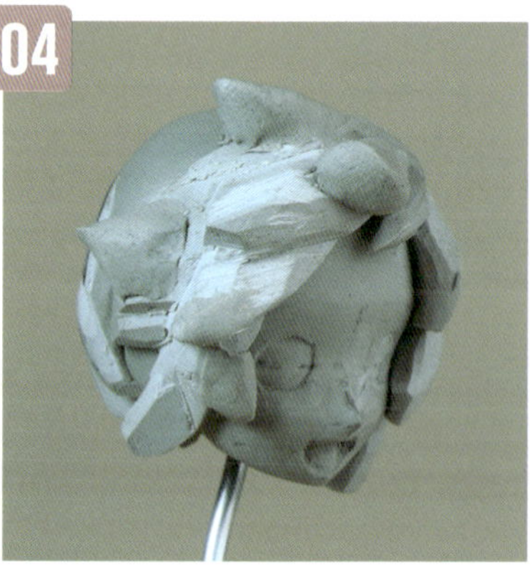

平面的な角度ができないように

こうした放射状の髪でも、油断するとふさが同一平面にぺたっと整列してしまい、特定の向きから見ると平面的になってしまう場合があるので、いろんな方向、特に流れの下流側からも見て、ランダムに散るように気をつけました。

削って作る、盛って作る

尖ったハネ髪は、典型的に、引き算（削り）と足し算（盛り）を半々に活用する工程です。身体の滑らかなラインとは逆に、ゴールは凸凹かつ、頂点の位置は事前に予測がつかず、上手く出来上がるまでわからないので、最初のうちは雲をつかむような工程に感じると思いますが、ここで「作りながら考える」ことを覚えると、ある程度の無茶な形状も「無理矢理強引に作れる」思い切りが身につきます。ここで大事なのは、失敗したモノを捨てないこと。カッコ悪くなった理由は今はわからなくても、後日「ここがダメだったんだ！」と必ず気づくときがきて、そこでの失敗がちゃんと血肉になるので、その日までとっておきましょう……。

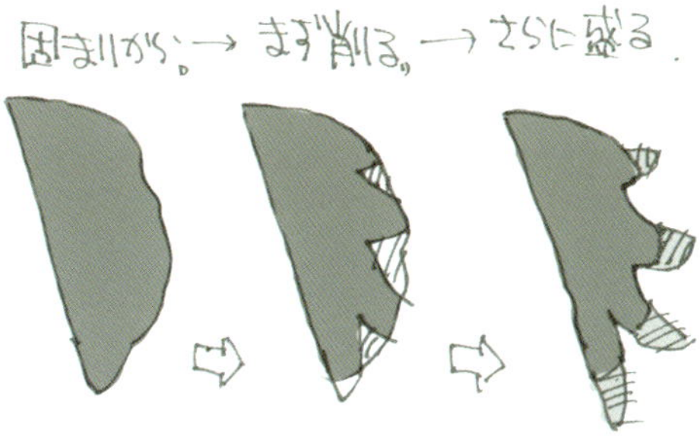

05

さらに削ってバランス調整

リードでも書いたように、ここで決定稿が上がってきたので髪の量を思い切って減らしています。前の工程までが少年チックなのに対して、こちらはちょっと甘口なベリーショートになっていますが、造形上のポイントは基本的には同じなので、髪を切り揃えていって、さらに半月前の髪型に戻したイメージに。

06

上下からも平面的にならないよう

前髪の両サイドと頬の関係は上写真のようになりました。前パースでは頬にかかっているけど、横から見ると頬が前になる位置に髪が来ています。このために頬の断面ラインはゆるい曲面になって顔の側面にぐるっと回り込んでいます。いわゆる平面顔ではこの処理は難しいでしょう。

07

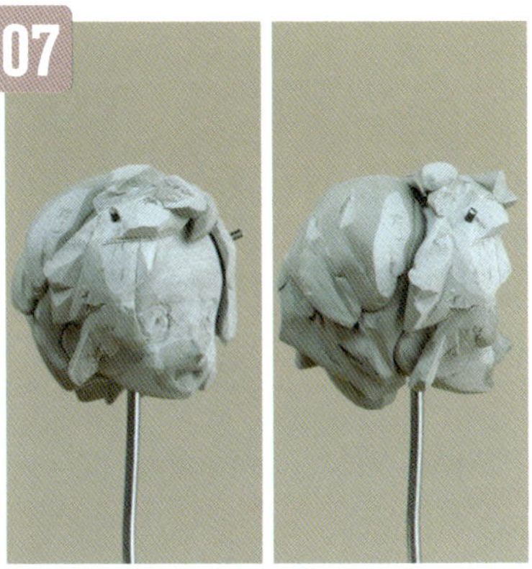

顔と髪の比率に注意

決定稿ではさらにおでこが出て、髪は顔の周辺に軽く分布しているというバランスになっていたのでそのように修正を。髪の分け目を薄くしていったときに割れてしまったので、この段階では左右を別パーツにしてそれぞれに固定ピンを、1.2mmアルミ針金でつけて作業を進めました。

08

後ろ髪にも削りを入れる

前の工程で盛り足した後ろ髪の上半分とハネ髪先端も削り込んでいきます。新しい画稿に合わせてこちらも若干ボリュームを減らしつつ、襟足のバサバサ感はちょっと大きめにしました。

09

こちらも若干、流し気味に

後ろ髪も右側に流したカタチで削りを入れます。ここでも髪のふさの大小や重なり方、ギザギザのピッチなどが均一、単調にならないよう緩急、メリハリに気を付けるのですが、ちょっと失敗。同じようなバナナ状のふさが3つ連続してしまいました……。

10

リズム感が単調なので

そこで、上のふさを短く整形、襟足側をもう一段下に層が重なっている風に改修、パテも盛り足しています。「考えながら作る」と、偶然上手くいくケースだけではなく「やっぱりダメだった」ということも半々（以上に）起こってくるので、細々と対処して経験値を積んでいきましょう。

CHAPTER

06

微調整を繰り返して完成へ

基本的なシルエットが出来たところで髪のふさ、細かいブロックごとのディテールを加えていきます。ひとかたまりのブロックを、細い髪の毛の集合体に見せるために筋彫りや細かい段差を彫刻するのですが、全面にびっしり線を足すと今度はゴワゴワして見えるので、線を足す部分とつるんとした面のまま仕上げる部分とのバランス、寸止め感覚が重要になってきます。また髪が確定したところで顔部品の生え際を仕上げて、耳の細部も加工。また髪とあわせて顔もバランスを確認、必要に応じて修正を加える場合もあります(P.124参照)。

01

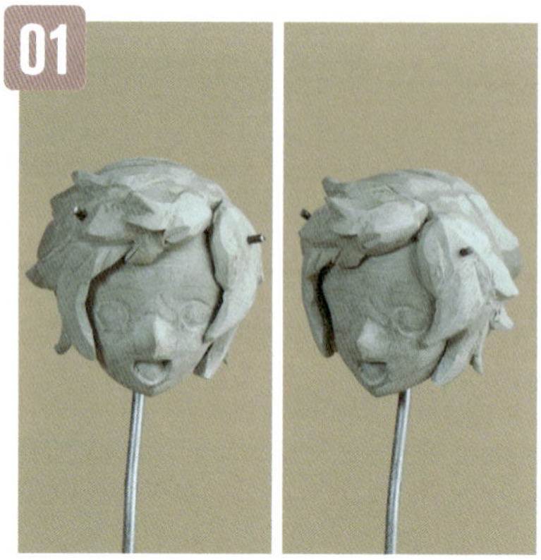

ひとつずつふさを整形

髪全体のシルエットの目途がたったので、個別のひとふさごとに整形を進めます。段差や筋彫りを適宜加えて、かたまりっぽく見えないように。原則としてはブロックの下側、内側に線を増やして、上側、外側は面を大きめにとると自然に見えます。

02

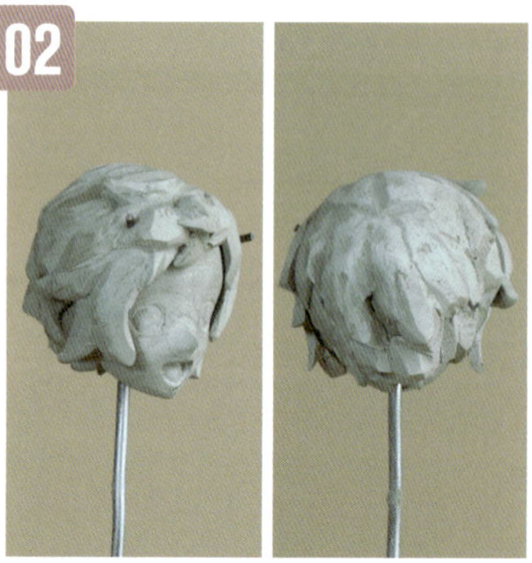

複製できる範囲で表現

原型をそのまま塗ってしまう一品モノの完成品では問題ないのですが、複製する場合はゴム型で抜ける範囲で各部のエッジはナイフでシャープに立てていきます。凹面をあまり深くえぐり込まないように。また大きめな曲面はサンドペーパーを2回折り⇨ピンセットでつまんで磨きました。

03

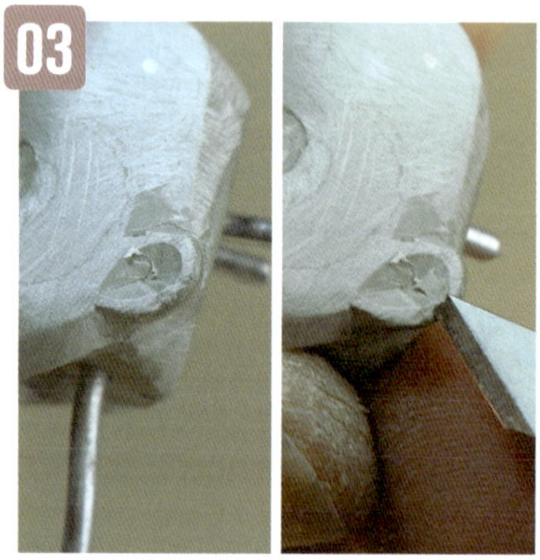

耳の追加加工はここで

髪のカタチが決まって、耳の外形も確定したので、内側の細部を作り込みます。ぺたっとふたをしたフォルムで作ってきた耳たぶを、耳の穴に向かってすり鉢状にゆるく削り込みます。ナイフの先端を中心に当ててスナップを利かせて半円状に掘り込むと簡単に凹状になります。

04

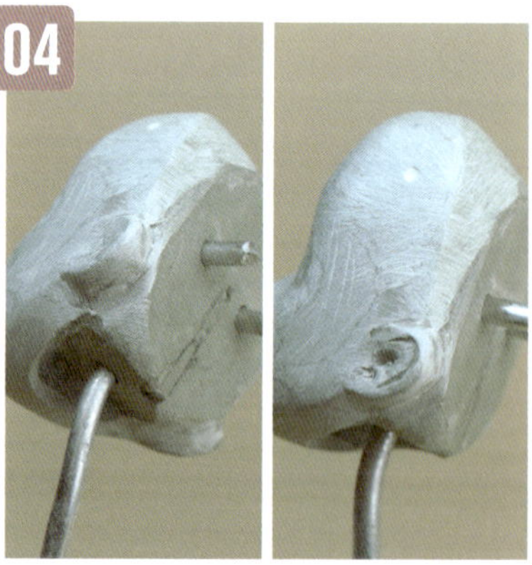

耳の裏は埋めた形のままで

耳たぶが薄く独立するように、耳の裏側を彫り込んでも良いのですが、今回は埋めたままとしました。市販のフィギュアでもあまり重視されない部分ですが、耳の裏にフェチ的な関心のある方は再現してみると同好の士の熱い支持が得られると思います……。(´A`)

矛盾を探すよりは良いトコ取りで

自分でも絵を描く人はよく分かると思いますが、2次元で描かれる絵は、やはり1枚絵としての見映えを追及しているので、設定的にいろんなパースが描かれていても、線のすべてが一致するわけではありません。立体を作る意識で見ればその矛盾には当然気が付くわけですが、それを鬼の首をとったように「ここが違うあそこも合わない!」と言いたてるのは、ちょっと器が小さい。むしろ「つじつま合わせはこっちにまかせて、絵描きは自由に描くべし!」くらいでいるのが造形側の矜持。さらに言うと、解釈が異なるいくつかの絵があったら、「矛盾も少ないし簡単な絵」ではなく「一番難しいけど、魅力的なカット」を採用するのも、腕の見せ所だと思って精進していきましょう!

05

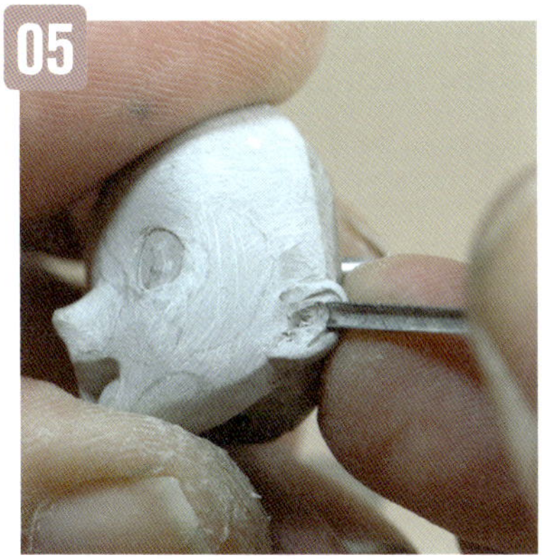

耳のRは極細彫刻刀

耳のフチの一段落ちの部分をナイフで彫り込んだら、耳の穴に落ち込む逆Rの曲面を1.2mm程度の極細の半丸彫刻刀で彫り込みました。ただ、細かくてデリケートな割に髪に隠れて目立たない部分なので、初めての人は省略しても良い工作で、ゆるく凹んでるだけで十分だとも思います。

06

丸めたサンドペーパーで仕上げ

耳の奥の曲面は2回折りにしたサンドペーパーの角を使って磨いて仕上げます。同時に髪の細部も丸めたサンドペーパーで、追加した髪のスジは短冊に切ったサンドペーパーをピンセットでつまんで磨き上げています。

07

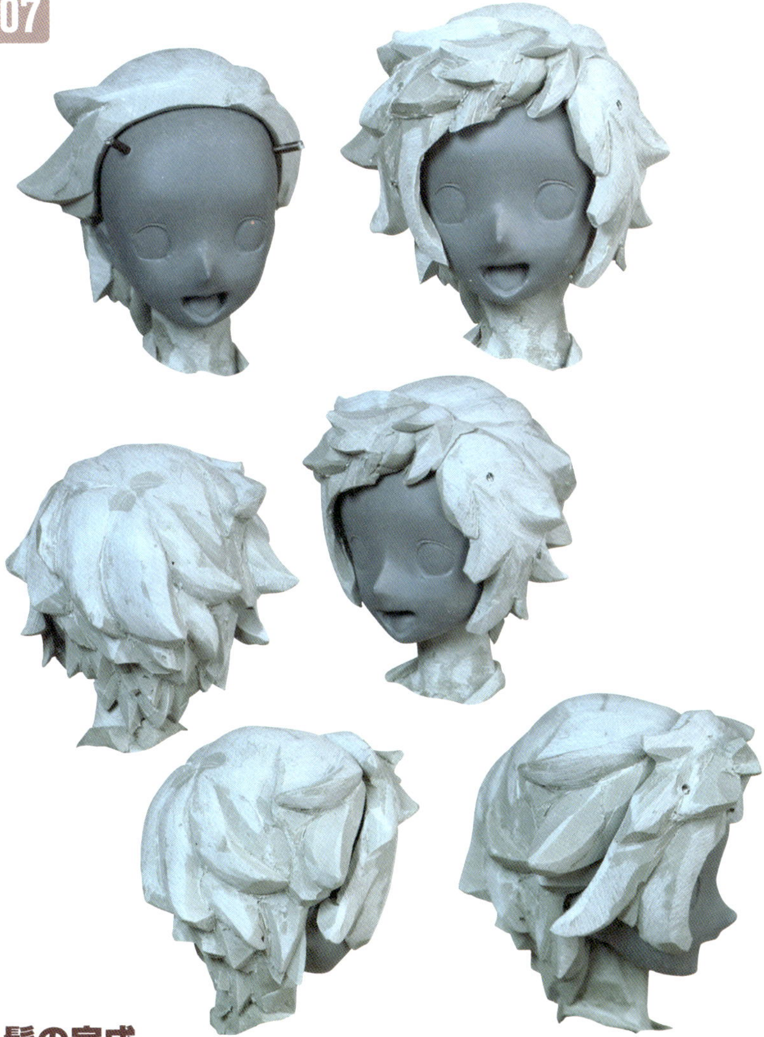

髪の完成

完成した髪の写真を各方向から。左上は前髪を外した状態で後ろ髪の側に右外側に流れる髪の2列目が配置されているのがわかると思います。また顔部品は撮影の都合でサーフェイサーで仕上げられた状態になっています(P.131参照)。髪のふさの凸凹がハッキリしたところ(=要素が密集した部分)もそうですが、粗密の"粗"の側、比較的要素がなくつるんとした部分やそこに至る、ふさやスジ彫りが消えていく処理をよく観察してください。

第3章④

髪を作る

CHAPTER 07

おまけ・長い髪編①
バナナ式前髪

ここからは、美少女フィギュアでもっとも一般的な髪型を、初心者にも再現しやすい方法で作っていきます。こうしたおでこに自然に垂らすような前髪、現実では、1本1本の髪が間隔を変えながら櫛《くし》状に並ぶわけですが、アニメ的に明確な塗り分けを必要とする絵柄では、前髪をある程度のブロックとして、数本のバナナがぶらさがっているようなスタイルで描かれてきました。そのブロック状の前髪が立体化にとって都合が良かったこともあって、表現方法を進化させながら、今でもフィギュアでは主流になっています。

01

後ろ髪基部➡ワセリン

顔面を仕上げて⇨接続ピンをうつ⇨離型処理⇨エポパテを盛る、という工程で、後ろ髪の基部（芯）を別パーツで作るのはショートカットの場合と同じです（P.073参照）。この後ろ髪基部のパーツを付けたままおでこにワセリンで離型処理をするのも同様に。

02

前髪の基部を盛り付け

そのおでこ部分に練り合わせたエポパテを盛り付けます。分割面からおでこの上端までをカバーして耳のあたりまでを帯状に覆うように押し付けて硬化させます。ワセリンの上なので、あまりいじっているとどんどん浮き上がって変形するので、軟らかいときの整形はほどほどに。

03

“バナナ型”のエポパテを……

基部が完全に硬化したところで、バナナ型に延ばしたエポパテを貼り付けていきます。硬化後、ナイフでシャープに削り出すので、完成よりひと回り太いくらいが良いでしょう。基部表面にワセリンがはみ出していると密着しないので、その場合はエナメルうすめ液で除去しておいてください。

04

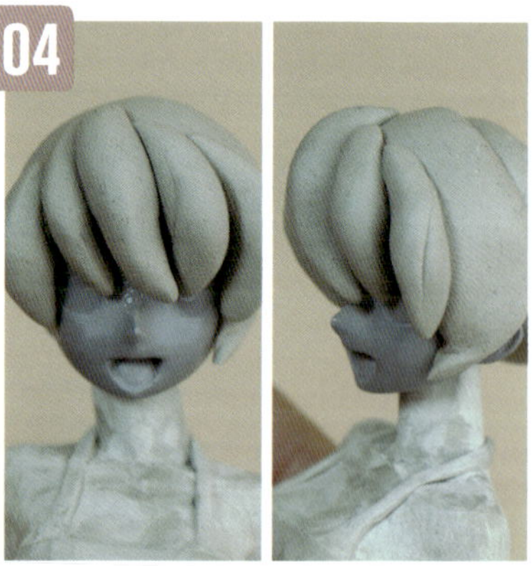

並べるように貼り付ける

バナナ部品の大きさ、本数、曲がり方、緩急のリズム感等、元絵をよく観察しながら並べるように貼り付けます。一番ボリュームのあるふさ、特徴的な部分から作りはじめて、順次小さいところへ。また髪とおでこの間に適当に隙間を空けていることにも注意してください。

おでこの隙間、重要!

髪の横方向の重なりもあって、直接は観察できませんが、断面で考えると、前髪はおでこから若干浮き上がって、図のような隙間が空いています。現実の人間でも、前髪はおでこに貼り付いていなくて、この隙間から見えるおでこが広いと表情が明るくなります。逆に、隙間だ狭かったりおでこに貼り付いた前髪は“不気味”さや“元気が無い”ことの記号だったりします。特殊な例では“濡れた髪”ということもありますが、この場合は髪の外側のシルエットや長さまで変わってくるのでそのへんまで総動員しての表現になります。濡れて肌に貼り付いた服等とからめて、これはこれで作り甲斐のあるモチーフとも言えます。

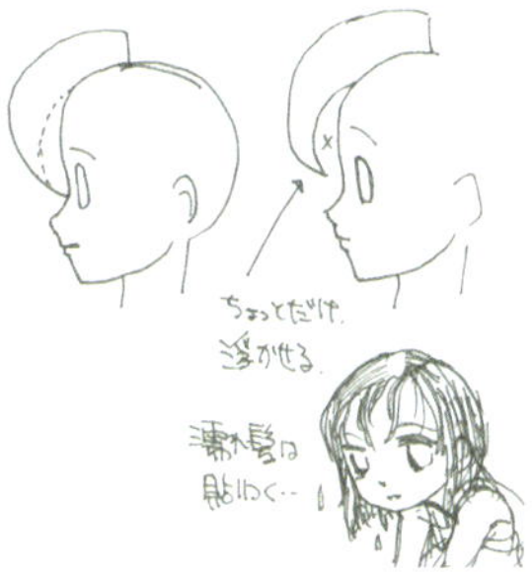

05

上から見て放射状に

前髪のひとつひとつのふさが全部平行になると印象が硬くメカっぽくなるので、上から見たときに放射状に広がるように配置しています。ここでも左右を若干非対称に。右から左へなびいているように動きをつけました。

06

つぶさない範囲でなでつけ

いつものように、アクリル溶剤を使って下地に密着させます。せっかく作った髪が、つぶれたり、おでこに貼り付いてしまわないように、生え際の基部を狙って力を加える気持ちで。最後にはまたドライヤーで加熱もお忘れなく。

07

硬化後取り外して整形

追加したバナナ型部分も完全に硬化したところではじめて前髪基部ごと、顔面部品からとり外します。ひと回り太いところを中心に断面を整えたり、段差や筋彫りを足しながらナイフで整形していきます。

08

下から見上げると

ひと通りナイフで切り出した前髪パーツを下から見上げた写真です。盛り付けた際には丸っこい断面だったのが、稜線に沿ってエッジの立ったシャープな断面になっているのが分かると思います。

09

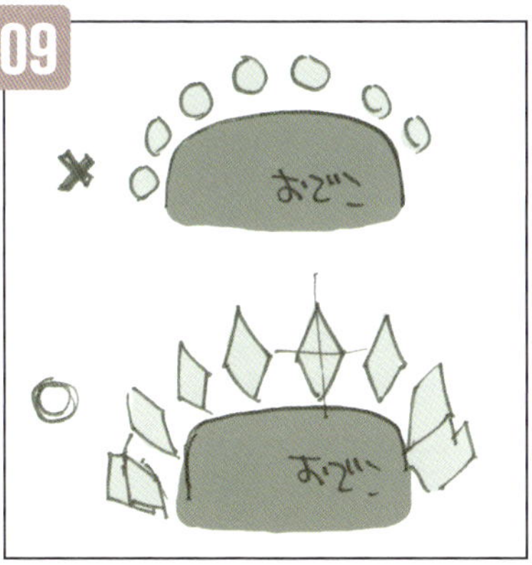

前後に長い菱形断面に

ひとつのふさを単純な丸い断面にすると、極論それひとつが太い1本の毛に見えてしまうので、「細い髪の集合です」という演出には適宜エッジや平面を組み込みます。その上で、細く見えながらも強度を稼ぐために、図のような前後に長い菱形断面を基本に構成すると良いでしょう。

10

ふさを必要な数に分割

髪のブロックによっては根本がひとつで毛先が2つ、3つ～と枝分かれするケースも多いので、そうした場所はV字の筋彫りを徐々に深く広く掘り広げて、2叉、3ツ叉に増やしていきます。分岐の根本、谷のスタート地点は、丸みのある逆Rだと不自然なので、シャープな凹エッジになるように……。

第3章④

髪を作る

CHAPTER 08

おまけ/長い髪編②
後ろ髪も"ふさ"で盛る

美少女フィギュア造形において後ろ髪というのは、表現の自由度が高く、最低限の"似てる"ことさえクリアーすれば、原型師が好き放題に勝負出来る、絶好の見せ場でもあります。そこで切磋琢磨を繰り返した結果、市販の完成品フィギュアではとんでもないロングヘアーがたくさん。もっとも美少女フィギュア黎明期には、もっとシンプルな1パーツでマントのように平板なモノも多数作られてきました。ここではその中間の、「隙間と動きはあるけど、ギリギリ1パーツのままでも複製出来る」くらいの表現を例題として取り上げます。

01

後ろ髪の"基部"に……

前ページの冒頭で、すでに出来ていた"後ろ髪の基部（芯）"。このように少し襟足がある形からスタートします。2つの穴は顔面部品と繋がる位置決め用にピン（2mm径のアルミ針金）の穴が貫通してしまったもの。後の工程のついでに埋めましょう。

02

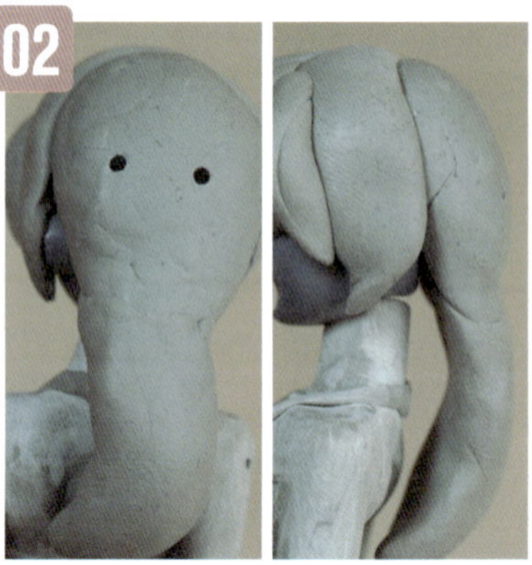

1ふさ目をカーブをつけて

完全硬化している基部に、エポパテを伸ばしたものをふさごとに貼り付けていきます。前髪とは違って、中心になる一番大きなふさは少し平たくして、帯状に。また柔らかくなびく髪型にしたいので、ふんわりとしたカーブをつけた形に指で形状を整えました。

03

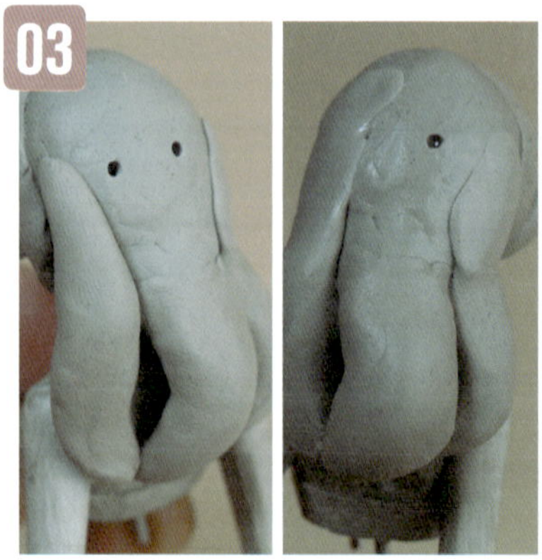

様子を見ながら盛り足し

中心の"主"となるふさの両脇に、"従"となるふさを、若干細く延ばしたエポパテで盛り付けます。中心の一番広い部分の幅が5だとすると、左が4、右が3〜くらいのバランスでしょうか。

04

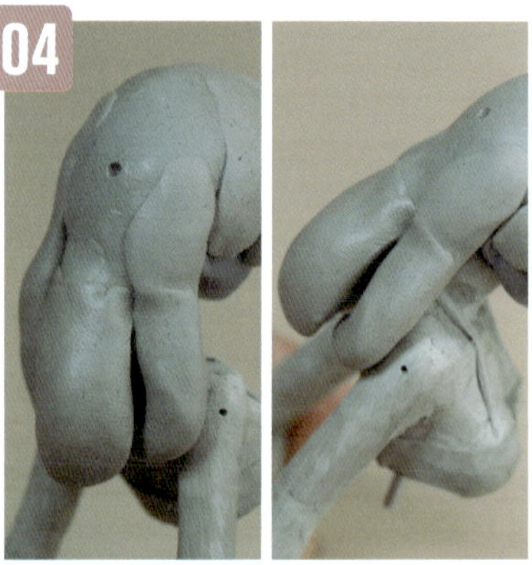

"動き"が単調にならないよう

中央のふさは背中から離れていましたが、左右のふさはちょうどその隙間をふさぐようにカーブして取り付けています。またこの際にラインが単調にならないよう、左右でボリューム感やカーブの具合、長さや隙間等に変化をつけているところにも注意してください。

髪は立体的に並べる

⑦の写真でも書いていますが、髪を断面で見たとき、それぞれのふさが同一平面にぺたりと並ばないように注意しましょう。今回の例題は直立ポーズなので髪は基本的には下に垂れますが、動きのあるポーズ等で、後ろや横になびいたときはもっと、平面配置は目立ちます。チェックの方法としては前後左右にじっくりと原型をまわして見て、ふさが同一に重なる角度があったら、その角度から見てバラけるようにどれかのふさを根本からカット、細いアルミ針金で接続して良い角度を探す、の繰り返しで……。

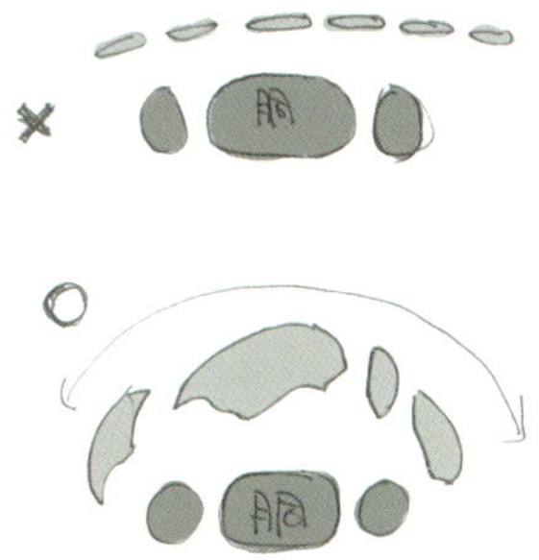

05

さらに細いふさをクロス

後ろ髪としてのスカスカして足りない感じはしなくなって、ボリューム感は出ているのですが、もう少しメリハリ、緩急の差が欲しいので、アクセント的にさらに細いひとふさを加えます。先の言い方でいうとボリューム感:1のパテを中心のふさの動きを強調する向きにクロスするように。

06

アクセント的に足していく

左の外側にも、ボリューム感:1の細いふさを、こちらもなびき方をより強調するように配置しました。細いパテは垂れて変形しやすいので、何もない空間に単体で配置することは難しいのですが、コバンザメ的に上下の端を固定すれば十分保持出来ます。

07

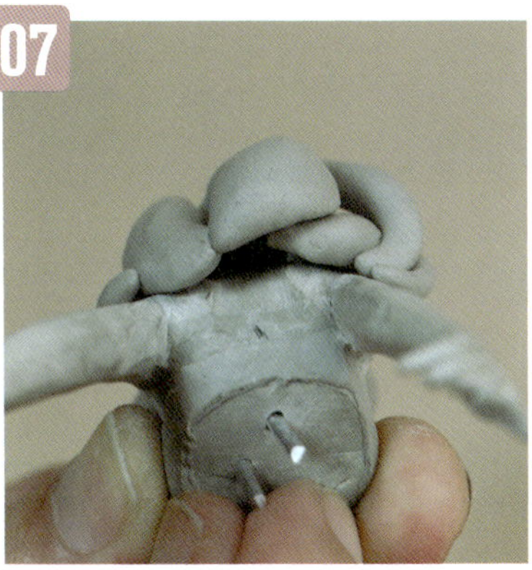

下から見てゆるい弧に

現実には髪自体の重みで肩にぺたんと乗っかるのですが、造形的な見映えと、風をはらんでふわっとなっているということで、背中の平面とは独立した、ゆるい弧に、アーチ状断面になるように配置しています。

08

左右非対称にして動きを

これも、造形上の演出の範囲ですが、風をはらんだ"ことにして"、右になびく動きをつけて左右非対称にまとめました。スカートやマントなどについても同じにように"風のせい"にして動きをつける等、メリハリをつけるには"風"は何かと役に立ってくれる心強い味方になります。

09

硬化後、ナイフでシャープに

前髪と同じように、硬化後ナイフで削って面を整えていきます。手びねりのパテのぷっくらした面を、滑らかな、でも雲形定規のように連続的にRが変わっていく整理された曲面と、要所要所でエッジの立った段差の集合体に変えていくイメージです。

10

ナイフが入りづらいときは……

細いふさがクロスした下側など、刃先が届きづらいところでは邪魔になっている部分を適宜切り離して作業。別パーツとして仕上げて、表面仕上げ後に接着して戻します。今回はそこまでしませんが、複製の都合によっては別パーツのまま仕上げても良いでしょう。

CHAPTER
09

おまけ/長い髪編③ 削り出して仕上げ

後ろ髪のシルエットが固まったところで前髪とセットで細部を削り出し、磨いて仕上げていきます。髪全体を揃えてみると顔や身体との比較でバランス上の問題が見えてくることもあります。一番分かりやすいのは「髪全体の前後幅」。前髪だけ、後ろ髪だけで見ていると適正でもセットで見ると前後にブ厚すぎるケース。これは組んだ状態で前後の髪を少しずつ削って対処します。また前髪の視覚上の重心が顔より上にズレてカツラが乗っかっているように見えるのもありがちなミス。接合面で削って、前髪部品全体を下に食い込ませる等が有効です。

01

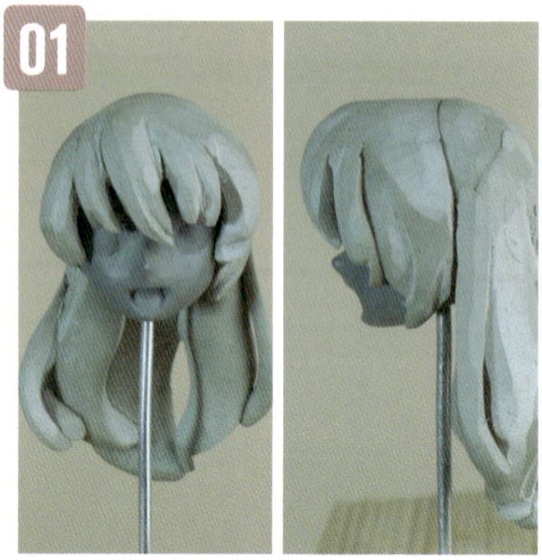

前髪も同時に整形

ということで、髪部品一式を組んだ状態で微調整、バランスをとりながら髪のスジを増やしている途中です。後ろ髪の裏側、背中に面する内側の面はまだパテを盛ったままの状態。外側がある程度仕上がってから作業したほうが、先に削りすぎて後で穴が開く等の無駄な修正を避けられるでしょう。

02

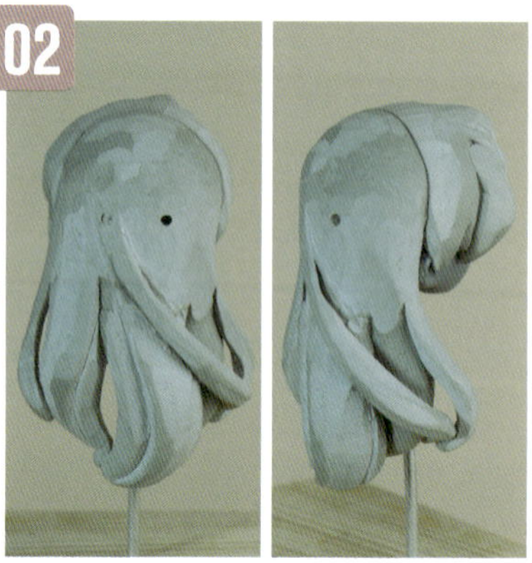

ナイフで細い筋も追加

前髪と同じく、単一のブロックを多数の髪の集合に見せるために段差や筋掘りを様子を見ながら足していきます。ショートの筋を足すとき（P.080①写真）と同じく、ひとつずつのふさの下側や内側、ふわっとバラけた髪の下側に影を描写するようにスジを彫り足していきます。

03

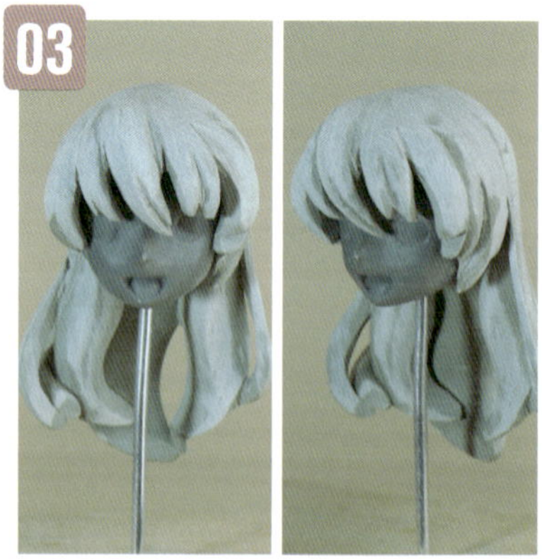

サンドペーパーで面を整える

逆に、滑らかにまとめたいブロックの上面、光が当たって光沢、いわゆる天使の輪ができるような外側はつるっとした曲面として仕上げるので、ペーパーがけで滑らかに。つるつる面と、筋掘り段差のディテール部の比率が6:4になるくらいがアニメ絵だとちょうど良いバランスでしょうか。

04

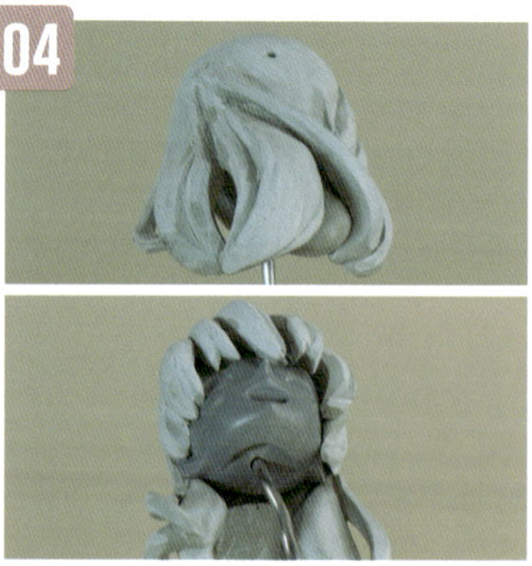

隙間と重なりに注意

エポパテの部品として実体がある"髪側"は、途中で太くなったり細くなったりすると不自然ですが、空間になる"隙間側"は幅や形を自在に変えられるので、全体のフォルムを大きく変えるにはそちらを操作します。その隙間が"抜ける角度"や髪部品の重なり方も単調にならないようにしました。

髪を分割するとき

長い髪を複雑になびかせて、見映えの良い構成にしていくと、やはり分割しないとどうにもならないときが来ます。分割が増えるとそこでの誤差が積み重なって全体のフォルムや髪の流れが崩れがちなので、なるべく割りたくはないのですが……。それでも分割するときは、できれば髪のスジを工夫してそこにまぎれるようにすると塗装後、組めます。また途中でシルエットを確認出来るように針金で接続ピンを丁寧に立てる（2本を平行に打つ）等も有効。とは言え、いずれもたいへんな割に報われない工程なので、上手くなってからの課題としておきましょう……。(´A`)

05

スジの消え方

さらに磨きながら髪の段差&スジ彫りを加えました。アニメ的表現では、毛先で20本あった筋は途中で10本⇨7本⇨4本……と溶け込みながら減っていって頭頂部ではあまり線が残りません。その消え方や消える位置も単調にならないように適宜バラけさせるように気をつけます。

06

分割は3パーツで

今回は、おまけということで撮影はここまでですが、サーフェイサー以降の仕上げは顔などと同じなのでP.130以降を参照してください。分割としてはこのように、前髪、顔面、後ろ髪の3分割になります。クロスした髪もこれぐらいまでは一体で複製もできます。

07

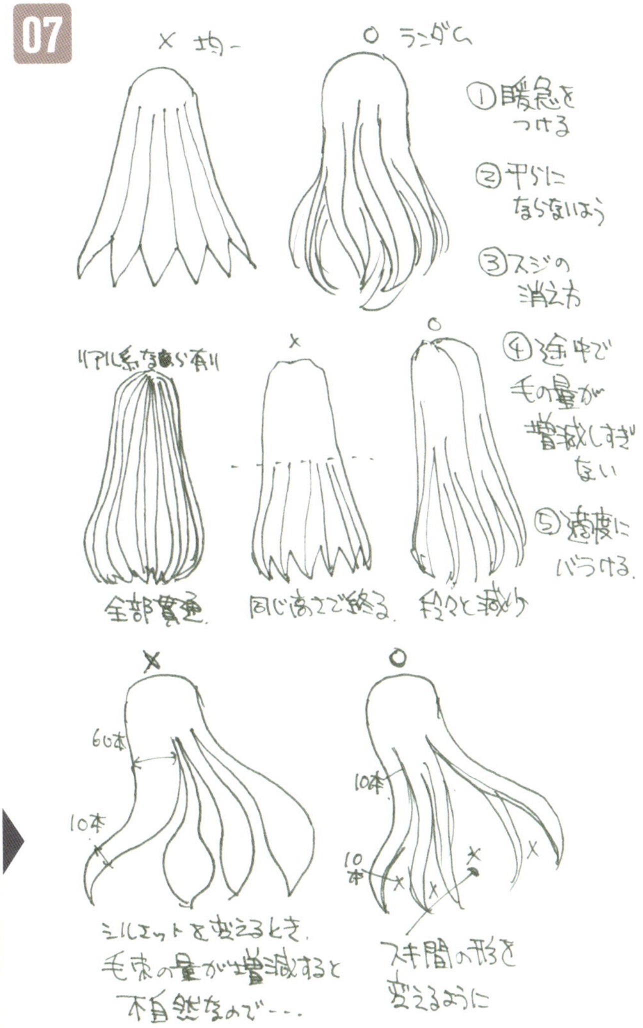

長い髪のポイントを整理

ということで、長い髪造形のポイントを○×例で整理してまとめました。凝った長い髪や複雑な髪の造型にもつながる、ソフトウェア的な考え方をなるべく要素ごとに噛み砕いています。ちょっと反則&性格が悪くなる（笑）のですが、これらを踏まえた上で「出来の良くない髪」を見ると、こういう言葉にしづらいノウハウや「センス」という言い方で逃げがちな空間構成等が、ちょっとずつ身についていくと思います。

COLUMN 04

素材と作り方に流行アリ……

-素材ジプシーの新大陸《フロンティア》が見えた!-

造型素材と工法にも、流行り廃りがあります。原型業界は基本的にあまり変化のない世界なのですが、それでも新素材が出てきたときに、新しいモノ好きのアーリーアダプターな人が飛びついてワッと盛り上がります。また、それとは別に、上手い人が出てきたときに、その人が自分のブログで紹介している素材がリバイバルしたりもします。ちなみに今はP.014のコラムで挙げた代表的な4素材(ポリパテ、スカルピー、ファンド、エポパテ)が原型師の好みや芸風で使い分けられていて、正確な比率はわかりませんが、ちょっと均衡している状態でしょうか。
多くの人はある程度数を作ると、ひとつの素材、工法に落ち着くのですが、中には一定の割合で「この素材だと上手く出来ないんだけど、あの人が上手く使っているあの材料ならば!」と彷徨うように新しい素材や工法に手を染める"素材ジプシー"とでも言うような人もいます。これはもう半分は人間の習性なので、諦めるしかないのですが、そうは言いつつも造形素材は数も種類もしれているので上記の4素材にワックス、クレイを渡り歩く程度で済んできました。
ところがその造形素材の世界に、無限に広がる新大陸が現れたのです! それが「デジタル原型」。CG(コンピューターグラフィックス)映像用の3Dソフトと出力機(3次元のデジ

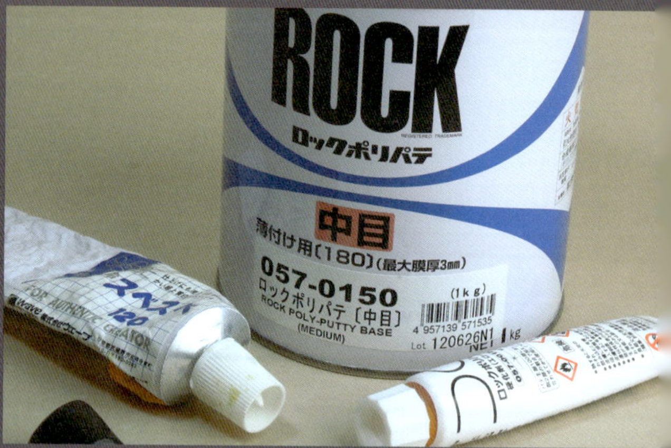

COLUMN 05

上手くなる近道

-案外いろいろありますね-

•「上達への近道ってありますか?」
ジャンルを問わず指導者に投げかけられる、厄介な質問です。結論として近道はあります。ただ、なかなか人はそれが近道だとは気づきません。一見して遠回りに見えたり、近いっちゃー近いけど、すごく急な登り坂で常人にはそもそも採用不可能だったり。造型でも極論、虎の穴的に上手くて教えるのが上手な師匠に24時間×1年間つきっきりで指導してもらえばあっという間に上達しますが、そんなスキルを持った人を1年拘束できる金額(と交渉力)を考えると、回答にはならないし、そういう答えは何より「こういうコトを言ってこの人ははぐらかすんだ……」と質問者の信頼を失うことに……というわけで、ここではあくまで"採用可能な"近道を、それでもいくつか紹介して面目を保ちますよ\(´A`)ノ

•ライバルを見つける(勝手に)
簡単に出来て効果的なので万人にオススメなこの近道。同じ時期に始めて同じくらいの腕前の人を勝手にライバル視して新作をチェック、勝った負けたを随時意識するだけですが、ここ一番のがんばりにはよく効く方法。今だとイベントのアマチュアディーラーやネット上で同じアイテムを作ってる人を探してもいいでしょう。もちろんその相手に「ライバ

タルデータをそのまま立体として樹脂などで出力できる)の組み合わせは、3Dソフトから始まって、それを動かすコンピューター本体やビデオカード、出力機である3Dプリンターまで、今までの粘土やパテとは比べものにならない種類と金額で僕等(⇦オマエもか!?)ジプシーを待ち受けています。この広大な新大陸に、夢の素材、幸せの青い鳥はいるのでしょうか……? 果てしない旅は今、はじまったばかりです……(´A`)

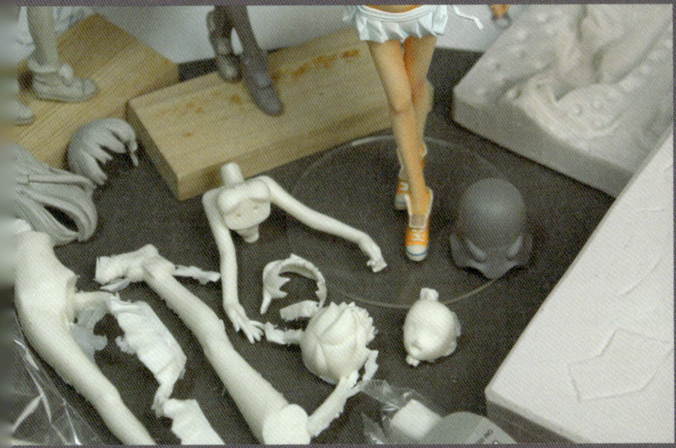

ルになりましょう!」と名乗る必要はありませんし面識ないままでもOK。ただ、気持ちがねじれてストーカーにはならないように……。

•続ける

精神論的に「何事も好きな気持ちで続ければ……」というのも無くはないんですが、それはもう普通の道で、近道とは言いません。実は造型作業は案外フィジカルな行為なので、スポーツと同じく止めてる期間があると腕は鈍ります。絵描きの友人も同じことを言ってましたが、長めの休み明けは如実に下手になってるそうです。私も朝イチには勝負!的な作業はおこなわずに、多少よれても平気な粗削りとか裏面の処理とか(幸い造型にはそういう作業がいっぱいあります)から始めています。

•ダメなものも見る

これは押井守氏が著書の中で映像製作者に向けて言っていた言葉なんですが、フィギュアにもそっくり当てはまります。良いものだけを見ていると分からない、気づかないことが、悪いもので気づかされるんですな。「今度のここの新作はかわいくないから買わない」で終わらないで「なんでこのフィギュアはかわいくないんだろう?」に進んで「そうか、目だ、白目にくらべて黒目が小さいんだ!」までくれば「自分で塗るときには黒目を大きく描こう」につながります。これはいいものだけを見てると案外気がつかないんですよ。

•失敗する

上記のことは自分の行為にも言えて、上手くいった成功体験ではわからなかったことが失敗を通して学べることがあります。「腕が針金に負けて砕けた、だから細い針金を使うのか!」的なことから「作ってみたけど難しすぎる、今の腕では手に負えない」という根本的なキャラ選択まで、失敗からしかわからないことがいっぱいあります。

•過去作をとっておく

上達は実は当人にとっては自覚しづらいもので、傍目には十分上手くなっていても、もっともっと! と飢餓的に上を目指しがち。そのハングリーさは重要なのですが、冷静な指針として自分の過去の作品をとっておいて、迷ったときには見比べてみましょう。とても見ていられないほど下手なら成長した証拠。当時の弱点も今なら言語化して具体的に「ここを直せばよくなる」くらいは言えると思います。逆に言うと人にはやがて「この頃オレ、上手かったなぁ……」という恐ろしい日もくるんですが……。

第3章⑤

手首、指を仕上げる

CHAPTER

01

握った指は階段状に削り出す

ここからは手首の造型にとりかかります。CHAPTER01では握った手（グー）を、02で開いた手（パー）をそれぞれ削り出しで造形、03で両方の仕上げと指先、爪の仕上げ方を説明しています。まず握りこぶしですが、ここも大きくデッサンを捉えるところから徐々に細部を詰めていくのがポイントになります。工程は以下の写真の通りですが、段取りよりもバランスの取り方と観察がミソ。特に指の表情などはロボットプラモなどからくる固定観念にひっぱられがちなので、そこをリセットするつもりで自分の手など資料をよく見て進めていきましょう。

01

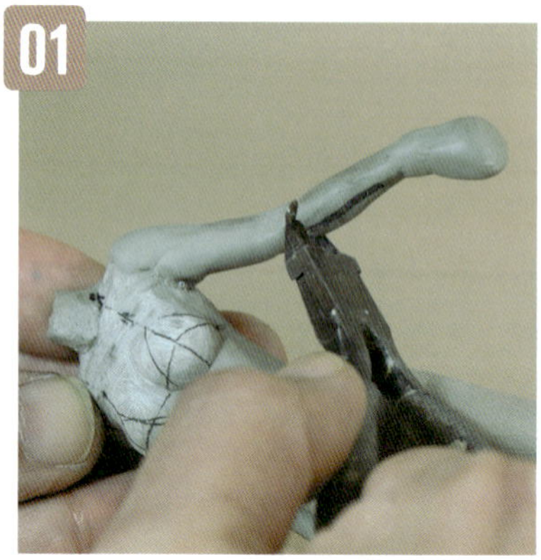

作業しやすいようにカット

頭と同じく作業しやすいようにいったん切り離します。やはり大きさのバランスが重要なので、作業は別パーツで進めつつも適宜本体に戻してチェックしつつ。切り離す場所は、服やデザインにもよりますが、今回は手首の繋がりが素直なので、ひじで切り離しました。

02

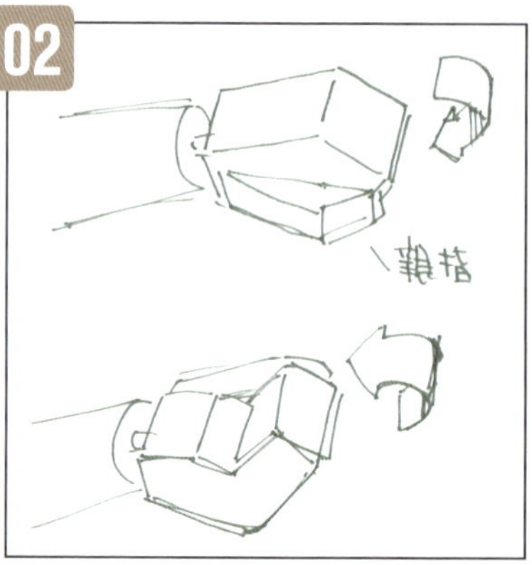

並んだ指を面として捉える

指を丸い筒ではなく、ひとまず関節ごとにひと繋がりになった面として捉えます。握り方にもよりますが、図のように面が回り込む箱型+親指、という構成に単純化出来るので、この形状にパテを盛るところからスタートします。

03

指の境界を下書き

今回は芯を固める段階（P.033）である程度の箱型に整形していたので、その次の工程、指を段差として切り出すところから。第1関節から先の部分を横に4分割して幅と長さを確認、この時点は幅が広いようなら手の甲から第1関節までをセットで削って幅を狭く調整しておきます。

04

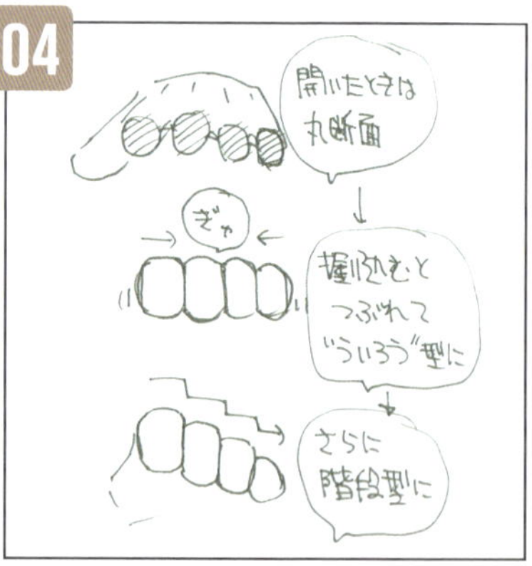

指を握り込むと四角に

指は、開いているときはそれぞれが丸い断面ですが、グーの形に握り込むと隣り合う指同士でつぶしあって角丸四角形の“ういろう”のような断面になります。この状態で親指を立て気味にすると、4本の指に順次角度がついて、螺旋《らせん》階段の形に。造形でもこの動きを再現すると生っぽい手の表情になります。

手の平の隙間は埋めておく

女性らしさを表現するときに、ストレートにギュッと握った握りこぶしではなく、「ごくゆるく、握るともなく握ってる」くらいのグーは非常に有効です。ただ、自分でやってみるとわかりますが、このゆるいグーは手の平の中心部に乾電池2本分くらいの空間、隙間が出来ます。フィギュアの場合こうした隙間は複製泣かせなので避けたいところ。大きなサイズではさすがに目立つので指を分割することになるのですが、1/8スケール程度ならここは埋めた状態で疑似的に塗装で表現することにして、塊として造形⇨複製しても特に問題は無いと思います。

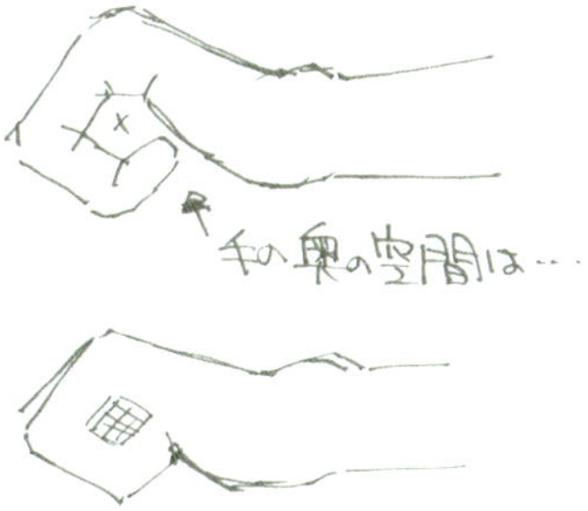

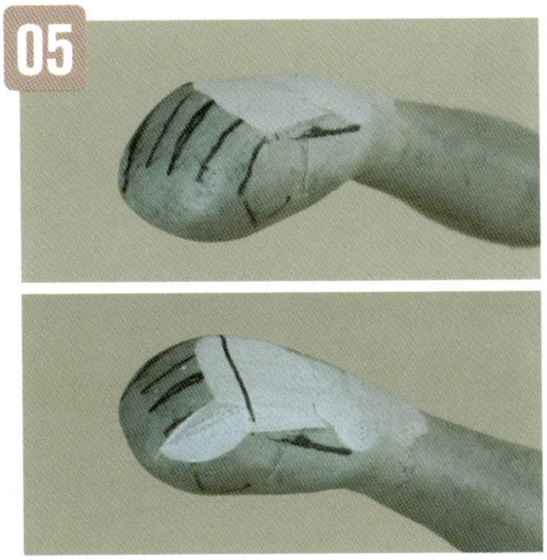

手の甲から順に削り出し

下書きを元にまずは手の甲を削り出します。パテを固めたラインが若干むくんでいたのですっきりとした2次曲面に。ただし、平らすぎるとメカっぽくなるので全体に扇型のゆるい曲面に留めます。下写真は、次に小指を階段状に削り始めたところです。

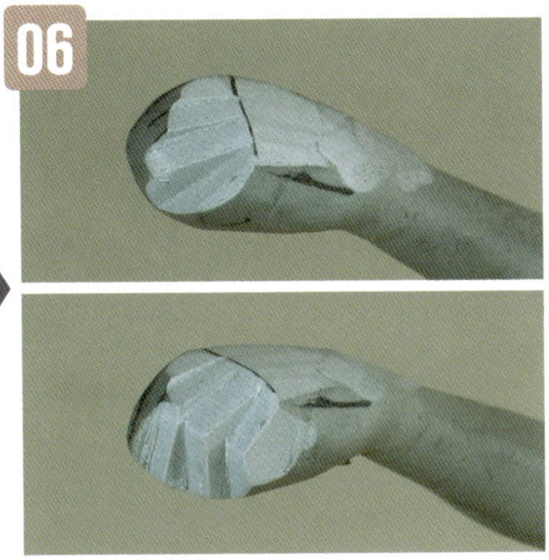

指を螺旋《らせん》階段状に

第1関節の先1節分を順次、角度を立てるようにして削り出していきます。形を捉えやすいようにこの時点では平面的に。次に第2関節の先の1節分を同じく角度を変えながら削り出し。角度だけでなく1節ごとの長さも指によって微妙に異なるので自分の手指をよく見ながら……。

親指も段差として削り残す

今作っているのは左手首なので、回転させた画像のこちら側が親指になります。こちらは人差し指の側面を立てるように削り込んで、結果、親指を削り残すイメージで。また、親指の内側は複雑なので後回しにしています。

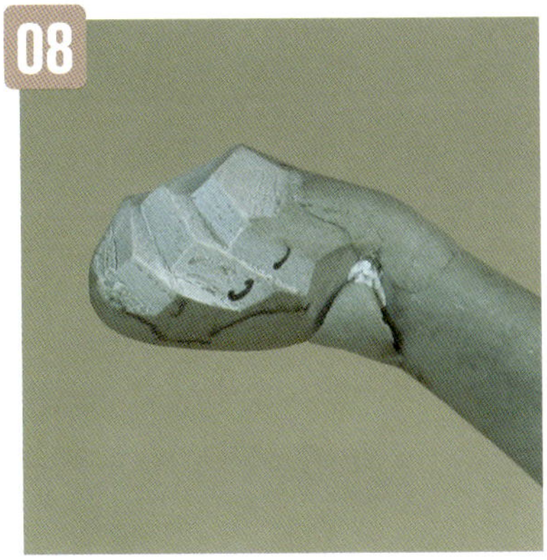

指先に向かって回り込むように

第3関節の先を同じように順番に削り出していきます。これまで塊として埋まっていた手の平側に指先が順次回り込んできて、ゆるく握った指が掘り出されてきました。指は若干斜めに生えているので、握り込むと指先が内側に収束するようなカタチになることに注意を。

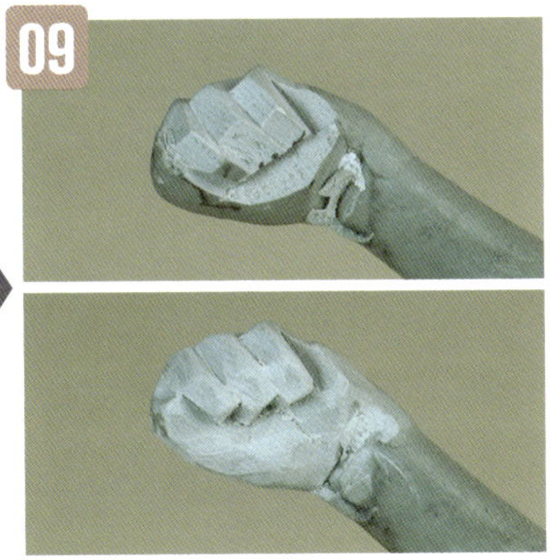

最後に手の平を凹ませる

指先を食い込ませるように削り込むと、結果的に手の平との境界が現れてきます。そこを基準に親指の付け根の盛り上がり部分をぷっくらした曲面として削り出し、さらに手首の接続部を整形、ここまでで手首の構成要素が出揃いました。ここからさらにバランスを調整していきます。

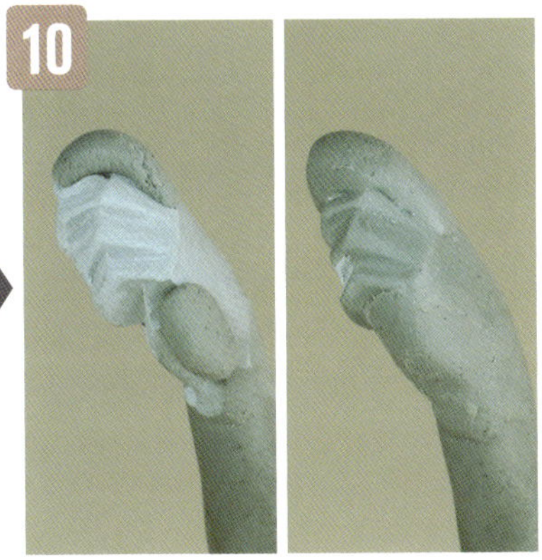

足りない部分には肉盛り

ボリュームとして足りないのは、まず小指の外側の手の平。握ったときに折れ曲がりながら外に飛び出す肉付きのよい部分が足りないのでエポパテを盛ってなじませます。また、他の指よりも立てているひとさし指も少し足りないのでパテを足しました。

第3章⑤

手首、指を仕上げる

CHAPTER

02

開いた手の造型

開いた手の作り方、ここでは板状のパテからの削り出しを挙げています。他に細い針金を芯に指をまとめる方法や、パテが軟らかいうちにハサミで5指を切り分けて整形する方法などもありますが、初めての方にはバランスをじっくり確認出来るこの写真の工法がとっつきやすいでしょう。ここでも固定観念で思い込んでいる開いた手が足をひっぱる部分がいくつかあります。手は背中や全体のポーズと違って自分の手をじっくり全方位から見ることが出来るので、男女の差や手自体のスタイルの良し悪しはありますが微妙なポーズ、関節の動きなど、どこがどう似てないか考えながら作っていきます。

01

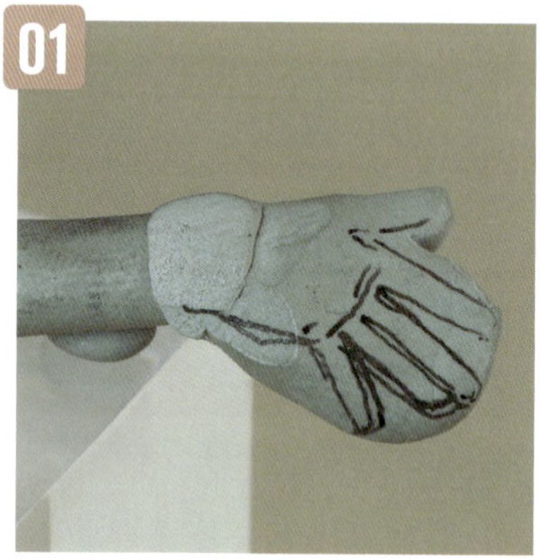

手の平サイズの板からスタート

右手は最初の修正で肩から分割しているので、そのまま加工していきます。こちらも指を描き込んでみて基本になる板部品の大きさを確認します。ただ、こちらはゴールの手のサイズより多少小さくても、指の基本形を削り出してから指先をピンポイントで延長できるので握りこぶしよりも融通が効きます。

02

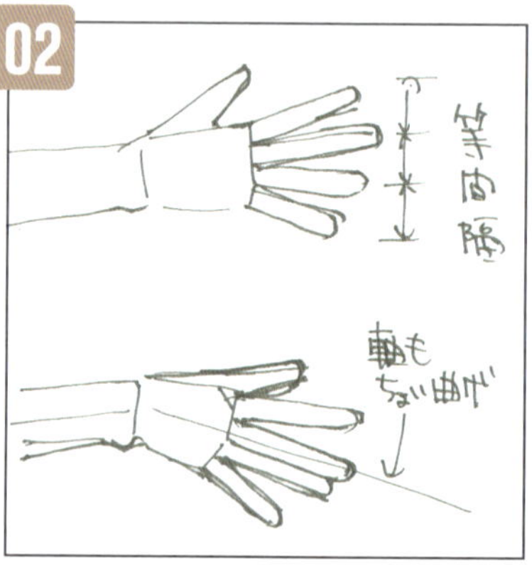

指は1-2-1がカワイイ

これはリアリズムというよりは演出論になるのですが、指を開くときに5本が均等に開くと「開くポーズとして開いてる」感じに見えます。実際には筋肉の都合で自然に出来ない人も多いのですが、図のように中指と薬指をくっつけて、1-2-1の配置で開くと女性的でかわいらしくまとまります。

03

ポイントになる所から削り

下書きに沿って削りはじめます。まずはポイントになる箇所から少しずつ。その1-2-1の間、小指の外側、親指とひとさし指の間などを手の甲側から削ってシルエットを出していきました。これはポーズ付けの段階でのポイントですが、手首の角度が曲がっている点にも注目を……。

04

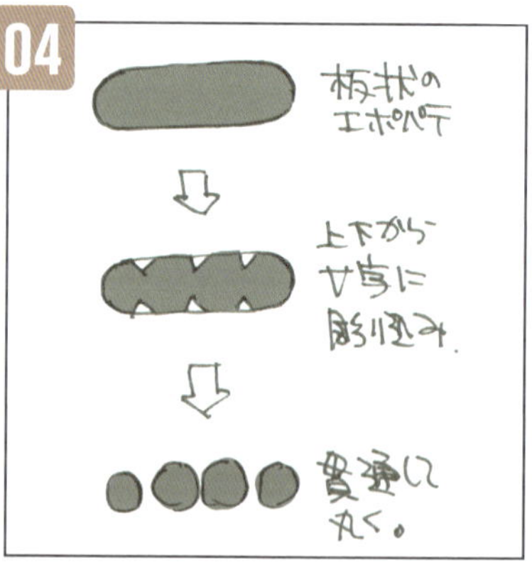

指の間はV字のミゾで抜く

指の間はストレートに削ると強度が弱くなって折れやすいので、表裏からそれぞれV字のミゾを掘り進めていって、出会ったところで貫通とすると十分な断面積をキープしつつ指の断面も適度に丸く仕上がります。

指が“触手”にならないように

初心者の方が陥りがちな手の失敗で一番多いのは、指を細く削り過ぎて触手っぽくなってしまうケース。指は1本1本独立した筒状の部品、という固定観念にとらわれていると指の間の隙間を必要以上に開けてしまいます。ここは実際にはかなりゆるいRの水かきでゆるく繋がっていたり、ちょっと指を揃えるだけで指同士は密着するので、全力でガッ! と横に指を開かないかぎりはそんなに指の隙間は開かない、と思っていてちょうど良いでしょう。ちなみに指に限らず、“叉”状に分かれる部分は“突き当り”の処理がキモであり結構個別に違う(指の叉:斜めの幕が下に向かって水かき状。脇の下:ゆるい逆R。曲げたひじ:鋭角に切れ込む等々)ので、迷ったら意識して調べてみてください。

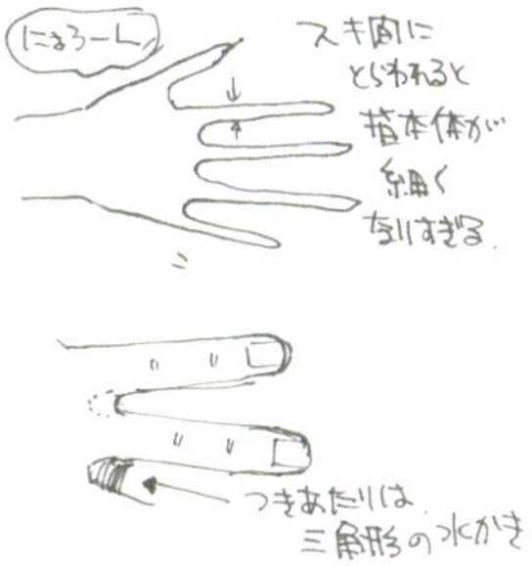

手の甲の面を整理

握った手と同じく、手の甲をゆるく扇状に曲がった2次曲面として削り出します。そこを基準に指の“背”側の面を曲げた角度に合わせて削り進めていきます。

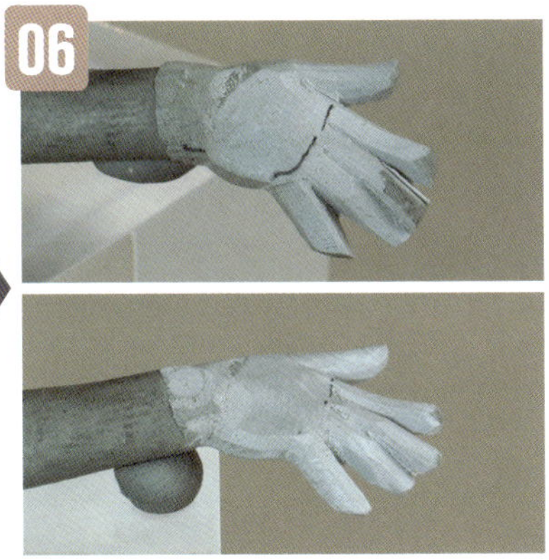

指はまた階段状に

こちらの手も、小指に向かって指を曲げる角度を深くしたポーズなので、順次螺旋階段状に角度をつけて削り込んでいきます。削るにつれて指の間のミゾや隙間が浅くなっていくので、随時掘り足しながら指の表情を整えていきましょう。

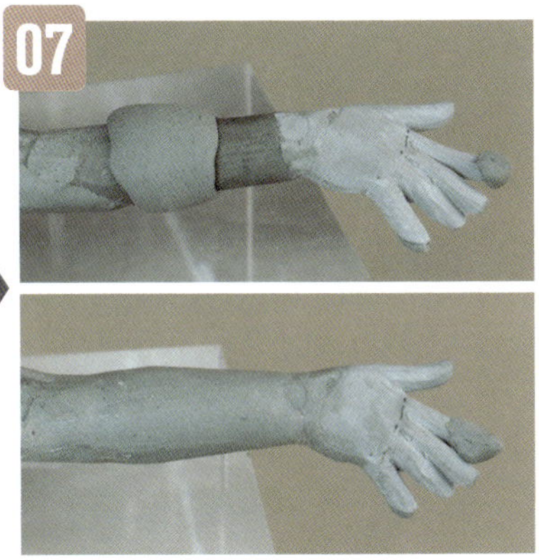

足りない部分に肉盛り

前のページと同じようにボリュームの足りない部分が出てきたのでここでパテを盛り足します。今回もひとさし指の先端が角度、長さともに足りなかったのと、前腕もちょっと痩せすぎていたので同時にパテを薄く巻きつけてからなじませました。

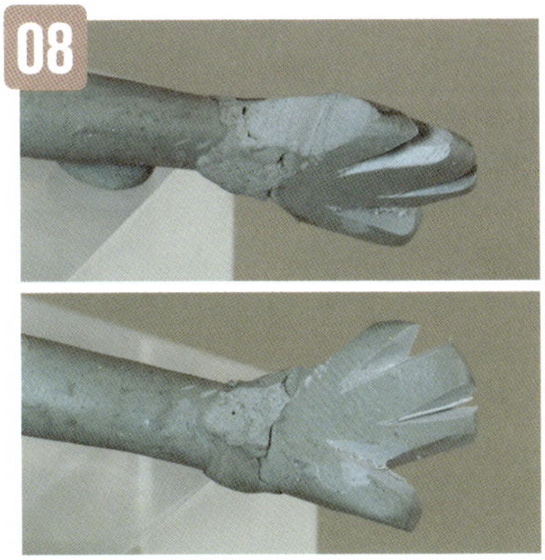

手の平側もポイントから

レイアウトの都合で順番が前後していますが、左ページ③写真の時点に対応する手の平側がこちらです。指の間のV字のミゾを掘りはじめていますが、手の平はまだ厚い塊のままです。

輪郭➡手の平と削り込み

手の甲側の形がある程度見えてきたところで手の平側も外周部分から徐々に削り込んでいきます。ある程度厚みのある部分(親指の付け根等)は山として削り残し、手相のラインなど谷になる折れ線を探りながら凹ませるイメージで削り進めていきます。

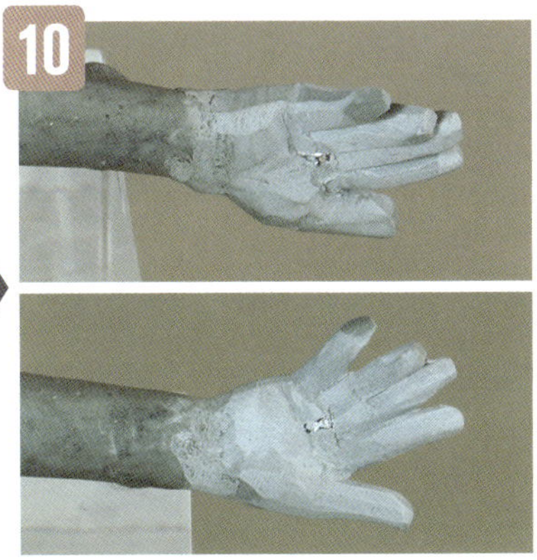

最後に指の間を抜く

裏表両側から追い込むようにして、指先まで狙った曲げ角度で厚みが調整出来たら、最後に指の間、V字のミゾ同士を貫通させて指の隙間を抜いてやります。この直前まで強度をキープするために繋がった状態。指先はここでようやく先端に向かってまるめるように表情をつけます。

第3章⑤

手首、指を仕上げる

CHAPTER

03

角を丸めて 爪を造型

形状を捉えやすくするために、エッジを立てた平面の組み合わせで形状を出してきた手首の整形ですが、ポイントは「面はシンプルにしても微妙な角度や曲がり方は単純化しない」こと。握りこぶしで言うと、手の甲の面と手の平の面は平行ではなく、前に向かって広がります。ここを単純化して平行にすると、ロボっぽくなって生身の色気が抜けてしまいます。その積み重ねで外形が出来たら、いよいよエッジを丸めて仕上げていきます。

01

ペーパーがけ+ナイフ作業

CHAPTER01でパテを盛り足した握りこぶしをざっと整形、#180サンドペーパーをかけてエッジを丸めてから、さらに要所要所をナイフで削り込む途中です。ペーパーだけでは全体にぼやけるばかりなので、微妙な曲率をコントロールしたい部分には、刃物を組み合わせましょう。

02

指の間の隙間も彫り込み

後回しにしていた、曲げた親指、ひとさし指の内側をナイフで彫り込んでいきます。ここでも自分の手をよく観察して曲げてつぶしあう指の腹側の肉の折れ込み方を再現しましょう。折れ込んだ谷の深さは、つぶれあうので案外浅く、折れ線の谷に至る曲面はくるっと丸め込まれています。

03

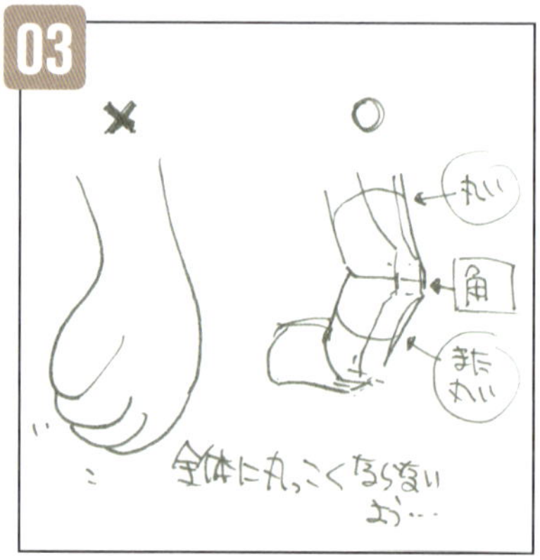

角ばってるところを丸めない

曲げた指の断面は、骨が浅くなる関節部で角ばって、その間に肉の丸みが出ています。漠然とペーパーをかけると一律に丸っこくなるので注意。かなり上級者向きになりますが、慣れてきたら順次変化する断面の骨部分を、エッジを立てるように削り出してやると造形が締まるポイントです。

04

やりすぎるとオッサンの手に

現実には手の造型には案外性差はなくて、女性の手もキュッと握ると腱や関節がコリッと浮き出るのですが、このあたりは「強い人の記号」でもあるので、美少女フィギュアの場合はほどほどに抑えておいたほうが良いかもしれません……。

握るでもなく握る“グー”

歌手のスガシカオが昔ラジオ番組で「好きな女性の仕草は?」と聞かれて「パスタを食べているときとかの、フォークを握ってないほうの手が遊んでいるときに、よく握るでもなくふわっと握ってるじゃないですか? ボク、アレがたまらなく好きでねぇ……」と答えてました。分かります……。フィギュアを作るときに、手を女性らしく表現するため、前後に細長く見せることがあるんですが、その際に、硬く握るグーよりも、このゆるいグーの方が手が細長くまとまるんですよ。現実には、この手ができる女性は女子力の高いごく一部ではあるんですが、造形には積極的に取り入れることにしています……。

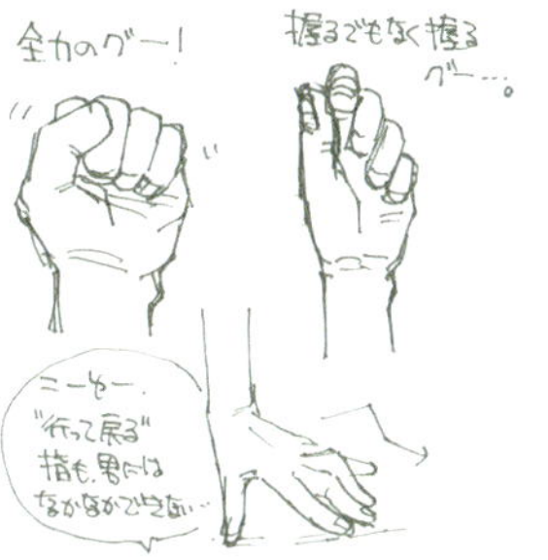

折らないように手を添えて

開いた手のほうも最後に盛り足したパテを整形します。伸ばした指先なのでそのままナイフを当てると大きな曲げモーメントが働くので、ここでも削る力を受けるように加工するパーツ先端に持ち手を添えるようにします。刃先が滑ってケガをしないようにくれぐれも弱い力で刃物を進めてください。

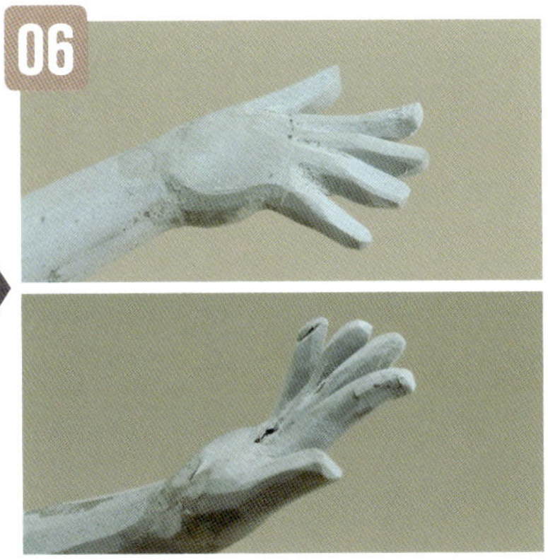

サンドペーパーで丸める

形状が出たところでサンドペーパーがけ。指がまだ気持ち太いのですが、ざっと面を整理して確認してみました。指の角度と断面、また案外隙間が狭いことに注意してください。

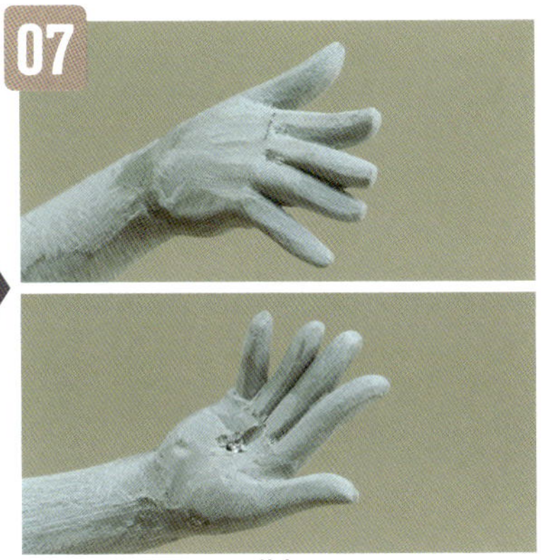

手の甲には腱《けん》を表現

指を少しだけ細くして、手の甲にはうっすらと腱を彫りました。正確には腱の部分を凸として残るようにその周辺にゆるい逆Rを凹みとして彫り込んでいます。デザインナイフの刃先を、スナップを効かせてゆるく半回転、切れ込み過ぎないように加工します。

爪を作る場合には

爪は、このスケールでは省略しても気になりません。今回も入門編ということで迷ったのですが、上級者向けのおまけとして加工しています。爪を再現するにはその基部となる指先の形状が大事になってきます。指先の曲率が尖り過ぎていたりすると、その影響でなかなか上手く彫れません。

爪はフォルムと両脇で

まず元になる指先を爪と一体で形状を出します。ポイントは指先の表側が逆反り気味の上下非対称になること。そのフォルムを元に両脇にほぼ平行なゆるい谷折りを彫って、曲率を変えてやります。爪の根本はごく薄い段差で半円形に。はじめての人は大きめのダミーで練習してみましょう。

爪&そっくり返った指先

とりあえず親指の分だけですが爪を彫ってみました。造形で表現するのはこの程度に留めて後は塗装で爪に見せましょう。また爪がまだの指も指先が逆反り気味なのが分かると思います。このフォルムでまとめてあれば爪そのものの彫刻がなくても、実は違和感は案外ありません。

第3章⑥

パーツ分割

CHAPTER

01

パーツ分割のポイントと検討

芯➡ポーズ➡裸➡顔➡髪➡手首、ときてざっと基本要素が揃ったので、ここからはパーツ分割を解説していきます。これも実際の作業の際には明確にココで！と順番が決まっているわけではなくこれまでも作業用に頭や手首をバラしてきたように必要に応じて適宜カット、修正していきます。今回は水着なので、特にいつでも分割できる＝裸の素体にアクセスできるのですが、衣装によっては服を着せてしまうと分割が難しくなることもあるので、その場合は服を着せる前のこのあたりで分割と服の造型プランを立てて、バラしながら服を作っていきます。

01

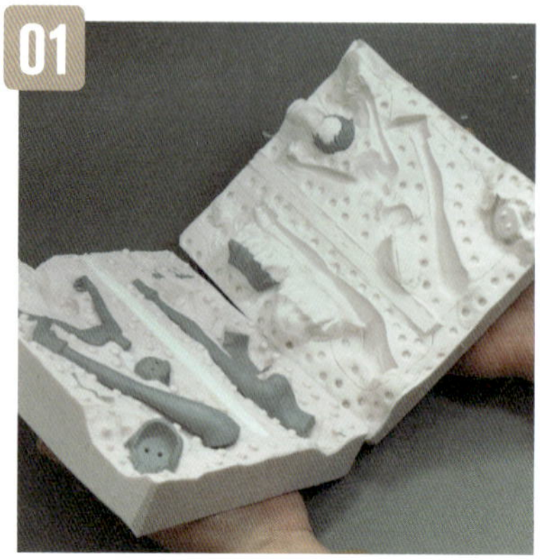

複製のために分割

ゴム型複製では基本的にたい焼き器のような両面型を使うので、重なりあった部品は複製出来ません。フィギュアの場合では髪やスカートなど、パーツが折り重なって層になっていたりするのですが、そのままでは抜けないのである程度複製しやすいように原型を分割して仕上げます。

02

分割＝誤差のもと

市販の完成品やトップクラスのレジンキットほど凝った分割になっていますが、これはトップクラスの分割技術があっての話。慣れないうちは分割箇所で寸法の誤差が出て、分割よりも大事な、魅力に直結する全体のデッサンが狂うという弊害が出るので、むしろ最小限の分割でいきましょう。

03

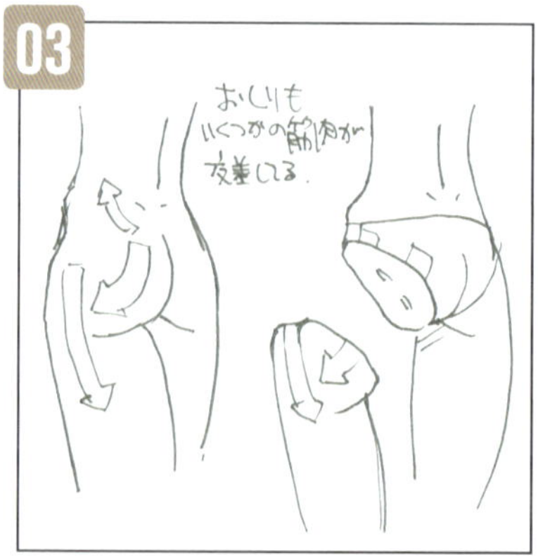

なるべく後に

早い段階から分割して整形を進める初心者の人もいますが、分割箇所の多くは肩やおしり等関節部分なので、分割面をまたいで筋肉が複雑に交差しています。ですからそうした人体デッサン的にも難しい部分は一体のまま進めて、ほとんど外形が仕上がってから分割したほうが良いでしょう。

04

仮に切って戻す

今回の胴体脇等は、そうは言っても腕がじゃまして手が入らないということもあります。そこで妥協案として腕を一度（ラフに）カット、脇部分を作ってから、肩周りを作るために再度接着⇨パテを盛って修正しました。このように後で戻すことを前提に仮の分割も多用しています。

分割検討図を描こう

今回はかなりシンプルな衣装と分割ですが、ちょっと凝ったポーズや服になってくるとすぐに頭のキャパシティを超えてしまいます。特に立体的に互いに影響しあうものを要領よく考えるのは、実は人間の脳は苦手な部類(脳は複雑な立体を、シンボル的2次元的に捉えることで容量を節約するようにできている)なので、こういうことはすぐに紙の上のバッファに追い出してそこで考えましょう。最終的には現物でも試行錯誤するのですが、簡単でもいいので絵で考えると思わぬいい分割が出てきたりもしますよ。

かんたんな
モノでもO.K.

05

そういう意味で
セーラー服は
分割は楽
です。

隠れるところがベスト

分割面は可能ならば衣装や装備などで隠れる部分にもっていくのが良いでしょう。接合面を離型処理でぴったり作れたとしても、複製時の微妙な変形で合わなくなることもありますが、こうした隠れる面ならその誤差も目立ちません。

06

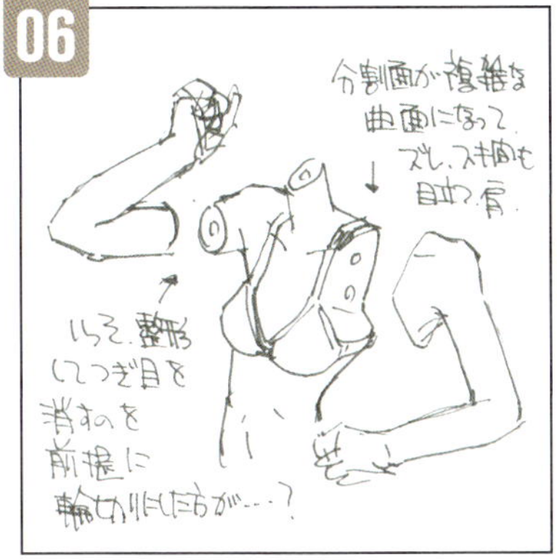
分割面が複雑な
曲面になって
ズレ、スキ間も
目立つ。肩
いっそ、整形
してつぎ目を
消すのを
前提に
輪切りにしたほうが…?

いっそ輪切りでも

水着はその意味ではなかなか分割面がとれない難題です。仮に腕を割るとすると、水着の線で切ることになりますが、面が複雑にうねる上にちょっとしたズレや変形も目立ちます。こうした場合はいっそ上腕のシンプルな断面で輪切りにして接着線を整形して仕上げるパーツ構成にしてもいいかと思います。

07

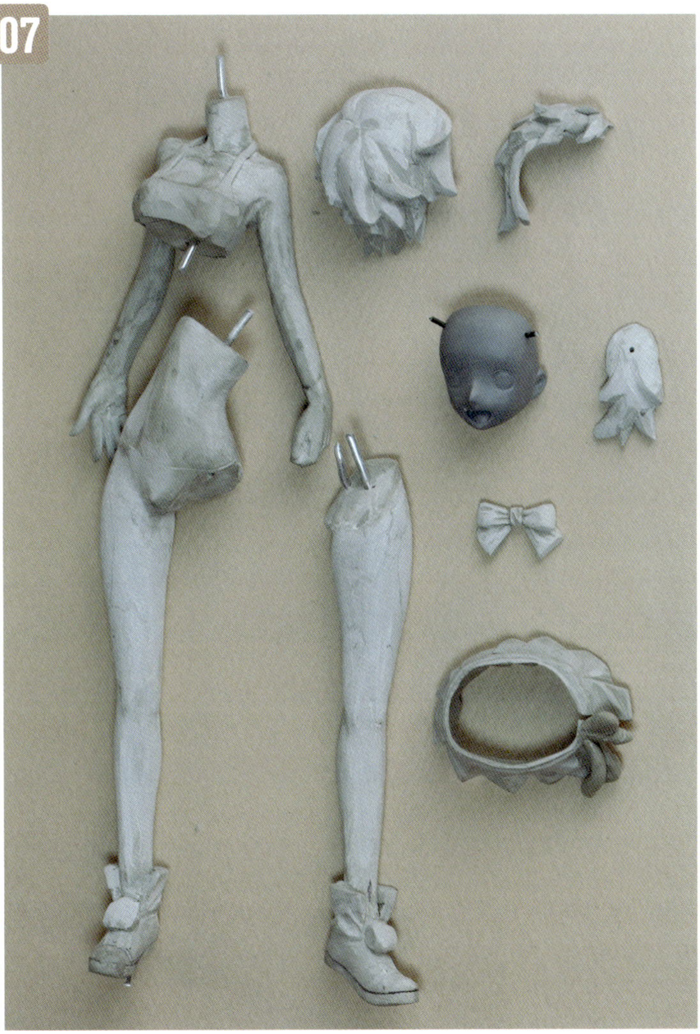

今回の分割

ということで、この例題も水着なのですが、幸い腕はシンプルに広げているポーズなので、ビキニ系分割の裏技、ブラ線の下で胴体を輪切りにします。肩の線より目立たない上に複製も簡単になります。クロスした脚は片方をパンツの線でカット、両足を切る場合もありますが、今回は片足は一体として誤差を少なくしました。頭はこれまでのページでお見せしたように髪を造型する段階で離型処理で作業して3分割、水着はパレオだけを別パーツで。これは次のパートで説明します。上の写真は、概要説明のために先行して載せましたが、次ページ以降でそれぞれの分割工程を詳しく解説していきますね。

第3章⑥

パーツ分割

CHAPTER

02

パンツの線に沿って脚を切る

ではここから具体的な分割工程に。まずは一番基本的なパンツの線に沿って脚を切る方法をお見せましょう。今回は水着ですが、スカートのキャラでも今はほぼ100%パンツが再現されているので、美少女フィギュアをつくる上ではほぼ必須の必修科目でしょう。軽量タイプのエポキシパテは、硬化後も比較的軟らかいので、このサイズだったらナイフの裏刃だけで十分。もっと硬い素材(ポリパテや金属用エポパテ)や大きい原型ではニッパーの刃先で砕くのを組み合わせることになります。

01

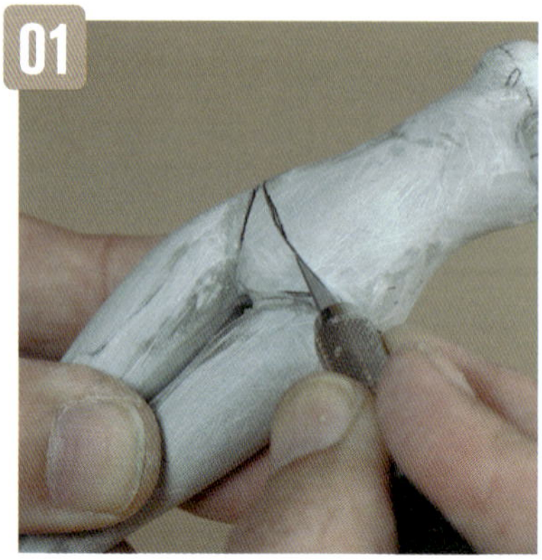

水着の線を下書き➡ナイフ

水着のカットラインはちょっとした角度や曲線のカーブのもっていき方で、おしりや股間のラインをキレイに見せることになるので良い資料を探して、丁寧にいいラインを探りましょう。下書きに納得したら、その線に沿って軽くナイフで切れ込みを入れてアタリをとります。

02

切る前に水着の食い込みを再現

ポイントやコツは次のパート(P.104)で詳しく書きますが、パーツを切っていく前におおざっぱに水着に見えるように削りを入れておきます。具体的にはカットラインに沿って、境界面の肌側を丸く削り込んで、皮膚がゆるく食い込んでいるのを再現します。

03

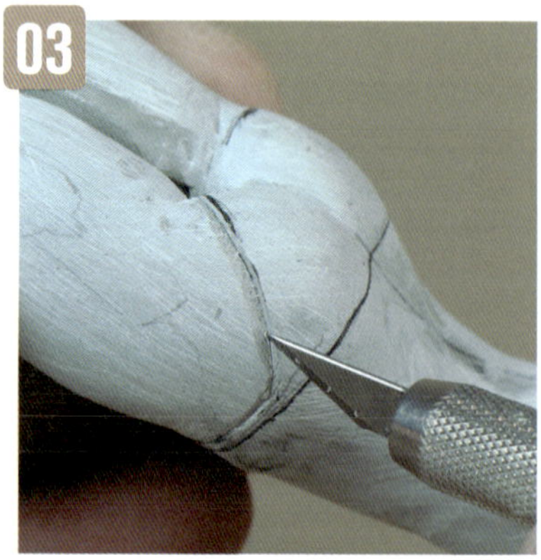

分割ラインに沿って切り込み

食い込みが彫刻出来たら、いよいよカット。まずは切り口になるラインをナイフで強めになぞって切り込みを入れていきます。股間等、刃の入らないところはそのままで、それ以外のところをぐるりと一周、次工程の裏刃を使った作業で刃がズレないガイドとして彫り込んでいきます。

04

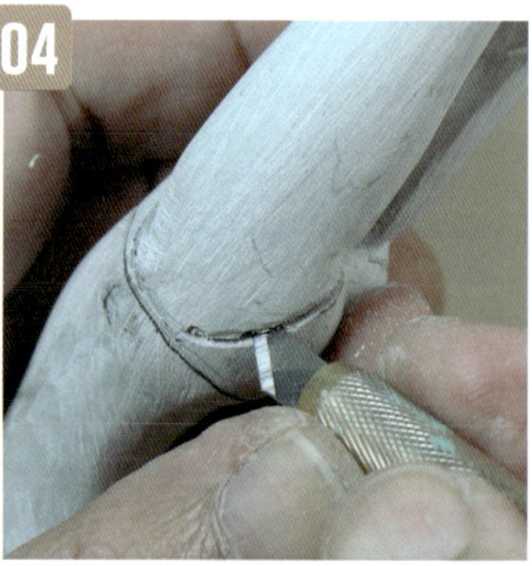

ナイフの裏側を使って深いミゾに

デザインナイフの刃先0.5mmほどをペンチで折り取ると、その刃の背側は、極細のノミ(ノミの幅=刃の厚み)に見立てることが出来ます。この裏刃を正面に押すように使うと、少しずつですが一定幅の深いミゾが掘れるので、これで先のカットラインを延々深くしていきます。

カットラインを直線にしない

おしりを斜めに横切る水着(もしくはパンツ)のカットラインは、美少女フィギュア造形にとって良くも悪くも? 最大の見せ場です。分割面のすり合わせの精度を考えるとここはスパッと平面で切れていたほうが良いのですが、本物の水着がこの微妙なラインに命をかけてデザインされている以上、そんな無粋なマネは許されません! キャラクター性にもよりますが、おしりの内側でRに、それが途中で切り替わって外側で逆Rになるのが基本。これをベースにいろいろ研究してみてください。

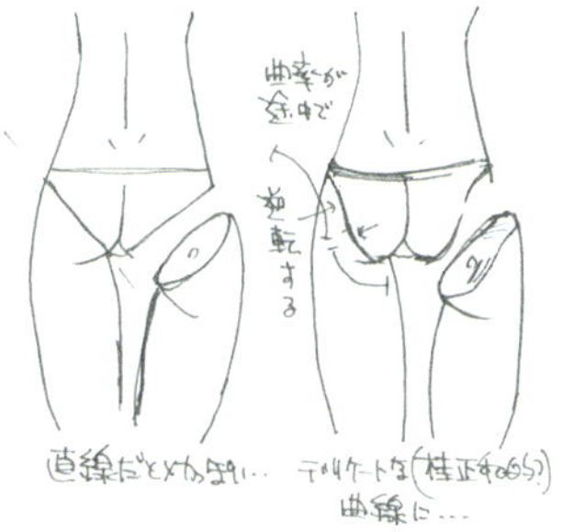

05

ニッパーで"割り広げる"と……

ミゾが5mmほどの深さで1周したら、そのミゾの一端に薄刃ニッパーを当てて、こじるように割り広げてみます。テコの原理で残っていた接合部が割り切れるようにしてパキッと脚が外れます。ニッパー周辺の面は多少痛みますが、離型処理の際に同時にパテで補修しましょう。

06

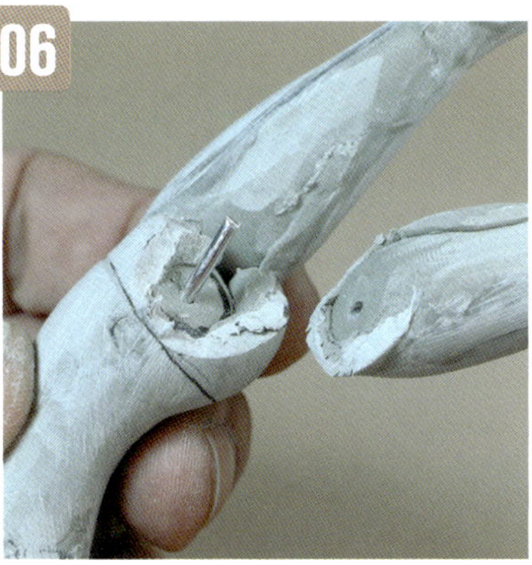

元々別パーツなのでバラける

今回のカットラインは最初、芯にポーズをつけた際の、太ももと腰のパーツ境界にほとんど一致していたので、ポーズの固定に使った外周のエポパテ(P.042③)を切った程度で簡単に分割できました。ハイレグ等でこのラインが一致していないときはもう少し深くまでミゾを掘ります。

07

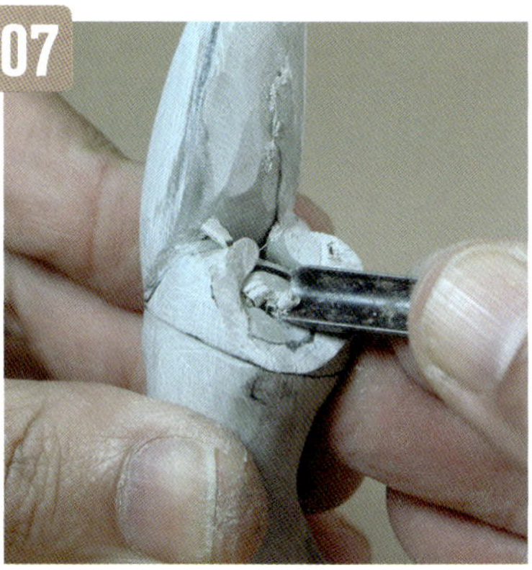

分割面の凸凹を丸刀で

切り口の状態によっては片側だけの処理でOKな場合もありますが、この分割面は両方とも荒れて凸凹しているので両方を滑らかに整形します。まずパンツ側をゆるい凹曲面になるようにパワーグリップ(彫刻刀)の3mm程度の丸刀でえぐるように削り込み。深すぎると複製できないのでほどほどに。

08

さらにサンドペーパーをかける

さらにサンドペーパーでなめらかに。凹曲面はモーターツールがないとキレイにならない、と思っている人もいますが、彫刻刀+サンドペーパーでも十分。軽量エポパテ等の軟らかい素材の場合、食い込みすぎることもあるので、パワーのある電動工具は、かえって使いこなしが大変かも?

09

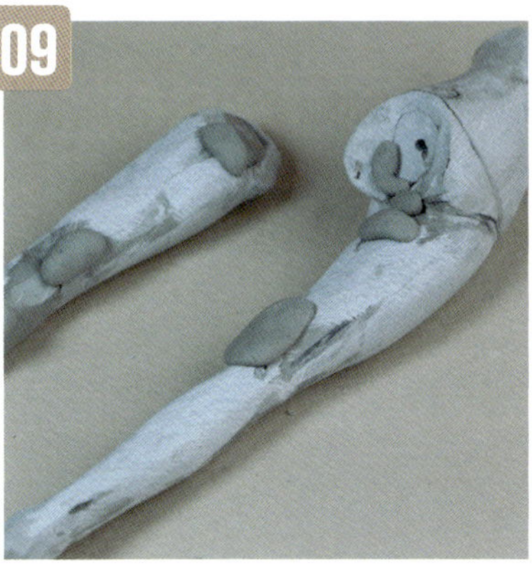

欠損部分にパテ盛り

分割面の凹み、股間の隙間になっていた一角、さらにクロスした脚の重なっていた部分等、脚を切って初めて加工出来るようになった欠損部分にエポパテを盛り足します。ポーズをつけてからずっと放置していた部分ですが、こうして見ると案外追加加工が必要な部位は少ないことが分かります。

10

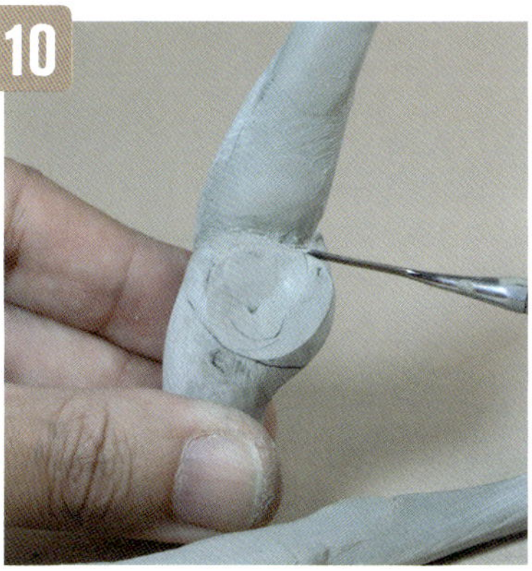

うすめ液でなじませる

いつものように、ひと呼吸おいてパテの小片が密着したところでアクリル溶剤をつけた指やへらで伸ばしながらなじませます。股間部分はすでに土手の前後からの加工である程度のラインが整っているので、その間を補完するようにへらで丁寧に曲面を押し込んでいきました。

第3章⑥

パーツ分割

CHAPTER

03

離型処理でピッタリ合う面に

髪のパーツを作るときに登場した「離型処理」、ワセリン等の固型油脂を塗っておいた面にパテを押し付けて硬化させると、ぴったりあった面が簡単に作れる、という工法です。その離型処理が最も力を発揮するのがこの分割工程。ナイフ等で切った面が荒れたり、切りしろ（刃物の厚みの分、部材が削れて短くなる長さのこと）の分を補いながらぴったり合う面を作るのに活用します。ただCHAPTER01で書いた、「分割面で出る誤差」の原因のひとつでもあって、油断するともとより長くなったり接合部の角度や関節の位置関係がズレたりします。油脂を塗った面に部品を戻すように押し付ける際には、元の位置関係をキープするように気をつけてください。

01

手が入らなかった部分を修正

前工程でパテを盛った、脚の内側のラインを改めて整形します。脚の内側は筋肉や腱の重なり方の影響で微妙な凸凹が組みあわさった面になっています。そこの凹ませ方で太ももの柔らかさも表現できるフェチポイントです。

02

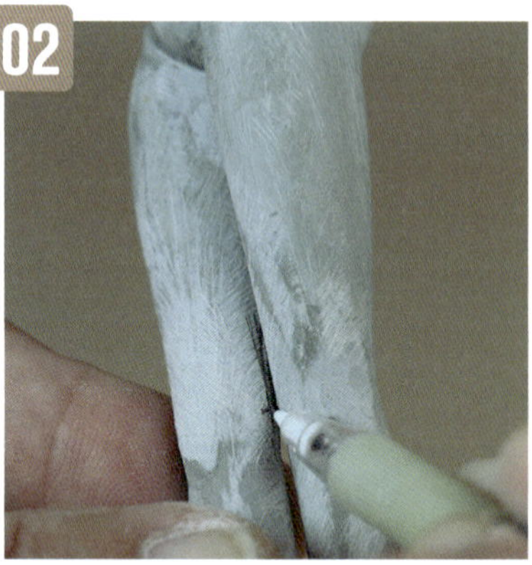

干渉部の処理、鉛筆で線

ポーズをつける際の軸穴が生きているのでそのまま新しいアルミ針金を差し込んで、整形した脚を仮合わせ。すると、パテを盛った内ももがぶつかって干渉していました。このままでは元の位置関係に戻らないので干渉部を削ります。まずは部品の接点を囲むように鉛筆で線を引きます……。

03

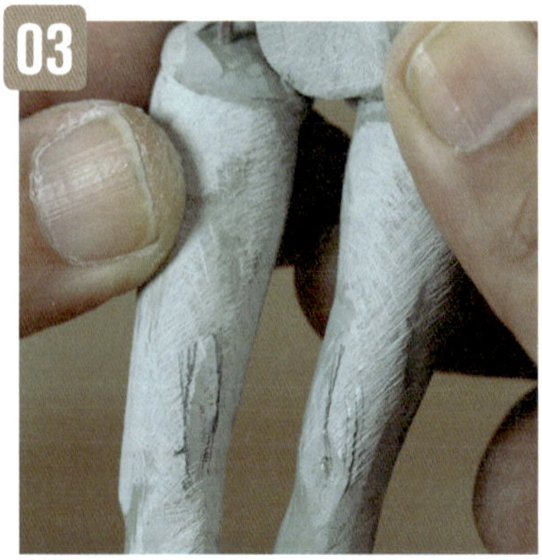

その間がぶつかっていたので……

そのまま脚部品を外すと、両脚ともに干渉部を囲む鉛筆線が残ってします。この内側が相互に触れあっていた部分なので……。

04

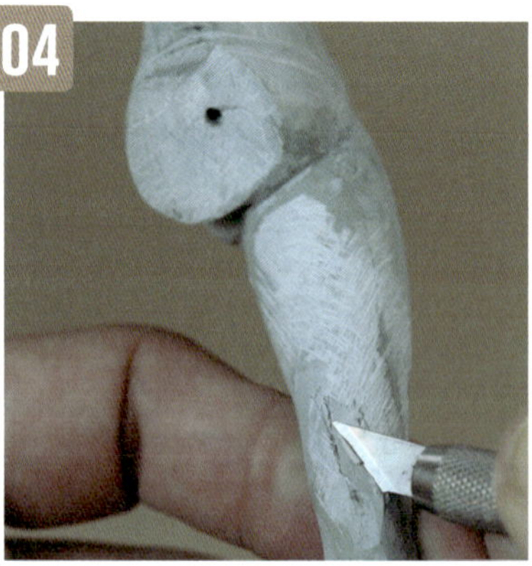

そこを平らに削り込む

その枠線の内側を様子を見ながら平らに削り込みます。キャラクターの肉づきにもよりますが、肉同士がつぶしあっているということでぺったりと平らにすると柔らかさが、逆に枠線の外側に向かってなだらかに削って逃がすと、痩せた感じに仕上がります。

分割の変更

下記のように作業途中で分割を変更することもよくあります。今回のポーズでは実際にはどちらの脚を分けてもいいのですが、軸足（ここでは重心がかかっている方の右脚）が一体の方が最後に完成品を組み立てるときに安定するので、そちらに変更しました。最初の検討図、構想図を描いていても、現物であきらかになるところはいくらでもあるので、やはり臨機応変で。ただ、だからといって、最初の検討が無意味というわけではありません。「失敗のノウハウ」こそが溜まっていったときにものをいうのはフィギュアも同じ。ちまちまコツコツと「小さな失敗経験」を積み重ねていってください。

05

内もものラインが完成

今回はその中間、ちょっとだけ触れあっている程度に見えるように内もものラインを少しだけ痩せさせました。再度仮組みをして、脚のクロスの具合が切る前に戻っているのかを確認します。ちなみに股間と内ももの間に出来る逆三角形のすき間もチャームポイントなのでこだわりましょう。

06

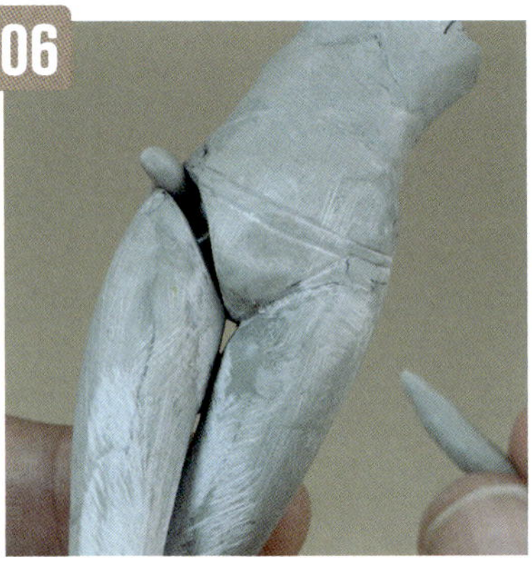

分割を変更、右脚を固定に

すいません……、実はここで分割を変更しました。後ほど（P.125）詳述しますが、ポーズ等を大きく修正、そこで一緒に分割する脚を軸足になる右脚から、添えながら後ろになびく左脚に変更しています。とはいえ工程は同じなので、以降、分割面の離型処理として見てください。

07

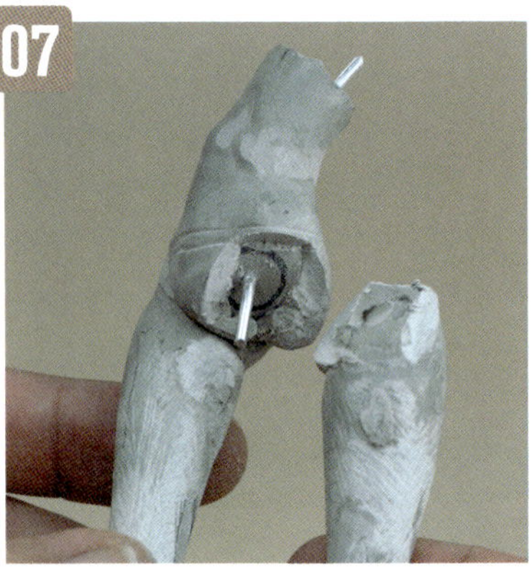

再度左脚をナイフでカット

右脚は角度を調整後、再接着。右写真のようにあらたに出来た隙間をエポパテでまた埋め戻して一体化。その後、ナイフの裏刃で左脚をカットしたのがこの写真です。右脚のときと同じように分割面が荒れているので、半丸の彫刻刀⇨サンドペーパー、と仕上げて滑らかな凹曲面に整形します。

08

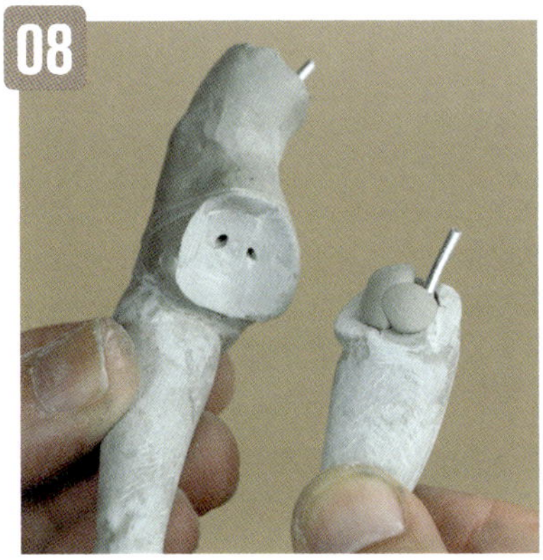

穴を追加➡ワセリン塗布

整形した凹曲面には生きていた軸穴の横にもうひとつ2mmの穴を開けておきます。押し付けたパテに穴の位置が転写され、それをガイドにすればもう1本の固定ピンが平行に打てるので、この先の整形等がしっかりおこなえます。パンツ側にワセリンを塗り、脚側にエポパテを盛って準備完了。

09

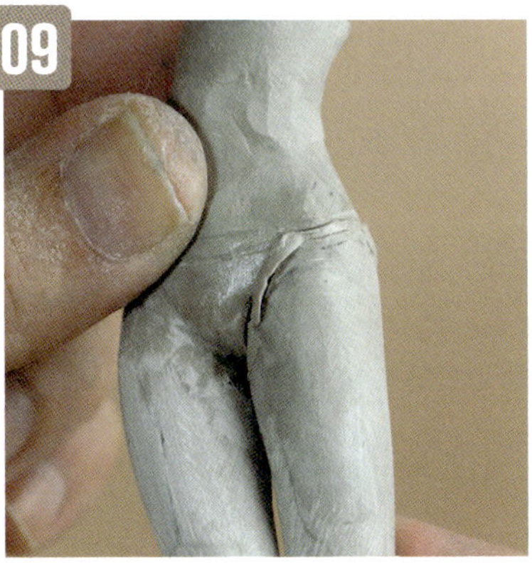

パテを詰めた脚を密着

生きている軸穴のアルミ針金をガイドに左脚を本体にギュッと押し付けます。パテは外側に若干ハミ出すくらいの量がベスト。足りないときは横の隙間から押し込んで追加します。合わせた状態でぐりぐりいじっていると、分割面が浮き上がって隙間になるので、なるべく一気に圧着します。

10

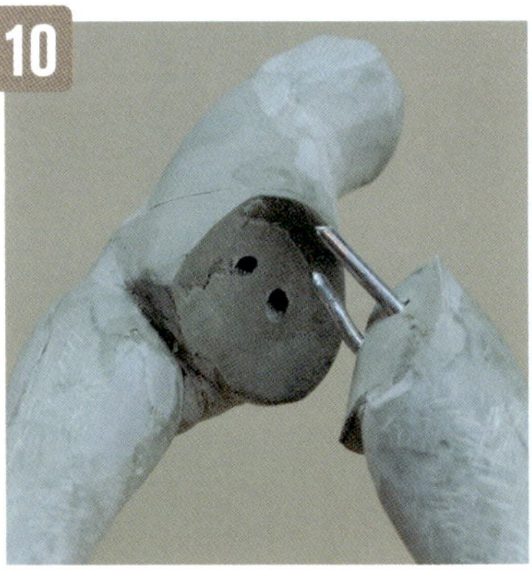

硬化後丁寧に外す

パテが完全に硬化するまで待って脚を外し、ハミ出したパテを整形。転写された軸穴をドリルで深くして2本目の接合ピンを植えた状態です。おしり部分ではそれほど問題になりませんが、ニーソックス等に合わせてももの途中で輪切りにする場合など、部品の回転防止に2本軸は効果的です。

CHAPTER
04

必要に応じて切っては戻す

今回の水着原型で、もうひとつの分割箇所、胸の下をカットします。おろした両腕が邪魔をして、そのままではカットラインには手が入らないので、こういうときはいったん腕のほうをバラします。幸い前の手首を作る工程で両手を外しているので、そのまま胴体を輪切りに出来ました。その後戻した両手は、胴体を切り離したおかげで仕上げ加工も簡単になっています。このように分割作業は単純な1本道ではなく、簡単に戻せることを前提に行ったり来たりしながら進めることが出来ます。

01

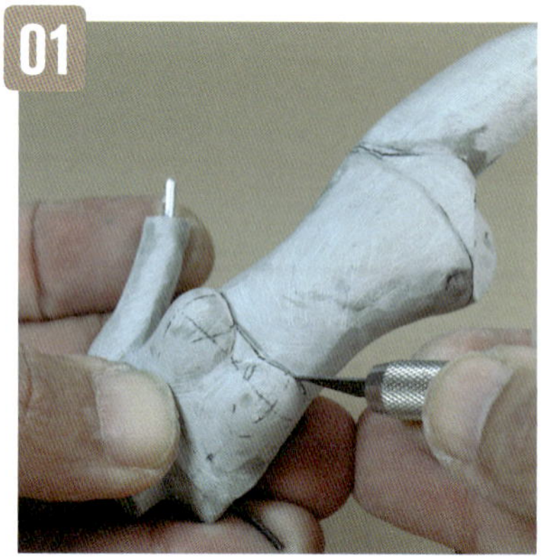

水着の下の線で胴を分割

パンツと同様に水着の線を下書き⇨ナイフでアタリをとって⇨表の刃でスジ彫り⇨裏刃でミゾを深く、と加工していきます。おっぱいにかかる三角ビキニの形はパンツのカットラインと同じく重要です。下のラインはおっぱいの丸みにあわせて半円形に丸めました。

02

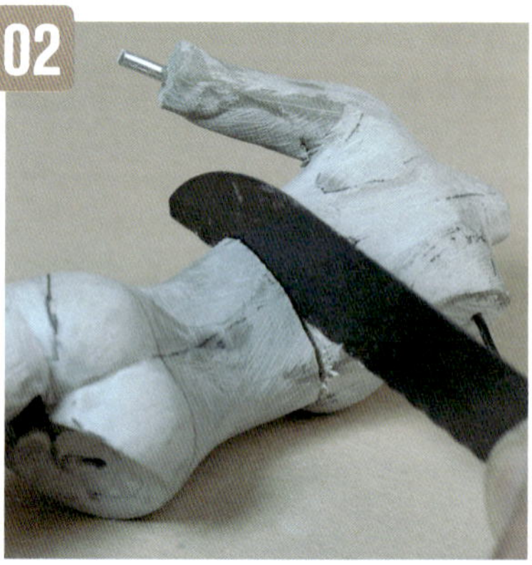

レザーソーも活用

背中も同じくビキニの下のひもの線でカット。ひもそのものは分割後に改めて作ります。写真の工具は大型カッターの替え刃として売られている薄刃のこぎり（レザーソー）。足の付け根よりも芯がしっかりしていたので使いましたが、普通のナイフ+ニッパー作業でも十分でしょう。

03

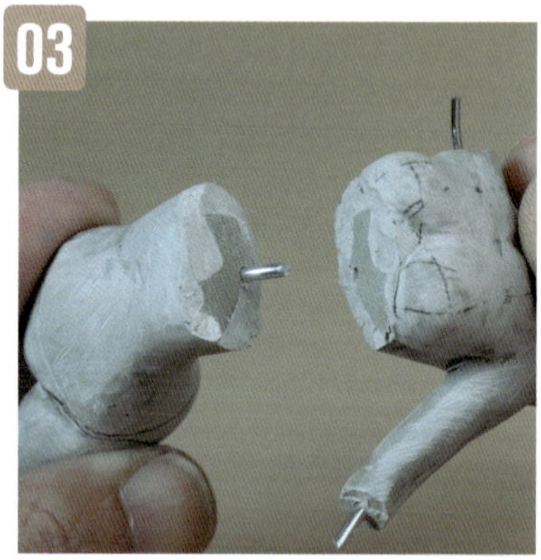

芯に使った針金は残す

そのまま切り進めて輪切りにしたところです。ここでも最初のポーズ付けに使ったアルミ針金が生きていたので、そのまま残して仮組み用に使います。おっぱいのカタチに合わせておなか側のカットラインが曲面になっているのが分かります。

04

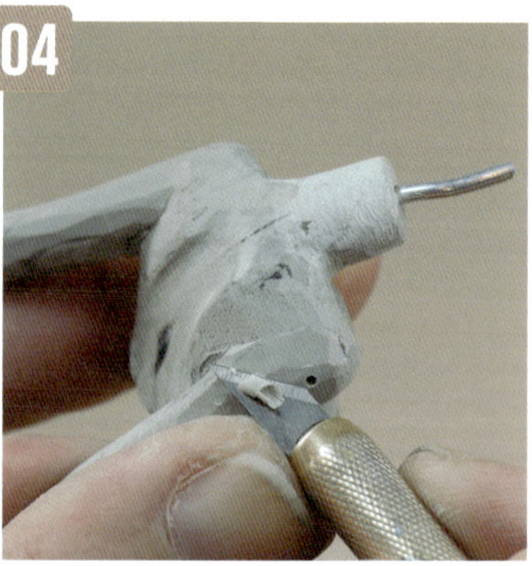

両腕を再接着➡整形

ここで腕を戻すことが出来ます。保留にしていた右腕を、P.053で作った肩甲骨のラインから外れないように注意して再接着。ちなみに分割面の切りしろはほとんど問題にならない程度だったので、切り口を整形、断面を整えただけで、離型処理を使った分割面の戻し作業はおこなっていません。

角ダボの話

複数の部品の組み合わせ箇所を一般に「嵌合部《かんごうぶ》」と言います。その中でも特に図のような四角いしっかりとした嵌《は》め合い部材を「角《かく》ダボ」と呼びます。市販のガチャフィギュア等、PVC（塩ビ樹脂）製の組み立て式フィギュアはこうなっていますよね。パーツの向きもズレずにしっかり固定できるのでレジンキットの原型でも取り入れたいところ。作り方としてはここでも紹介した離型処理を丁寧におこなえば可能は可能なんですが……。いかんせん、凸になっているダボ側は良いのですが凹状のダボ穴側がゴム型では複製が難しいです（この部分のゴムがすぐちぎれる）。もちろん技術的には不可能ではありませんが、初めての人には今回のような凹曲面+アルミ針金のピン固定が現実的だと思います。

肩周りのラインが完成

首の付け根から肩口に向けてゆるくすぼまるラインに整えて肩周りが完成です。手首を作るために切り離していた左手も再接着して分割部分を整形しています。ひじの曲がる角度、手首の表情、首がちょっと前に傾いている様子も分かるでしょうか?

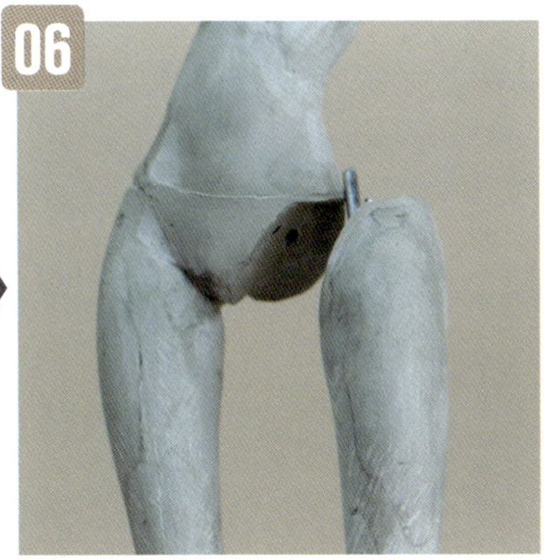

脚の分割はこのように

先ほど離型処理を終えた脚の分割部です。脚の内側が出来たところで、改めて太もものラインを調整、さらにひざの"皿"周辺を仕上げました。またパンツのラインも微調整。このように分割が確定してから造形していく部分もあります。

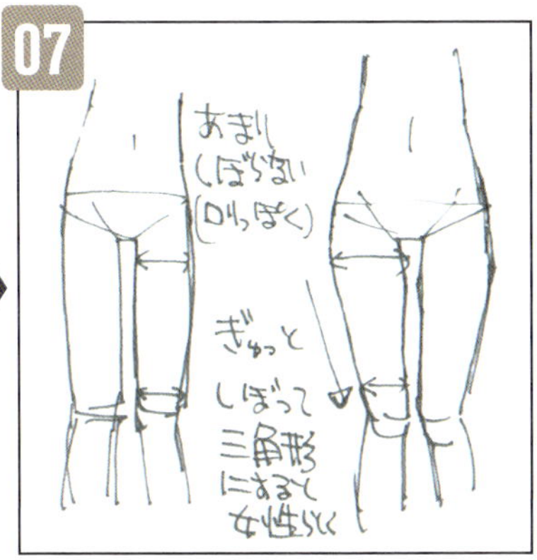

ももを三角形と捉える

これも作家によって違ってきますが、図のように太もものフォルムを下に向かってテーパーの強い逆三角形として捉えると女性らしく、あまり絞り込まずストンと落ちる四角形に近くするとロリっぽくなります。バラしてみたところこのテーパーがちょっと足りなかったので少し強調しました。

重なっていた左ひざを造型

こちらも分割したのでいじれる部分、ということで、重なって隠れていた左ひざを加工しました。ひざの"皿"をやりすぎない程度に再現。ホンモノは結構大きく平べったいのですが、小さ目、縦長に作るとかわいくまとまります。

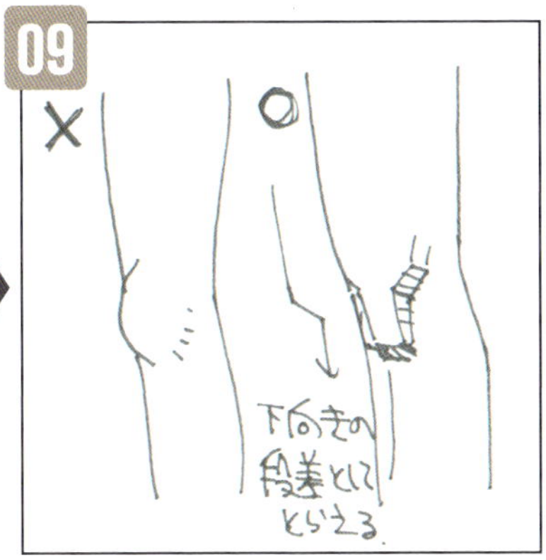

ひざの皿は凸ではない

曲げたときに前に突出するイメージに引っ張られて、直立したときにも、もも前面の線から前に飛び出して造形してしまう人もいますが、伸ばしたとき皿の正面はあまり前に出ません。むしろ皿の左右と下に凹みというか段差を掘り込んで、相対的に骨が「残っている風」に見せましょう。

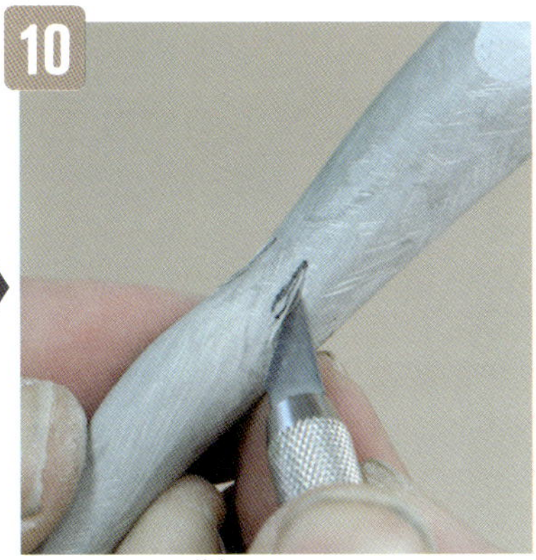

ひざ裏の腱《けん》の重なりも表現

ひざの裏側はふくらはぎの筋肉が上へ、ももの裏の筋肉（から延びる腱）が左右に分かれながら下へ、入れ替わるように交差して微妙な凸凹になっています。ここ近年どんどん注目されているフェチポイントなので、少し生っぽく彫刻を加えました。

CHAPTER

01

食い込み＋しわでパンツを表現

ここから服の造型を10ページに渡って解説します。もっとも、今回扱うのは水着なので、本格的な衣装の造型というよりはそのさわりといった感じです。幸い、流行のレイヤード（2枚重ね）水着で、パレオが付くので、その基本的な造形も少しだけ触れています。
さて、その水着造形ですが、一般的な衣装が素体にパテを重ねていく“足し算”で作るのに対して、食い込みや締め付けの分、素体を削り込む“引き算”を中心に作るのが大きな違い。なので、厳密にはその食い込みの分、素体の裸のラインが太いところからはじめるのが理想になります。それでは個別に見ていきましょう。

01

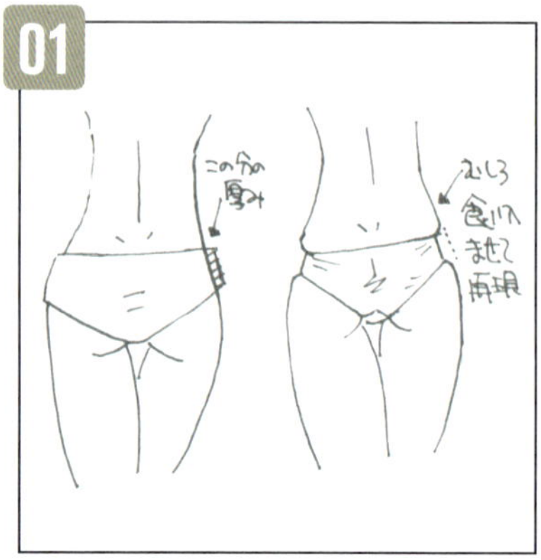

足し算で作るとオムツに

分割の際に先行して出てきたパンツの造型ですが、基本的には図のように食い込み＋締め付けの分を削り込んで再現します。水着自体は肌の上に被さっているので、パテを貼り付けて作りそうになるのですが、このサイズではパテの厚みでオムツのようなシルエットになってしまいます。

02

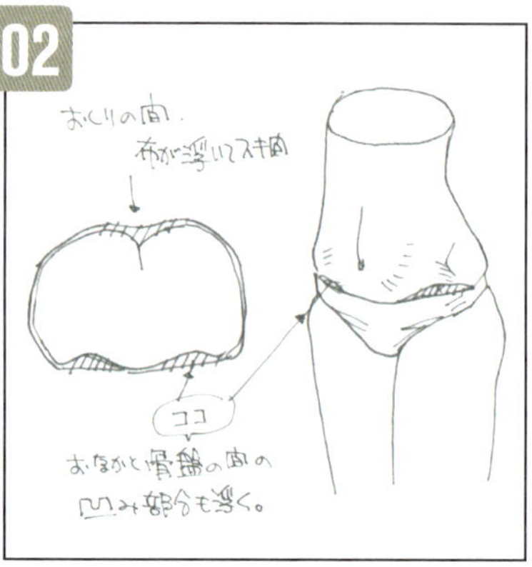

貼り付くところと浮くところ

腰の前面は腹筋や腰骨で凸凹しているので、凸部では貼り付くかもしくは食い込み、凹部では浮き上がります。造形としては貼り付いているところを締め付けの分削り込んで（＝引き算）、おしりの谷など浮き上がっている部分にパテを盛って（＝足し算）それぞれ再現することになります。

03

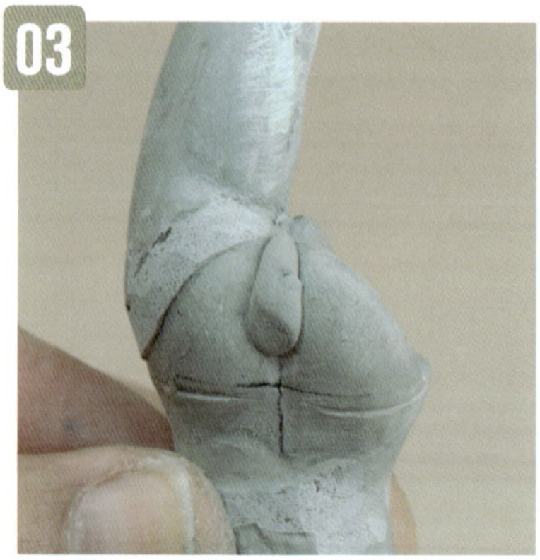

浮き上がる部分にパテ

食い込み部分は分割のときに（P.098②）ひと通り削り込んで、写真の状態に。食い込みすぎるとだらしない身体になるので、ここも寸止め感覚で。続いて浮き上がっている側の再現、ということで、おしりの谷部分をふさぐようにエポパテを練ったモノを必要最小限、乗せて押し付けます。

04

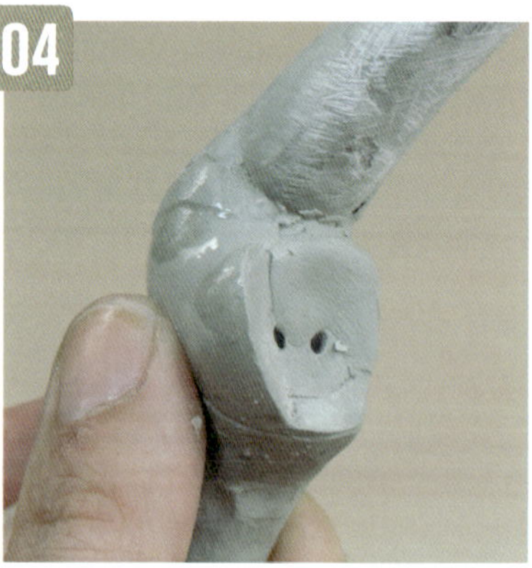

薄め液でなでつける

いつものようにアクリル溶剤でなでつけます。おしり左右の丸みの間をゆるい逆Rでつなぐイメージで。薄い伸縮性のある下着などはピッタリ貼り付けて、革パンやデニム等、伸びない素材はパツンと張ります。今回はちょっと厚めの水着素材なのでその中間くらいの張り加減に。

神様が決めた水着線

これはハイレグカットのレオタードが流行った頃にあるマンガで言及されていたんですが、いわゆるVゾーンに人間の関節に由来する折れ線があって、その角度こそ「神様が定めし水着線」! であると称されていました。そこより上がハイレグ、逆に下にくるのがローレグですな。この神様ラインに一致しない水着を作る場合、カットラインと神様ラインの2本の線を作ることになります。その際は神様ラインの角度が不自然だと良く目立つので注意を。一致する場合もズレる場合もまず基準、リファレンスとしてのこの神様が決めた水着線がある、ということを意識しておくと、いろいろ整理して考えることができるのでヒントにしてください。

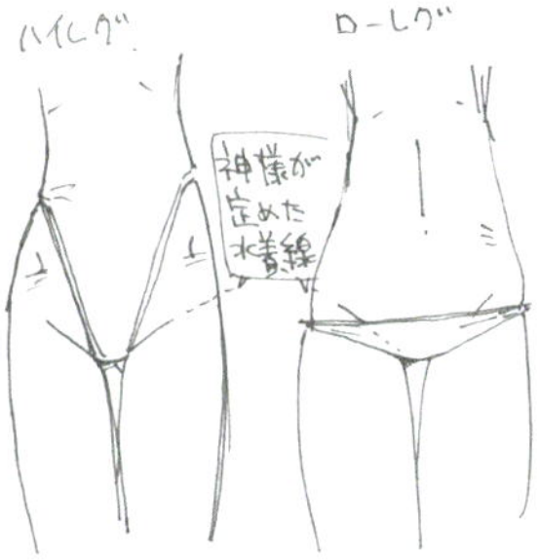

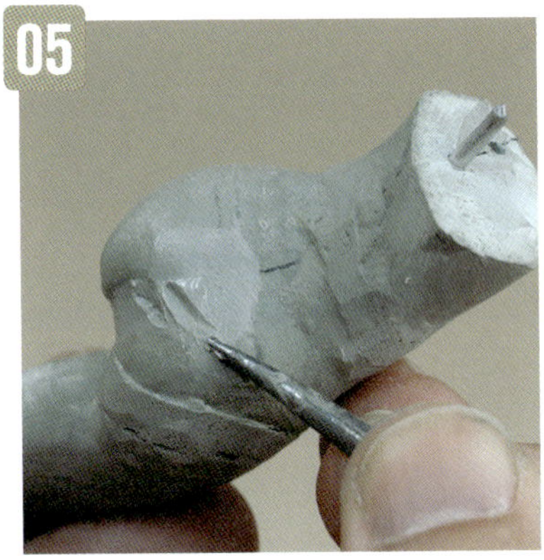

05

金属棒でしわを造型

パテが軟らかいうちに、盛り足した布地部分にしわを作ります。これまでの工程ではパテがゆがんだり浮きがったりするのを避けるため、細かい加工は硬化後に削りで入れてきましたが、ここでは下地のおしり部分がしっかりしているので軟らかい状態でじっくりとへらを使った彫塑が出来ます。

06

おしりの食い込み修正

パテの硬化後ペーパーをかけて追加部分の境界面を滑らかに。浮き上がった部分以外は前工程までおしりそのものだったのが別素材に見えてきました。同時におしりの食い込み部分から丸みの頂点あたりが、布のテンションが足りてなくてちょっと不自然に見えたので削りを加えます。

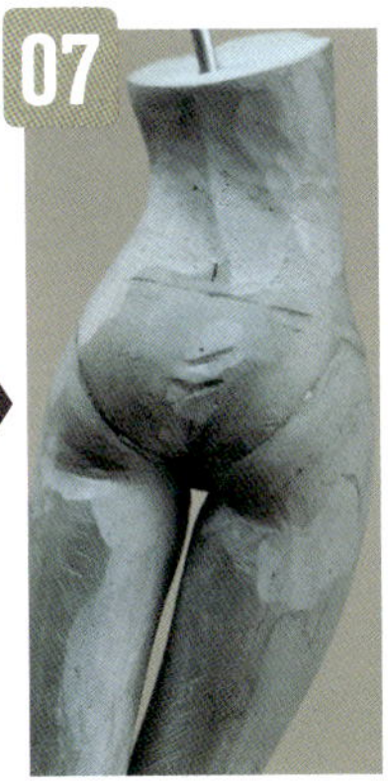

07

パンツに合わせておしり造形

食い込みをきっかけに布の締め付けなどで、おしりがひとまわり内側に削り込まれた結果、ふともも側が余って見えてきたので、尻肉と太ももの境目の丸い境界線を中心に、こちらもキュッと締まる方向に削り込みます。左写真に比べて全体にシャープに見えるようになりました。

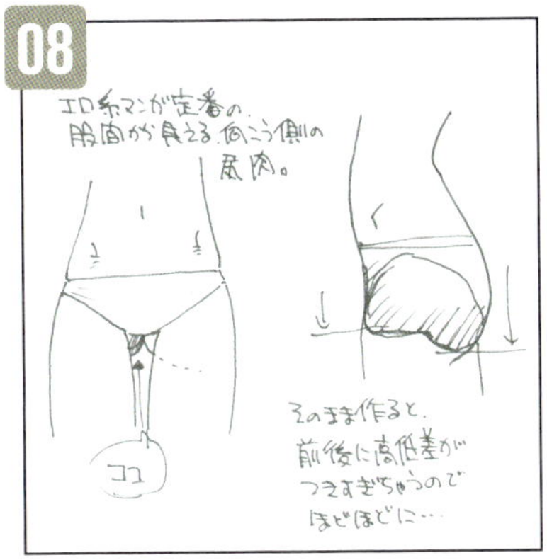

08

前から見える尻肉問題

美少女系の1枚絵などで、股間の向こう側におしりの肉が見えている表現、簡単にエロくなるので定番なのですが、これは下から見上げるようなアングルだからこう見えているので、正面から見てここまで見えるおしりというのは、かなり下にきちゃうので、ほどほどにしておいたほうが無難でしょう。

09

Vゾーンも整形

最初のポーズをつけたときから、裸の造型時、分割時とたびたび整形してきた股間の正面部分、いわゆるVゾーンの部分も水着のカットラインが出来たところで、そこにあわせて最後の微調整を加えてパンツの形として完成させます。

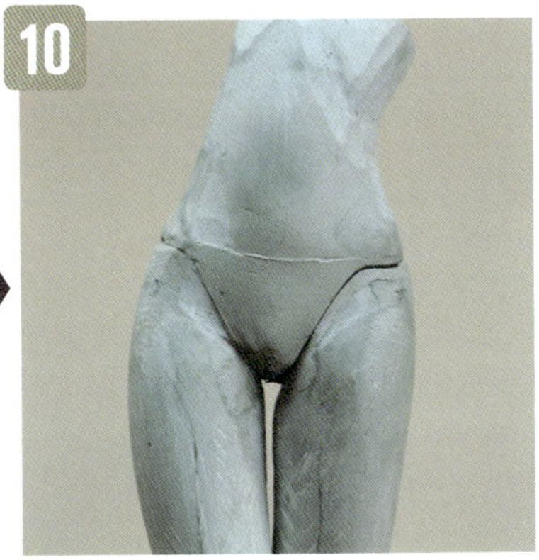

10

全体にサンドペーパー

水着部分と同時に手を加えた周辺の肌部分に#180のサンドペーパーをかけて滑らかに仕上げます。指の仕上げ(P.094③)では関節の角ばった部分を削り残しましたが、ここでも同じように、しわの凸部や水着の境界のエッジは削り残して、肉の柔らかい部分を丸めるように磨き分けましょう。

第3章⑦
水着を作る

CHAPTER 02

ブラはひもを浮かせて造形

続いて水着のトップス(ブラ)側の工作です。今風の2枚重ねデザインで、下にオレンジの三角ビキニを着ているデザインですが、この上に白いチューブトップを巻いているのでほとんど見えなくなります。ですので、ここでのメインは肩ひもと首の後ろの飾りリボンの工作です。仮に三角ビキニだけだとしたら、おしりと同じように食い込み部分を削り込みで再現して、三角形外周の縫い目(パイピング)やひもに向かってきゅっと寄るしわを作り込むと見映えがするでしょう。

01

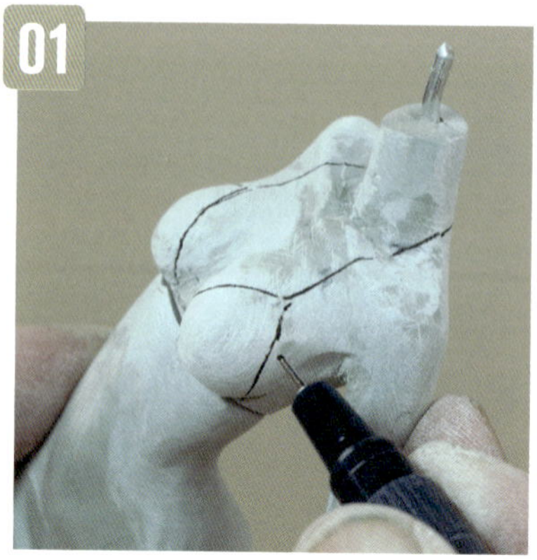

ブラのラインを下書きから

いつものようにマーカー等で下書きを。おしりのカットラインと同じく、1本の線がフィギュアの魅力に直結するので、いろんな資料を見て良い形のビキニになるように。おっぱいの丸みの途中を三角線が横切るようにする=布の外側に丸みがこぼれていると、胸の柔らかさが強調できます。

02

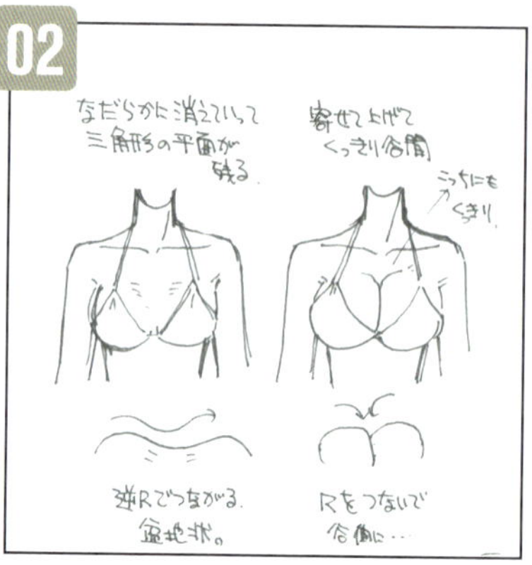

おっぱいの消え方……

三角ビキニの線が入ったことで改めて、デコルテ部分(鎖骨から胸の谷間にかけての肌部分)の仕上げに目がいきます。おっぱいサイズとブラの性能で変わってくるんですが、鎖骨直下の平面に向かって、おっぱいの裾野がどういう消え方をするのか、いろんなパターンがあります。

03

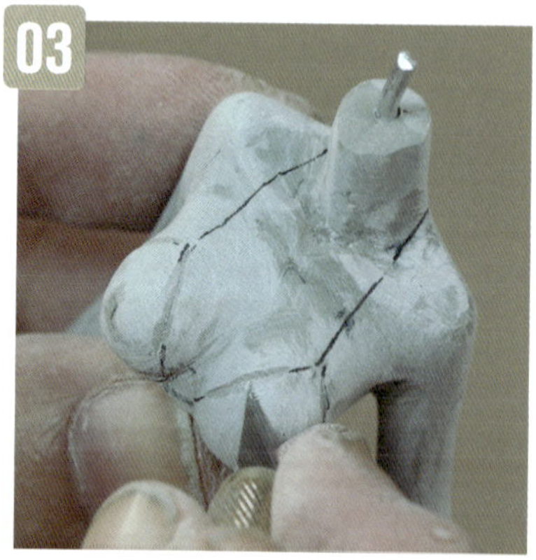

胸元にも少し食い込み

今回はあまりくっきりした谷間ではなく、平面からの立ち上がりタイプでもないゆるめの丘で自然な感じにしました。その上で後工程で追加する白いチューブトップの上側にちらっと見える三角ビキニ部分に少しだけ食い込みを彫り込んで、胸の柔らかさを出しておきました。

04

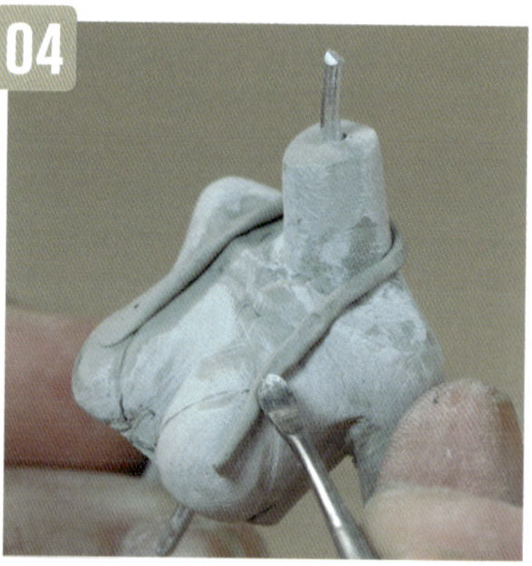

肩ひもをパテで貼り付け

三角ビキニを支える肩ひもは、鎖骨の一部を除いてピンと張って浮き上がるので、パテを盛って再現します。下書きに沿って細く伸ばしたエポパテを貼り付け。溶剤を付けた丸棒を転がすように押し付け、硬化時にはまたドライヤーで加熱、後加工時にはがれないようさらに密着させています。

キャスト・オフの得失

衣装の一部(または全部)を別パーツで作って自由に取り外せるようにすることを、「キャスト・オフ」(もしくはキャスト・オフ仕様)と呼びます。フィギュアの原型はたいてい裸からスタートするので、せっかくイイ感じにできたおっぱい等を服のパテで埋めてしまうのは……という気持ちはよく分かりますが、別パーツ化に適した衣装とそうでない衣装があるのは事実。肌に密着して、場合によっては食い込むことで肌の柔らかさを表現する水着&下着は、外した肌が服の分凹んでるわけにもいかず、かと言って面一に仕上げたおっぱいに別パーツのビキニをつけるのはブカブカして不自然に見えます。逆説的ですが、別パーツとして脱がせやすいのは、服パーツに厚みがとれて、素肌への干渉(締め付け等)も少ない厚着衣装や鎧になりますねぇ……。

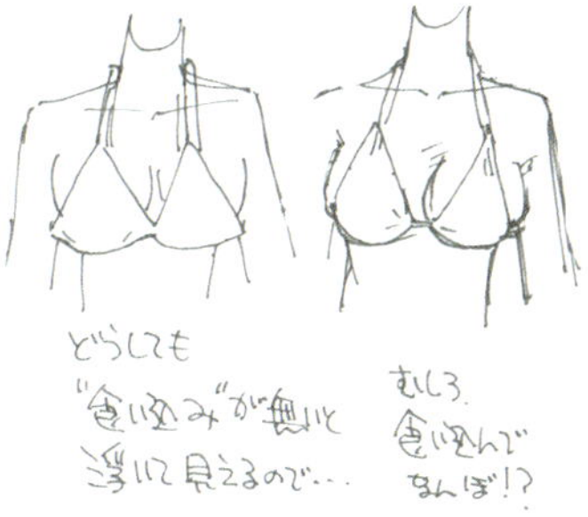
どうしても
"食い込み"が無いと
浮いて見えるので…
むしろ
食い込んで
なんぼ!?

05

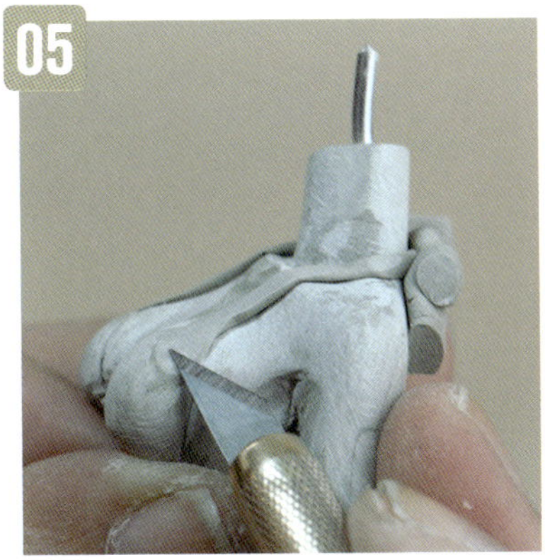

硬化後ナイフで幅、厚みを調整

完全硬化後、ナイフで少しずつ削って、まずは厚みを、次いでひも左右をカットして幅を調整します。特に幅はなるべく均一に途中で広くなったり狭くなったりしないように。一気に切るというよりは突出した箇所を狙って少しずつ削っていくと上手くいきます。

06

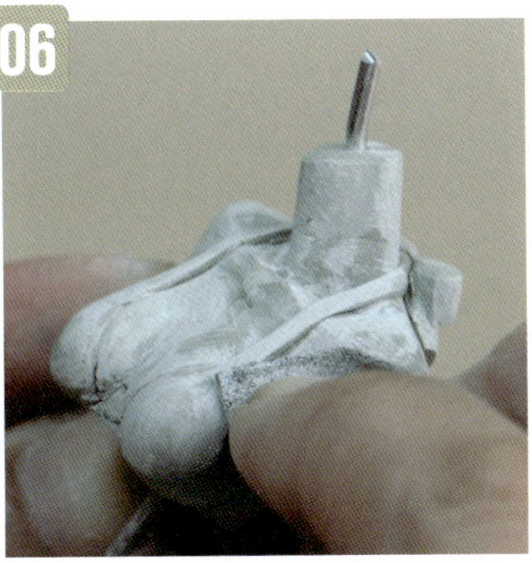

断面を滑らかに

三角ビキニと肩ひも、周辺の肌や食い込み部分をセットで磨いていきます。肩ひもはエッジが立ちすぎていると紙やビニール素材に見えるので、布のひもらしく断面をつぶれたパイプ状に丸めます。

07

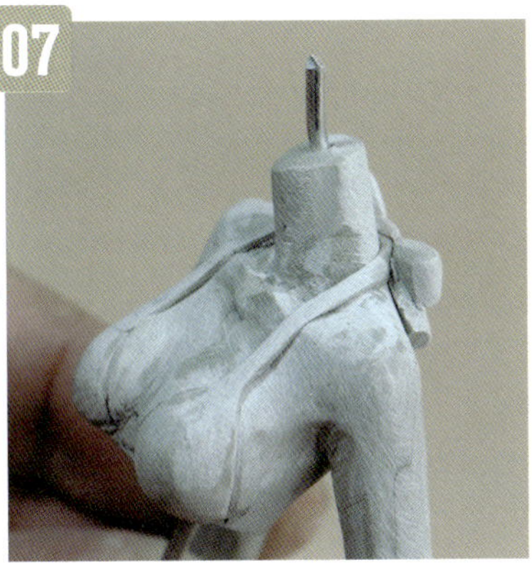

肩ひもの浮き方に注意

素材としてのひもはもちろん均一な厚みですが、首から鎖骨にかかって三角ビキニにいく途中はひものテンションでピンと張るので写真のように配置することになります。ここで鎖骨の前後の隙間を貫通させるのは難しいので軽く掘り込んで、それらしく見せましょう。

08

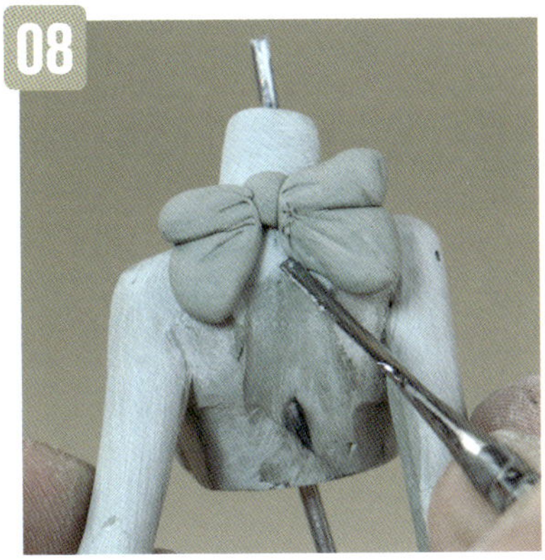

リボンもまずはパテで

首の後ろにくるリボンは、肩ひもの一端を結んでいるのではなく別素材のリボンが飾りとして付いているものとして解釈しました。造形としては肩ひもが出来てからエポパテを指である程度の形に整えて、首に軽く乗せて、そこでしわや重なり部分をへらで造形していきます。

09

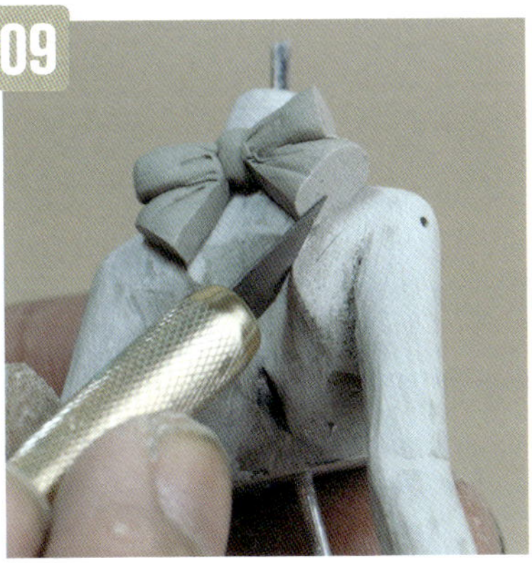

大きめに作って端をカット

素材が軟らかいうちに端部をカット、ゴールの大きさに近づけておきます。ここもパンツのしわと同じくゆがむ恐れがあまり無いので、軟らかい時点で彫塑的に加工を入れました。

10

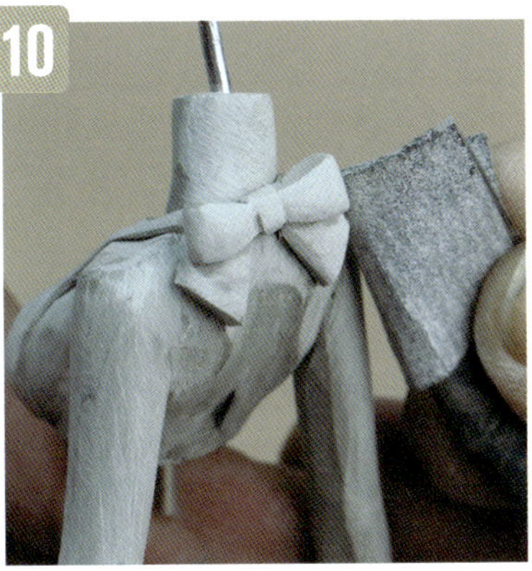

質感に気をつけて磨く

硬化後、さらに寸法を整えてしわを整形、最後にサンドペーパーをかけています。リボンの素材自体は軟らかい布なので自在に軟らかい曲率で曲がりますが、伸び縮みはしないので、ぷっくらした3次曲面にはしすぎないようにすると、リボンらしい質感が表現出来るでしょう。

第3章⑦

水着を作る

CHAPTER

03

別パーツで作るパレオ

本書は基本的には「初めて作る人向けの入門書」ということで、シンプルな水着で進めているのですが、ここで取り上げるパレオ部分は、水着の範疇ですが、別パーツで作る服や基本的なしわの造型も入っていて、でもシルエットやバランスは難しくない(多少外しても十分かわいくまとまる)と、まさに奇跡のアイテムとなりました。もちろん無しで上下ビキニでもスポーティーに仕上がりますから、まずはダメ元で挑戦して、どうにもならないようでしたらパレオ無しで完成させちゃいましょう!ヘ(´A`)ノ

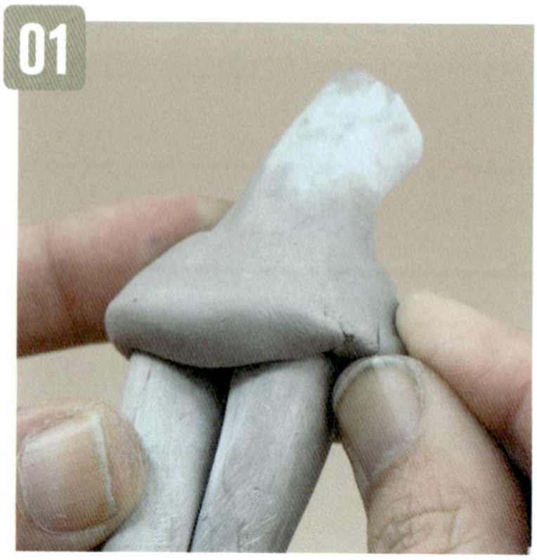

離型処理➡パテ盛り

前髪を別パーツで作ったとき(P.074)と同じように、腰周り全体にワセリンを塗り込んでおいて、そこに練ったエポパテを巻きつけるように密着させて硬化させます。右上のコラムに書いたように薄い帯状から整形していく方法もありますが、今回はブ厚い塊からスタートします。

弾性を生かしてリング状に外す

硬化したら腰の片側に切れ込みを入れると、素材の弾力の範囲でCの字に広げることが出来るので、ちょっと押し広げて上に向かって取り外します。おしりの丸みに引っ掛かる部分を少し削れば、前後に分割しなくても付け外しが出来たので、以後、このCの字状態で、作業を進めます。

アタリをとってプリーツを刻む

まずはざっくりと、スカートの外側斜面にプリーツの段差のとっかかりを階段状に切り刻んでいきました。単純に下に広がる放射状ではなくて、風になびいた感じでちょっと斜めに、流れるように切り込みを入れると動きがついて見えます。

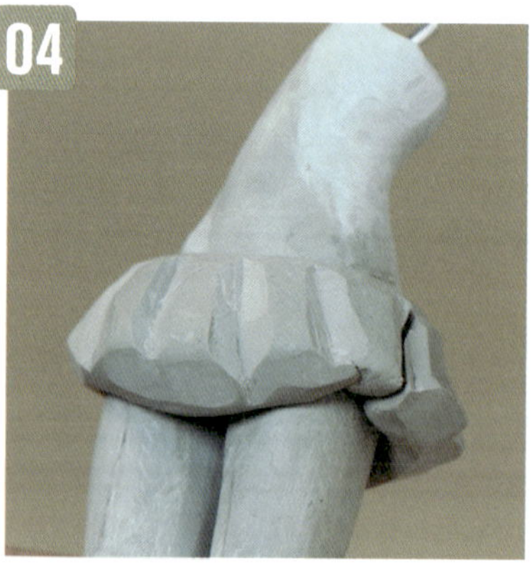

断面は厚いままで

パテの帯は厚い塊状に押し付けたので、スカートの内側は、ももに密着するほどにブ厚いのですが、これはこのままでまず外側のラインを大まかに出して、そちらが確定したところで内側を削って布らしい厚みにすることにしました。

1枚布を曲げて作る場合

下記の工程では削り出し主体でプリーツを作りましたが、軟らかいうちなら粘土のように扱えるエポキシパテの特性をより生かして、1枚布を模して作る方法もあります。薄くシート状に伸ばしたエポキシパテ（1.5mm厚程度）を実際のプリーツのように段々に折り込み、それを腰に巻き付けて、そこからへら等で動きをつけていく、という方法でも作ることができます。本当にひだから作るので簡単にリアルにまとまる反面、途中でひるがえるように折れ曲がって広がる、といったマンガ的なデフォルメはかえって手間取る、とどちらも一長一短があります。むしろプリーツのない1枚布、マントや毛布のようなもののほうが向いているかもしれませんので、機会があったら試してみてください。

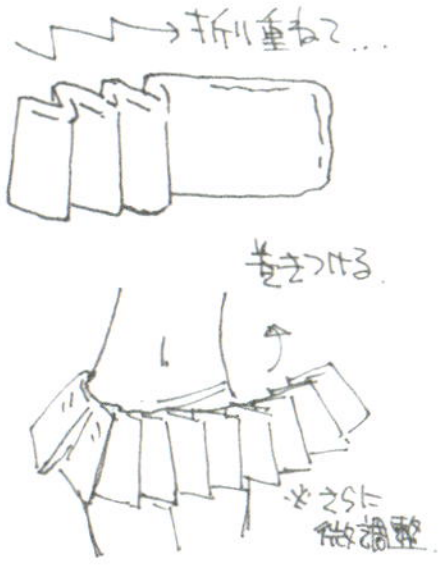

05

上端を一段落ちに

スカートの上端、根元の部分はベルト状にまとめられているので、この部分をひとまず一段落ちに削り込みます。最終的にはこのベルト部にプリーツ上端が折り込まれる、下に重なるようにプリーツ側の厚みを削り込んで、おなかにフィットしたシルエットにしていきます。

06

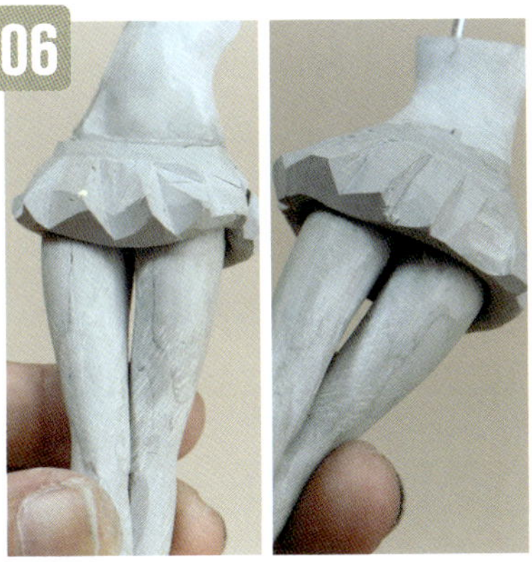

“折れ”とセットでプリーツを深く

今の萌え絵のひとつのトレンドがこの「途中でパキパキっと折れるようにひるがえるスカート」。絵として描くのも大変なんですが、生き生きした動きが出るのであっという間に広まりました。立体でもやはり効果的なので、がんばって再現します。折れ方に少しずつ変化をつけて単調にならないよう……。

07

外形が出来たところで内側

縦方向に流れるプリーツと横方向に折れるしわと、縦横の要素を注意深く削り出していきます。ある程度外形の目途がついたら、ようやく内側を削っていきますが、部品の強度的にはスカートも厚いほうが良いので、下から見えるエッジ部分が最低限1枚布に見える程度に留めておきます。

08

エッジを殺さないよう

外形、内側のエッジから見える部分をナイフで削り出したらまた#180のペーパーがけ。布を折り曲げて出来ているので、リボンと同じく、ぷっくりした3次曲面にならないよう、さらにエッジの鋭角を丸めて殺してしまわないように、面ごとにピンポイントで磨いていきます。

09

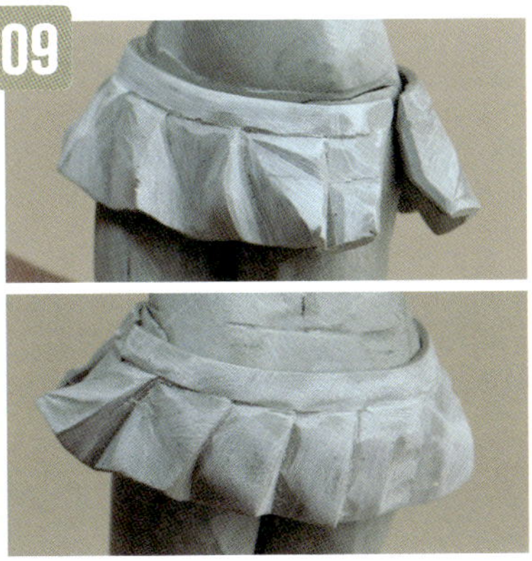

パレオ、ほぼ完成

ペーパーで面を整えたパレオです。Cの字の切り口部分はそのまま、パレオ自体のスリットとして太ももをチラ見せする切り口に。おなか側が下からの風にひるがえって逆反り気味に、背中側は逆に上から押さえつける側に折れて、おしりの丸みをイメージするラインと、変化をつけました。

10

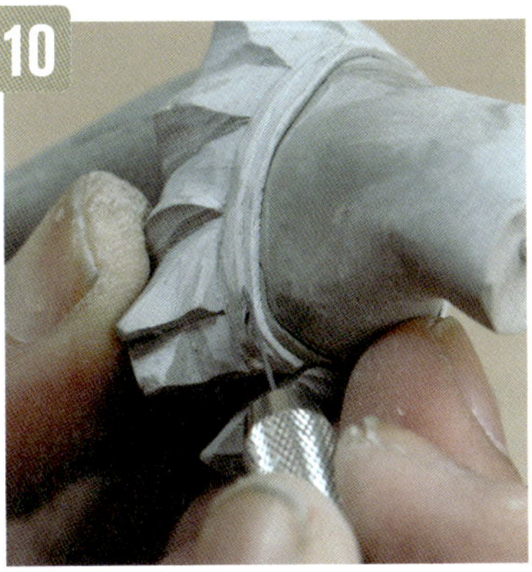

リボンも彫って再現

スカート上端のベルト部の上にはアクセントとして細い同色のリボンが巻かれています。パテを上に貼り付けるともっさりしそうなので、今できているベルト部をさらに1段彫り込んで表現します。これでベルト部もさらにタイトにおなかに近くなりました。

CHAPTER 04

リボンの作り方

パレオと同じく、本格的な服の造型へのとっかかりになるリボンについても詳しく紹介します。リボンの造型は形状自体もそれなりに難しいのですが、小さいものの場合細くなるので、十分な強度を確保するのが難しい=途中でポキポキ折れるあたりが一番の初心者泣かせなところ。これがソックスの脇にワンポイントで貼り付いているタイプなら、強度はベースに依存するので楽なのですが、ここに挙げたようにリボンだけで独立して1パーツになっているタイプは素材や扱い方を工夫していくしかありません。

01

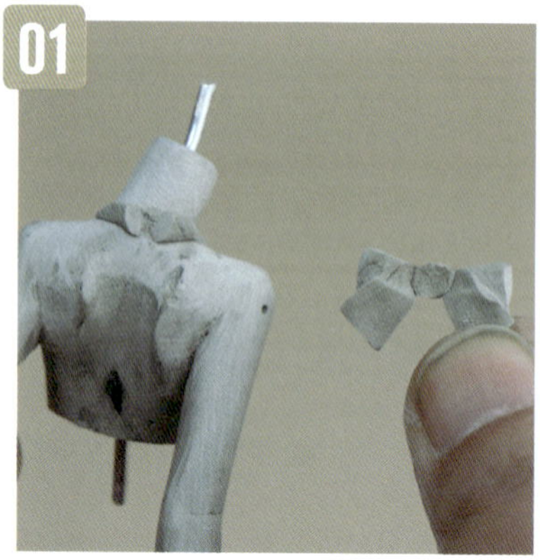

背中リボンを切り離す

首の後ろに付く飾りリボンはがんばれば一体のまま複製も出来そうですが、パーツの整形がかえって大変になるのと、塗装の便を考えると別パーツのほうが総合的に楽そうなので、ここで切り離します。特に離型処理はしていませんが、接着面積も小さいのでナイフを入れたら簡単に外れました。

02

巻きスカートのリボンは……

リボンの本体(蝶々部分)はこうして固めたエポパテの塊から背中リボンと同じように削り出します。問題はその下からひら〜っと伸びてるフラットなひも状のリボン部分……。

03

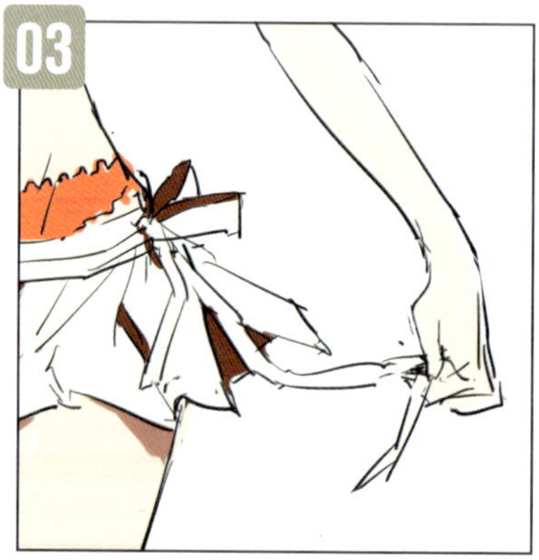

元のデザインではこう

本来のデザイン画ではこのフラットなリボンの端を指でつまんでいます。ちょこんとつまんで横に引っ張る様子がポーズにとっても軸になっているんですが、これを正確に再現するには指がちゃんとリボンをつまんで、なおかつスカートに接する長さ、角度に仕上げる必要があります……。

04

“放した瞬間”にしちゃう

そこの調整は地味な割に大変ということで、若干反則ですが、「このデザイン画の一瞬後、さっきまでつまんでいたリボンを放した瞬間!」ということにしてしまいました。髪に指を絡ませる、靴下をちょっと直す等“魅力的だけど本気で作ると難しい”ポーズの逃げに有効な小技です。

ループ型の場合

下の工程写真では蝶型の飾りリボンの作り方を紹介しましたが、靴紐の蝶結びなどのように細い紐をそのままループとして結んだリボンの場合、ループの中心が抜けて、ひもが細いなど、さらに強度や複製面で難しくなります。ひとつの対処方法法としては、ループの中心はあえて貫通させずに埋めた状態で作ること。凸部の頂点だけを狙ってリボンの色で塗る等塗装を工夫すれば、これでも十分に見られます。どうしても貫通させたいときはまず塊として作って、開いた手首の造型で指の間を抜いたようにV字のミゾや小穴を両側から掘っていって繋ぐ、でも断面はなるべく太く確保する等の工夫で対処しましょう……。

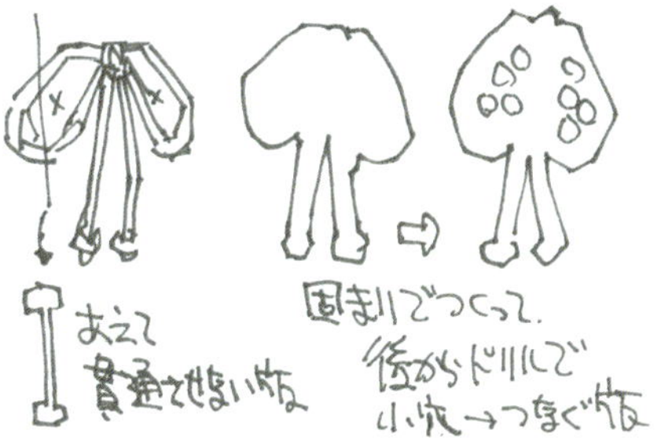

05

レジン片から作るリボン

そのスカートからのフラットなリボン、細く、かつこちらも今風にひるがえるようにポキポキ折れ曲がるラインなので、粘りがあって細い部品を作るのに適している(P.071欄外コラム)レジンキャストを使います。ますは自分の過去のキットを流したときのゲートのかけらにざっと下書きから。

06

おおまかにカット

ニッパーで不要部分を切り取ります。粘りがある素材とはいえ、無理をすると予想外のところからパキッと割れるので、やはり少しずつ切っていきます。ちなみにレジンの欠片は自分で複製をするようになると抜き損じも含めてどんどん溜まってくるので、ある意味リサイクル資源でもあります。

07

動きをつけて削り出し

これがまっすぐに平面なら、プラ板を切り出したものでもOKなのですが、ちゃんとした絵は、こうしたリボン等のすみずみまで動きやメリハリがつけられているので、それを拾って再現する気持ちで観察しながら削っていきます。

08

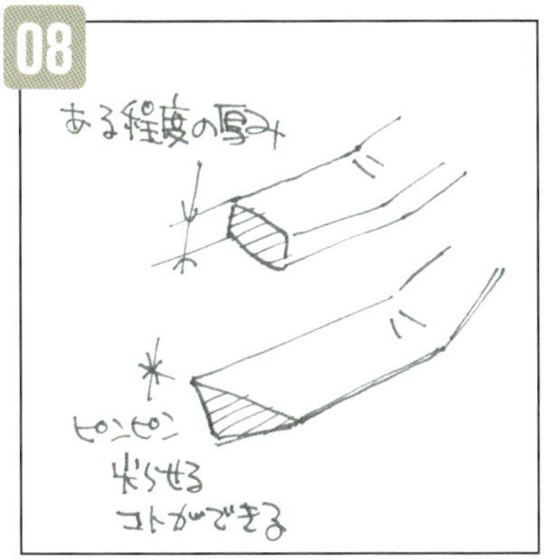

裏技! 三角断面

髪のエッジを細く見せたりスカートのフチだけ薄く削ったときと同様に、「実際には強度確保のために太いんだけど、細く見せる」裏技がこれ。三角断面にしてエッジだけを尖らせると角度によってはぺらぺらに見えます。平ら断面でそれなりに強度を出すとどうしても"うどん"っぽく見えるので……。

09

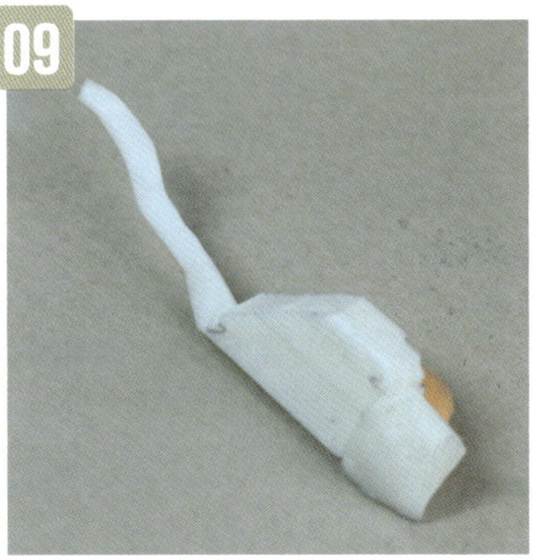

持ち手はそのまま残す

断面を三角にしつつ、要所要所の折れを再現するように削っていったリボンです。加工時の持ち手として残しておいたレジン片ですが、複製時にも樹脂の湯だまりになるので、この状態のままゴム型に埋めて、さらに塗装時にもまた持ち手として活用、最後の瞬間、接着の直前にカットします。

10

しわを彫り込んで仕上げ

背中リボン、スカートリボン(基部)、そこから延びるフラットなリボンの端、と並べました。最後にリボンの結び目に向かって絞り込むしわをクッキリ深く仕上げて表面仕上げに。写真は最後のサーフェイサーを吹いた後の状態ですが、このように仕上がります。

第3章⑦

水着を作る

CHAPTER

05

2枚重ねのトップスを仕上げる

最後にトップス（ブラ）側の2枚重ねを部分を作ります。こちらは伸縮性のある素材で、胸の形がキレイに見えるフォルムにぴったりと整形、仕上げました。作業としてはおしりの谷間をパテで埋めたのとほぼ同じ。足りないところだけを狙ってピンポイントでパテを盛ります。工程的にはこれで水着がひと通り完成。水着は立体としてのボリュームはほとんど無いので、作った後でバランスが変わって見える、ということはあまり無いのですが、必要な場合はここでも修正を入れます。

01

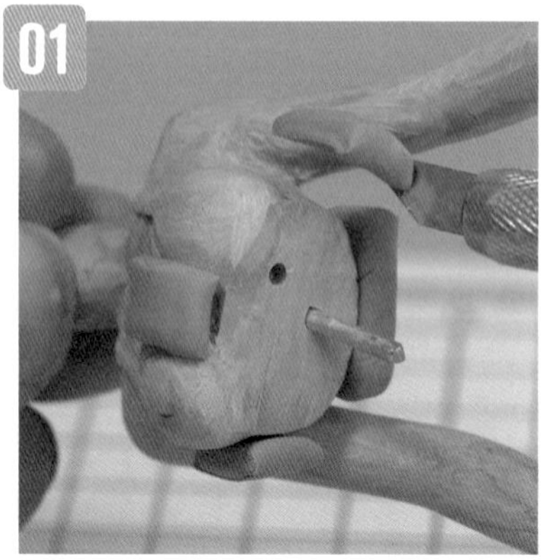

必要なところだけにパテ

練り合わせたエポパテをシート状に伸ばしてから短冊状にカット、必要な部分に乗せていきます。背中、胸の両脇、胸の谷間にそれぞれ最小限のパテを配置しました。

02

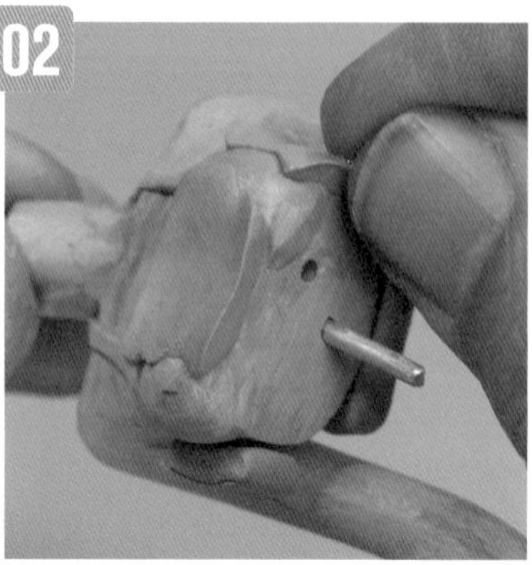

元のラインを損なわないよう

アクリル溶剤で表面を少し溶かしながらなでつけます。全体を漫然とパテで覆うと、せっかく作ったおっぱいのラインが隠れてしまうので、凸部は元のラインを生かして、凹部に布がツンと張ったような形になるように整形していきます。

03

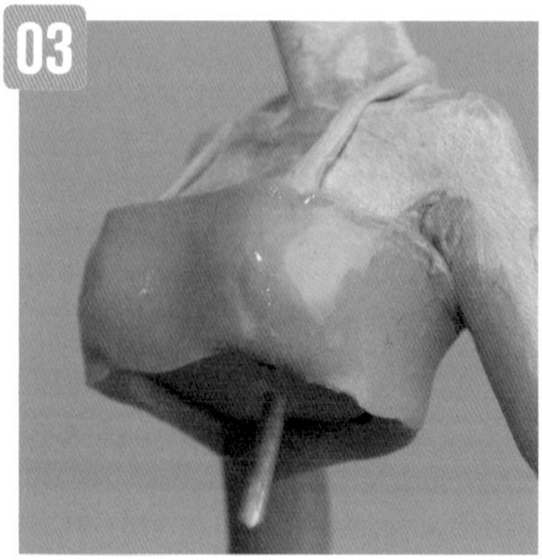

着ぶくれ感が出ないように

なでつけた後のラインです。余ったパテはチューブトップの上下に逃がすように押し出しました。チューブトップが三角ビキニとはまた違うスタイルで胸のカタチをキレイに見せることが分かると思います（自分が好きなだけなんですが……）。

04

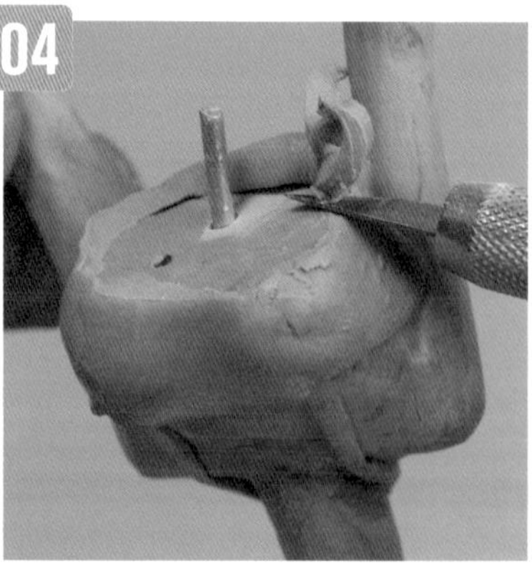

上下に逃がした分をカット

先の工程で上下に逃がしたパテを、まだ軟らかいうちにナイフでカットします。下側は写真のように胴体の分割面の下にはみ出しているので、切るのは簡単。断面にあわせて輪切りにするようナイフを運びます。上側はすでに作った三角ビキニを傷つけないように浅く切っていきました。

“水着”は簡単か?

今回、初めての人向け、ということで例題に選んだ水着。確かに服を作らない、分割もシンプルに収まる、という点では簡単になります。反面、身体の線がほとんどそのまま出るので、造形の中でもかなり手強い裸の人体を、それなりにきちんと作る必要がある、ということを考えると素直に簡単とはとても言えません。ただ「じゃあ他にもっと簡単で初心者向きのテーマはあるのか?」といろいろ考えていたのですが、見つからなかったのも事実……。とりあえず、言えるのは裸の人体は難しいかもしれないけれど、勉強にはとても良いので、簡単かどうかはさておいて、水着造形は初心者が作るのに何も悪いコトは無い! ということです。

〜かといって
こういう
身体の線が
かくれる服を
(かわいく)
つくるのは
もっと難しい…

05

しわを造型➡硬化

おしりの谷間と同じく、こちらの半硬化時に濡らしたへらを使ってしわを彫塑で作り込みました。右肩が上がっているので、おっぱいもそちらに引っ張られて若干上がり、しわも右上がりに。実際にはここまで連動はしませんが、ポーズを強調出来ることもあってこの向きにしわを入れています。

06

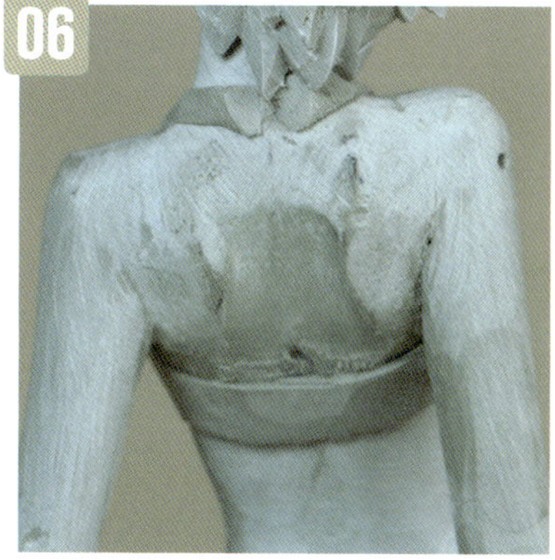

背中も整形して仕上げ

硬化後、背中もナイフ⇨サンドペーパー#180で仕上げました。肩甲骨の下の脇腹は少し脂肪層があって柔らかいので、それを表現する意味で脇の部分は少しだけ食い込ませて、チューブトップを締め付けるニュアンスでまとめています。

07

水着の完成

ということで水着が完成しました。撮影の都合で次のパートで説明する靴も出来ていますが、ご了承ください。裸状態と比べると、やはりシルエットにメリハリがついた分、見映えが良くなっています。パレオとハイカットのスニーカーの効果が大きいのでしょう。胸のしわのところで「ポーズを強調する向きにしわを入れた」話をしましたが、正面写真を見ると、パレオのプリーツがなびいている向きも同じ理屈で腰を右に振っている動きを強調する方向になっているのがわかると思います。こういうポイントでは「逆向きだったらどうかな?」と、その選択肢が出るたびに両方をイメージしてみて、より見映えの良いほうを「自覚的に選ぶ」クセをつけるようにすると、漫然と作るしわより良くなっていきますよ。

第3章⑧

靴の造型

CHAPTER

01

靴底から上に向かってパテ

いよいよ構成要素としては最後になる“靴”の造型をここから6ページに渡って解説していきます。水着のフィギュアでは圧倒的に裸足が多いのですが、今回のデザインはスポーティにスニーカー（バスケットシューズ）のハイカット型。シルエットが末端肥大になってメリハリがつくので、絵ではもちろん立体でもかわいくまとまります。ちなみに裸足の場合、基本的には手首の応用で、全体のフォルムからV字のミゾを掘って指先を再現、という作り方でつま先を造型します。指が手と違ってそれほど動かない反面、指の付け根から足首までのカタチが、ポーズによって大きく変わるところが再現のポイントになります。

01

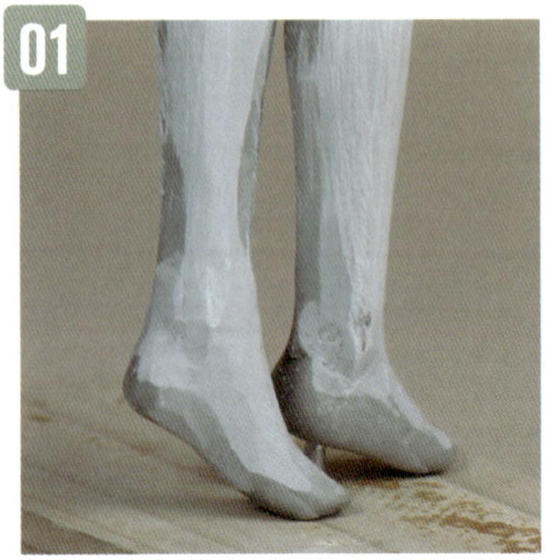

裸足からスタート

素体の工作の段階から靴で造形する場合もありますが、今回はまず裸足で作りはじめました。ベタ足で立つポーズではあまり問題になりませんが、つま先立ちだったり、足首に微妙な角度がつく場合はいったん裸足でつま先立ちを作ったほうがデッサンがとりやすいです。

02

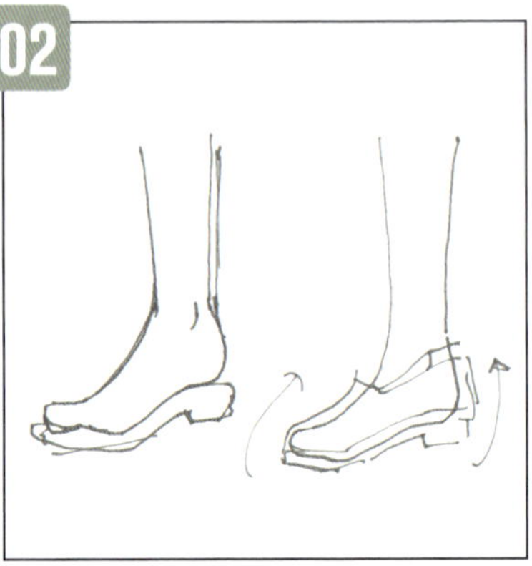

靴底から上に向かって

スニーカーに限らず、一般的に靴は靴底が他の面に比べるとブ厚く平面的で、形状をつかみやすいので、靴底をとっかかりの基準面として考えると作りやすいです。パテを盛っていく際にもまずは底面からスタートして、上に向かってくるむように作業すると良いでしょう。

03

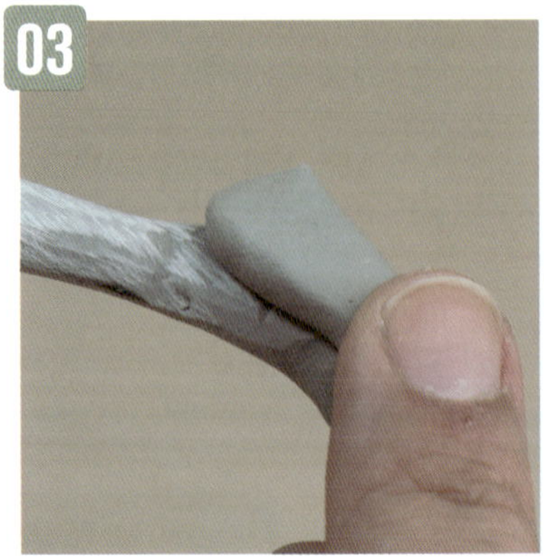

足の裏に靴底分のパテ盛り

適量のエポパテをコロッケ型に伸ばして足裏に貼り付けます。今回は平底のスニーカーですが、皮のローファーのようなカカトのある靴底ではカカト側を厚めに盛っておいて、硬化後、土踏まず部分のへこみをナイフで鋭角に削り出します。

04

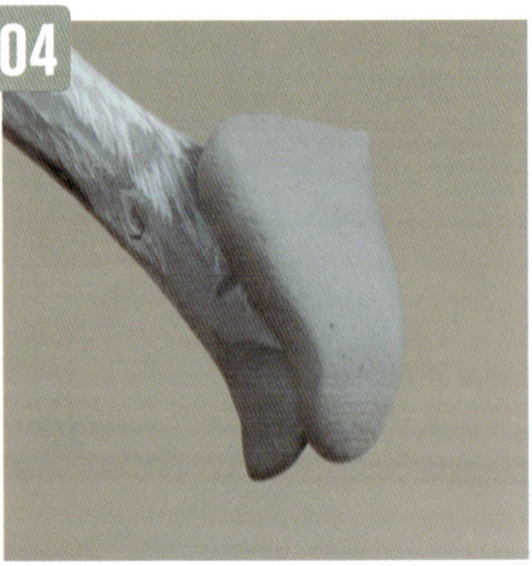

動きをつけて整形

つま先立ちで、指先に体重がかかっているので、前半分を逆反りに。かかと側もまっ平らだと違和感が出るので、自然な感じにアーチ状に反らせます。デザインにもよりますが、靴底は歩きやすいようにつま先側は上に反って、直立でも少し先端が浮いているので、ぺったり平面にならないように。

裸足は指のデフォルメが課題

水着の場合ほぼセットで作ることになる裸足ですが、リアルな人体では足の指が思っているより長く、そのまま作ると“サルっぽい”感じに見えることがあります。アニメ絵のキャラだったら、デフォルメの範疇ということで、鼻の穴をつくらないのと同じと割り切って、適度に省略しても良いでしょう。私はだいたい1関節分ほど短くしてコロンと作るのが定番ですが、そう思って世の中のフィギュアの足指を見比べてみると原型師によって解釈がまちまちで定番がないことがわかります。逆にこういった微妙な場所(お客さんや監修は気にかけないけれど、細かく造形する箇所。他には耳、靴、かばん等)の作り方で誰が作ったかを見破ることも出来ますよ。

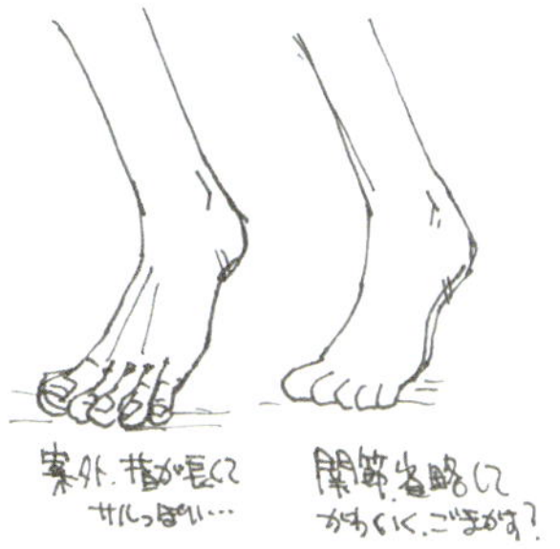

05

余ったパテを上に延ばす

パテの量が靴底のみとしてはちょっと多かったので、そのまま余った分を上に押し上げながらアクリル溶剤でなじませて靴の側面も、靴底に比べると薄めにパテを盛り付けます。外側はハイカット部分まで一気に覆えました。

06

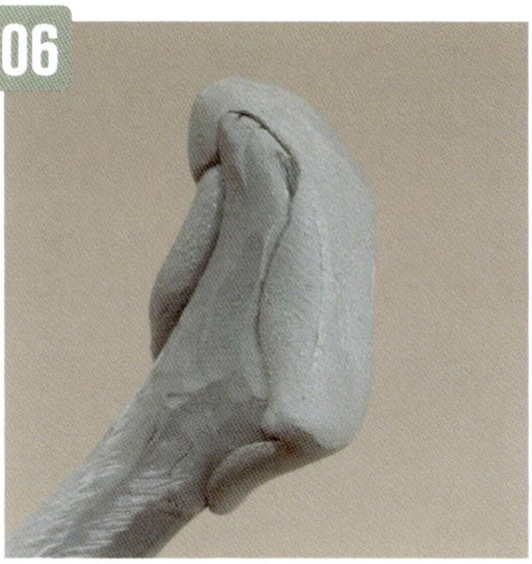

内側部分は足りないので

ただ、同じ左足部品の内側はさすがに足りません。結果、パテでくるんだ厚みがよくわかる写真になりました。

07

追加で盛り足す

内側分のエポパテを盛り足します。ここからまた溶剤でなじませて、スニーカーの基本的な外形に整形しました。ちなみに途中写真は片足分ですが、左右両足を同時に工作しています。

08

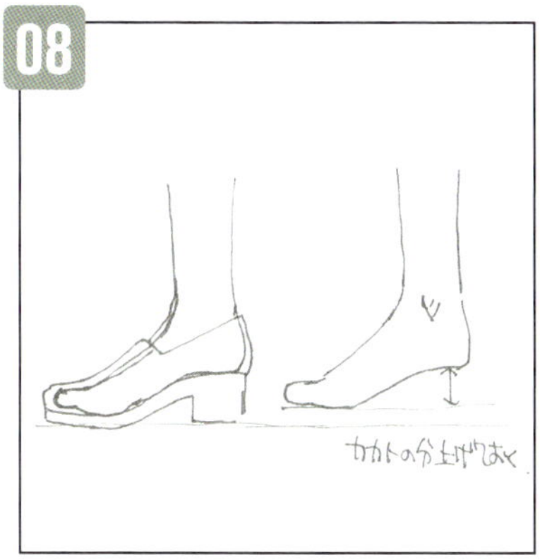

カカトのある靴では……

今回は最初から軽いつま先立ちとして作っていましたが、カカトをついたベタ足での立ち方の場合でも、カカトのある靴を履かせる場合は、芯にポーズをつけるときからその分を浮かせておいたほうが良いでしょう。

09

フラップ部分を前へ

ハイカットの上端はちょっと開けたいので、パテが軟らかいうちにへらでこじって隙間をあけておきます。正面のフラップ部分は最終的には前にぺろんと出すのですが、一気に造形するのは難しいのでここでは軽くアタリをつける程度にめくっておくくらいで。

10

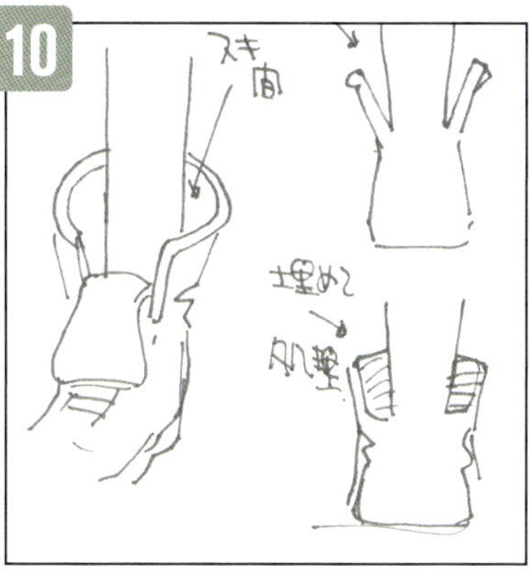

隙間は今回“埋めて”処理

このハイカット上端とくるぶしの間の隙間は、そのままではゴム型で複製出来ません。理想は別パーツにして隙間を再現する方法なのですが、ここではデッサンの崩れを避けるためと、複製をシンプルにするために、最終的に隙間を埋めて、塊として複製、という処理を選びました。

第3章⑧

靴の造型

CHAPTER

02

靴底の形を削り出す

裸足の場合もそうですが、靴もしくは足首は立体としては複雑で、特につま先の両サイドから上面にかけては面が滑らかにねじれていくので、ちょっと難しい箇所です。そこで平面的に形の捉えやすい靴底(=足の裏)を基準に外側の輪郭形状を削り出し、そこから上に向かって回り込むように整形していきます。また靴は現物があるので、迷ったらそれも参考にしてみましょう。今回は取り上げていませんが、ハイヒールになると、その基準になる底面にも凝った曲面が入ってくるので、安いモノでもひとつ持っていると参考になります。

01

つま先はそっくり返る

P.114④でも少し触れましたが、一見フラットに見える靴でも底のラインはつま先が軽くRを描いています。また靴の上側のラインもそれに連動して、歩きやすいようにちょっとだけそっくり返るカタチにデザインされています。

02

整形した靴底に下書き

靴として盛り付けたパテが完全硬化したところで靴底にペーパーをかけてうねりや凸凹を整形、ゆるいカーブだけ残る面を出します。そこへ靴底の輪郭線を描き込み。基本的には左右非対称で土踏まずの内側がえぐれて、つま先のすぼまり方も内外で表情が違う感じに。

03

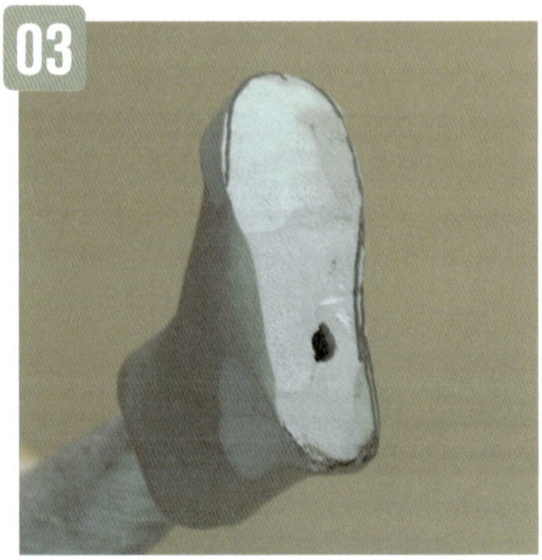

外形を削り出して基準に

下書きにそって外形をナイフで削り出します。靴の種類、デザインでも変わってきますが、今回のスニーカーでは靴底からまずはゴム底部分が垂直に立ちあがっているので、そのように整形しました。

04

下から上に削り込んでいく

ある程度の形状は軟らかいときに出しているので、そのときちょっと盛りが多かった部分限定ですが、ボリュームの出過ぎている部分を中心に削りを入れていきます。必要に応じて靴の塗り分けラインや靴紐の位置など、下書きを書いてみるとチェックしやすいでしょう。

命名:コッペパン靴

原型師もたいてい、おっぱいやパンツは必死でいいものをこってり作るんですが、自分が興味無いところは案外ぞんざいです。その典型がこのページで解説してきた足の甲の逆Rにまったく無頓着にぽっこりしたコッペパンのような靴。たぶん、靴にフェチ的なアレが特にないのでしょう。ほぼ昭和の少年まんがのまんまの素朴な靴を履いた美少女フィギュアをちょくちょく見かけます。ただこれが実は原型師のせいだけでもなくてよくそのキャラを調べてみると元の絵が思いっきりコッペパンな靴だったりもするので、逆にこれは、私が知らないだけで「そういう靴がいいんじゃないか! コッペ最高!!」という高度な世界があるのかもしれません……。(´A`)

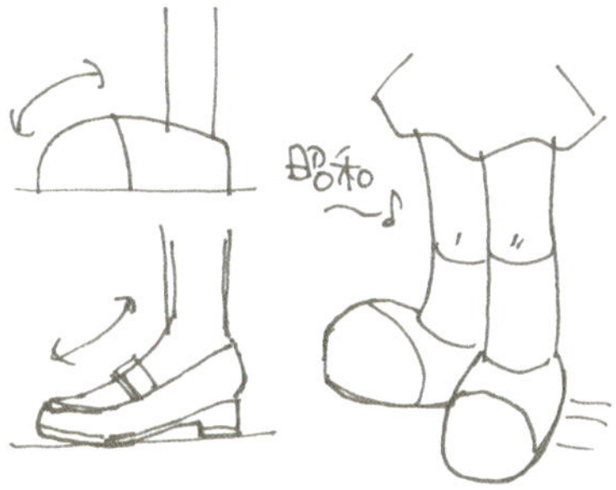

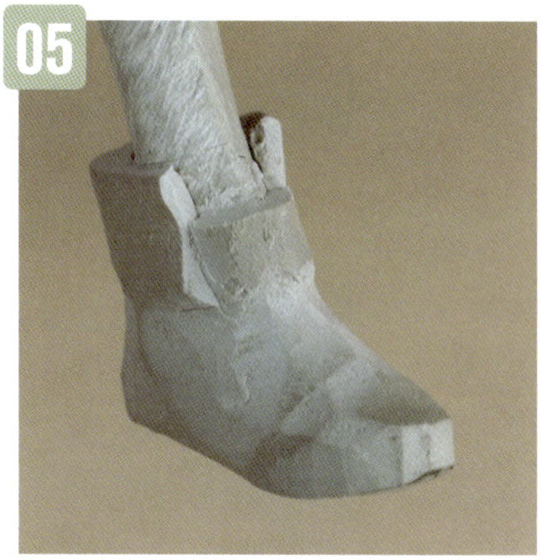

足の甲の逆Rに注目

足の甲が指先ではぺらっと、くるぶし周りで案外高くなるので、この傾斜がキレイな逆Rになるように気をつけて削りました。スニーカーの場合は、ここから曲率が切り替わって、先端ではくるっとRになるのですが、そこはちょっと盛りが足りてないので、この後盛り足します。

地面との関係を確認

足首部品単体で加工を進めていくと、いつの間にか地面の傾きと合わなくなることがあるので、ベースに両脚をセットして設置具合を確認します。特に足首をクイッとひねってポーズをつけている場合など、靴を削り出していく過程で、つい本能でまっすぐに直しがちです。

自立にはこだわらない

足裏の接地は見た目が不自然でなければ、重心をピタリととっての自立にはこだわらなくてOKです。ロボットモノと違って、足が小さく髪などのボリュームで重心が上がりがちな美少女フィギュアは基本的にベースに固定するものと割り切って、動きのあるポーズを追及したほうが良いかと。

ペーパーがけして整理

くるぶしにかかるハイカット部分にはしわも刻んで、ひと通りナイフでラインが出たら、サンドペーパーがけ。まだ細かいモールド(彫刻)は入っていません。各部の形状もそうですが、靴全体のサイズ、長さ、幅、高さが変じゃないか? から確認しましょう。

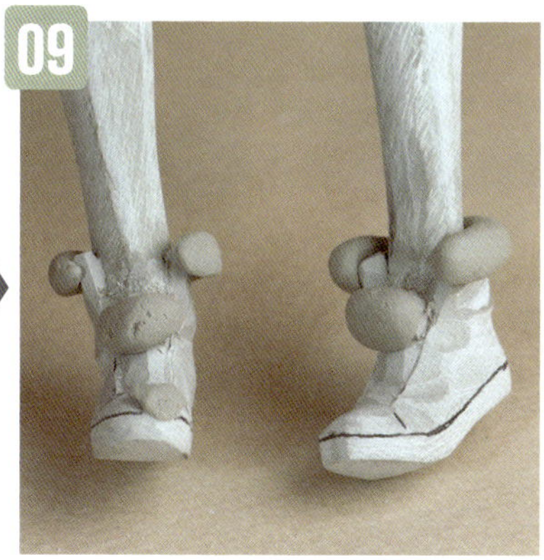

ピンポイントでパテ

ハイカットの上端はもう少し広げたいので、その外側、フラップ部分、つま先のボリューム不足箇所を狙って2度目のパテを盛り付けます。バランス確認用に塗り分けライン(キャンバス地とゴムひき部の境界ライン)も下書きしています。

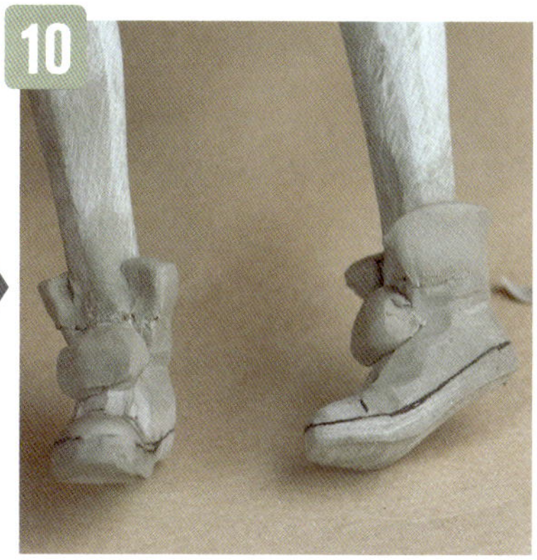

なじませながら整形

アクリル溶剤でなじませながら指、へらで整形した状態です。フラップの下の隙間も埋めた状態、塊のとして処理することにしました。つま先立ち状態の足首の角度や、そこからつま先に向かってS字に流れるフォルムにも注意を。

第3章⑧

靴の造型

CHAPTER

03

“靴ひも”と細部工作

靴の造型のしめくくり、このページでは、靴ひもの造型と、ワッペンや塗り分けラインなどの細かい彫刻（モールド）を入れていきます。これらの細部工作は、構成の都合で靴のパートにまとめていますが、実際の工程としてはP.130の表面仕上げと並行してセットで進めているので、そちらも併せてご覧ください。ちなみにここで紹介している細部工作は、必須の工程というよりは、将来凝ったディテールのものや大きなサイズのフィギュアを作るときのヒントになったり、応用しやすいものを取り上げているので、「これはちょっと手ごわい……」となったら、スパッと省略して、シンプルな靴に塗り分けだけでスニーカーっぽく見せるという処理でも全然OKです。

01

パテを伸ばして貼り付ける

靴ひもの作り方のとっつきやすい方法としては、ホンモノのスニーカーと同じく、まずは地の部分を布の重なりを再現するように彫り込んでおいて、そこにひも状に細く伸ばしたパテを等間隔で貼り付けていく工法があります。ある程度大きいサイズ（1/6スケール以上）ならこちらのほうが楽ですね。

02

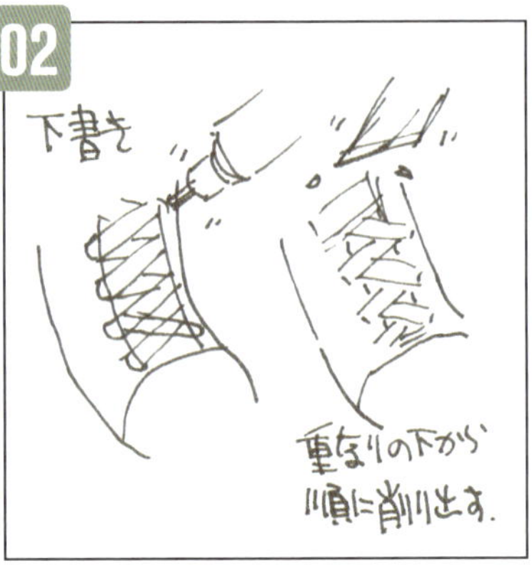

一体で削り出す

小スケールの場合、靴の上面全体を厚めにしておいて、そこから、ひも一式を一体で削り出す方法のほうがパテの剥がれなどが無い分てっとり早いかもしれません。下書き⇨ひも、地の重なり方に注意しながらナイフでスジ彫り⇨重なった下側を少しずつ掘り下げ、の繰り返しで再現します。

03

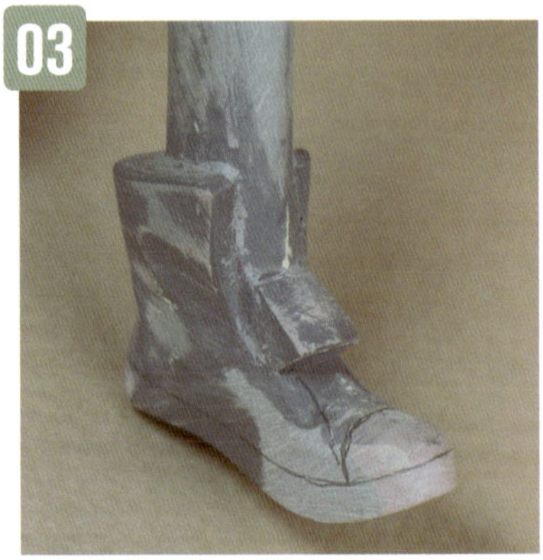

今回は削り出しで

フラップでひもの結び目が隠れるので、露出面積も少なく、サイズも小さいので今回は一体で削り出しとしました。ひもの工作に入る前に、先に盛り足した2セット目のパテを整形。P.132の工程に準じて、表面仕上げの途中まで磨いておきます。

04

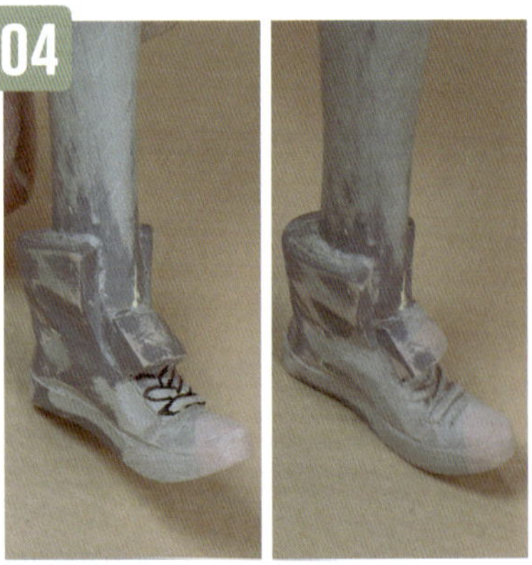

下書きから注意深く彫り込み

重なり方に注意しながら下書き。ひもは平織りで靴に甲部分では平らに潰れて、結果案外幅が広くなっているので、あまり細くしすぎないように余白をとりながら、ひもの隙間から覗くキャンバス地の部分を菱型にくり抜いていきます。

その他、貼って作るディテール

今回は靴の周辺に集中しましたが、ジーンズ等のパーツの多い服ではこの貼り付けて作るディテールがいろいろと使えます。もちろん限界はあって、複雑なしわや立体的な装飾はやはりパテ等の彫刻のほうが良いでしょう。靴ひももサイズが大きければビニールパイプ(中に瞬間背着剤を流してつぶしておくと平織りのひも状になります)を貼り付けて再現できます。またボタンなども単純な丸型ならば市販のプラパーツ(プラモデルの改造用にいろんなカタチ、直径のアフターパーツが安価に揃っています)を磨き後に貼り付けると良いでしょう。

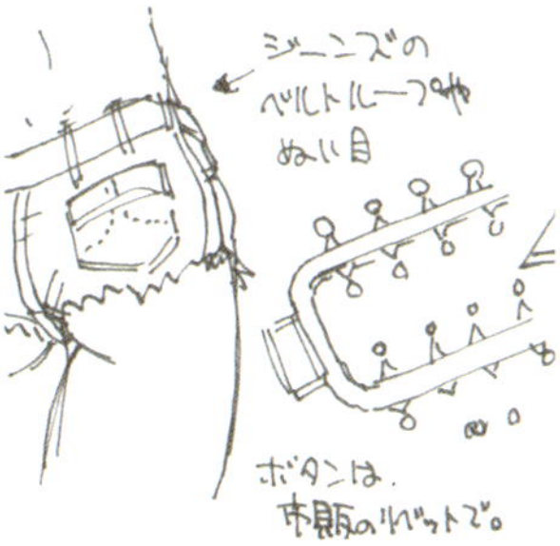

磨いてサーフェイサー

ひものエッジを#320のサンドペーパーで軽く磨いて、再度サーフェイサーを吹いた状態です。彫刻としてはバキッと凸状に出っ張ってはいませんが、本物でも先に書いたひもがつぶれる都合でぺたっとまとまるので、これぐらいが自然。というかパッキリ作ると針金のように見えてしまうことがあります。

エッチングのテンプレートで

ハイカット脇の丸いワッペンは貼り付けで再現します。今回は直径6mm。小さいのでコンパスやサークルカッターよりもテンプレートを当ててナイフで切り出した方がキレイに仕上がります。小径の円定規は模型用のステンレスエッチング製のテンプレートを流用しました。

マスキングテープを切って貼る

貼り込むテープは表現したい素材で替えますが、このくらいの厚みで布素材だとすると、マスキングテープの1枚貼りがよく馴染んで良いでしょう。厚みが必要なときは2～3枚重ねて、表面にツヤがある素材ならプラ系のテープ、しわが欲しいときはアルミテープ等も使います。

極細のラインテープも使用

ソール部分にアクセントとして入るピンストライプも手で彫るとかなり大変な上ヨレヨレになりがちなので、マスキング用の極細テープを貼りつけます。細くなると比例して接着力も弱くなるので取り扱いには注意して、また工程的にも、全体の完成直前に作業します。

強度はほとんど無いけれど

カカト側の後ろ、縫い目のテープ部分は厚みが欲しいのでマスキングテープを2枚貼り重ねてから細く切り出して貼り付け。いずれも強度はほとんど無いので、この上から磨く等の追加工作はできません。後加工が必要な場合はやや厚くなりますがプラ板、プラストライプ等を使います。

複製さえできればOK

最後に全体にサーフェイサーを吹きました。彫刻ではかなり難しい、薄皮1枚の凸ディテールが簡単に再現出来ます。複製時にはがれることもありますが、その時点でゴム型にはモールドが写しとられてるのでOK。ヨレヨレだけど強度のあるディテールでいくかこちらを採るか、の問題ですね。

COLUMN 06

オタクとして伸びる時期

-良い知らせと悪い知らせがある、どちらから聞きたい?-

この本を手にとっている“あなた”は今、何歳でしょうか? 実際にはかなり幅の広い年代の方が読んでいるとは思いますが、タイトルにあるセリフを言いたいので、あえて28歳の人だと想定しましょう。ちなみにこのセリフ、LEGOの仕事を外注原型師としてしていたときに、シンガポール人のマネージャーの人が電話口で言ってまして「うわー! ホントにこうやって言うんだぁー、映画みたいー……(´A`)」と、なっていて以来ことあるごとにマネしています。

で、本題の、まずは良い知らせから。あなたがこの本を28歳で手に取ったとしたら、よかったです。模型が上手くなるのには十分間に合います。もっと言うと38歳や、おそらく48歳でも100時間あたりの腕の上がり方はあまり違いがありません。つまり単純な技量の伸び方は始めた年齢にかかわりなく、そこからかけた時間に比例します。また“学ぶ”という点で言えば年をとっている方が要領良くなるので、むしろ効率は上がります。遅くはじめた方、安心してください。

では逆に、悪い知らせ、あなたが28歳で、それまでガッツリ運動をしていなかったとしたらの話ですが、この先累々と待ち受けるイベント前の徹夜修羅場で、あなたは残念ながらスヤスヤと寝てしまうでしょう……(´A`)。普通の人生を送る分には特に不都合はない基礎

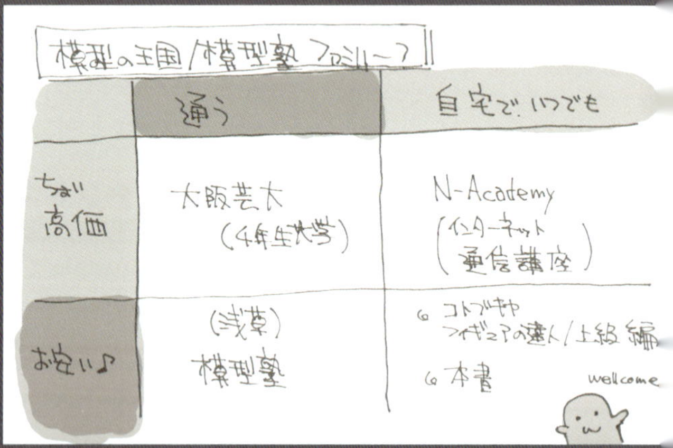

COLUMN 07

模型塾とは?

-SKUが増えました-

「模型塾」とは、私が個人で開催している造形全般を扱う私塾です。プラモデルからイベントで発表するような原型まで幅広く扱いたいので、カバーする範囲の広い「模型」の名を冠していますが、なんじゃかんじゃでフィギュアの作り方、それも美少女フィギュアの原型が一番人気なので、それに引っ張られています。その前進となったCG系の専門学校のフィギュア講座(運営はその専門学校で私は講座の中身のみを担当)が1999年から、そこから発展させてネットを使っての自前運営で「模型塾」の名称でスタートしたのが2004年1月。以来、おかげさまで途切れることなく続いております。

本書を作っている2013年には、別途インターネット上の通信講座と、大阪芸術大学から客演の依頼もあり、現時点では、本書と併せて、通うタイプ、自宅で学べる、高価、安価の軸でざっと分けて4通りのHow to企画が並ぶことになりました。それぞれに大きく条件(通える場所に住んでるか否か?)や講座としての性格が異なるので、単純に等価に選べる選択肢ではないので、ストレートにSKU(Stock Keeping Unit 在庫管理単位の意。転じて、今では製品シリーズや細かなラインナップを表す。スキューとも)と言うには無理がありますが、前著『フィギュアの達人 上級編』で紹介したときよりも、展開が増えています。そのほとんどが私が能動的に動いたのではなく同時多発的にまったく違うルートで

体力の差ですが、原型師として、あるいはオタクとして、締切りに立ち向かう基礎体力はいかんせん、若い時期、つまり10代前半から後半の、中高生の身長が伸びる時期ですね、その頃の運動に支えられているのです……。もっと言うとその時期に運動部等でガッツリ基礎体力を作っておくと、その分が貯金となって、将来の徹夜を支えてくれるんですよ……。「そういう運動部とかイヤでオタクやってたんのに!」という魂の叫びもあると思いますが、若い人はは未来のオタク活動のために、もう間に合わない人も、せめて今から(日々の徹夜のために)体力をつけていきましょう。
そしてもうひとつ「オタクとして伸びる時期」というのもあって、これは身体の成長よりちょっと後、10代後半から20代前半の、ようはモテたくなる時期。ここでモテない⇨青春をこじらせる⇨どうせモテないから趣味に逃げようぜ、という時期、満たされない思いの向く先が、オタク趣味だったりするので、その闇が深いほど、ネガティブな負の力が大きいほど、たくさんのものをブラックホールのように吸い込めることが多いというのは、この本を手にしているような人には説明不要でしょう……(´A`)。そして、その暗黒な時期に吸収したエネルギーがやっぱり将来の糧、生きていく軸になるので、ご心配なく……。
あと、もうひとつ、これは余談なのですがさらに「社会的スキルが伸びる時期」というのもありまして、免許をとったり、役所に印鑑証明をとりにいったりという公的なことから、飲み会の幹事をしたり、他人に仕事を発注したり、即売会に申し込んだりまで、これはこれで生きてく上であると便利、オタクとしてもあるに越したことはない能力。これはやっぱり20歳前後。一人暮らしとか就職とかで一気にのびるのは、まあそのまんまですね。
以上、4つの要素(技量、体力、オタク、社会的)スキルはそれぞれに伸びる時期があって、ちょっとずつ違う。年齢によって間に合う、間に合わないが存在する……というお話でした。ヽ(´A`)ノ

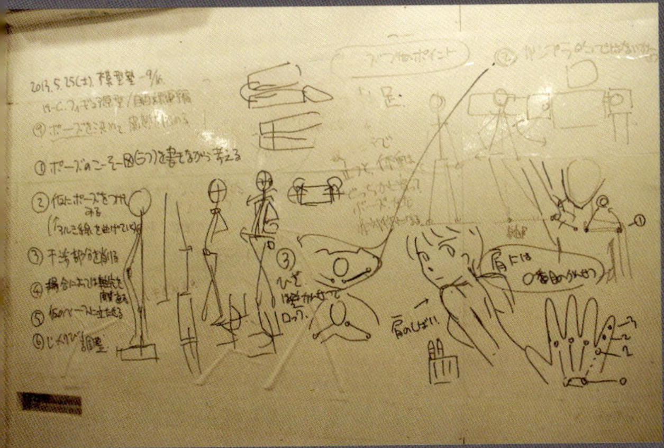

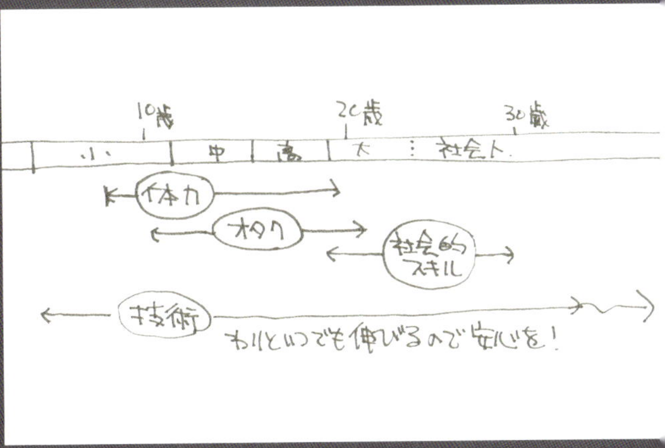

「ウチでこういうのやりませんか?」とお座敷がかかった企画で、つまりは、さまざまな媒体(メディア)がコンテンツの中身として「フィギュアの作り方」を欲しているということでしょう。私がフィギュアを作りはじめた頃の、地方の模型屋さんの片隅にできた常連同士のコミュニティでゴム型複製などを覚えていった頃とは、良くも悪くも隔世の感があります。
さて、その今となっては本家になった「模型塾」ですが、開始以来のスタイルとしては、半年ごとのシーズン制。4回〜16回の各種コースを組み合わせて、コースごとにネットで参加者を募っています。参考までに今開催中のコース名を挙げると「19-A.フィギュア原型入門 例題そのまま編(全16回)」「19-D.デジタル原型 超入門 -ソフトのインストールから出力まで、基本の基本-」等があります。最新情報や料金などは随時更新されるので「模型の王国/模型塾」のホームページをご覧ください。
(http://www1.ttcn.ne.jp/~mokei/　または「模型塾」で検索)
もちろん本書の内容や疑問点についても、お答えしますので、この本でわからなかったところがある人は、思い切ってリアルでの質問、大歓迎です。また遠方の方は東京に来たついでがありましたら、お気軽に立ち寄ってください。

第3章⑨

修正について

CHAPTER

01

修正作業のポイント

ここからの6ページは「修正について」ということで、ちょっとやっかいな修正作業だけを独立して取り上げました。途中写真でも触れていますが、実際には、全部出来上がってからよーいドンでチェックが始まるというわけではなく、工程ごとにバランス等をチェックしてはその都度細々と直しています。ここでの修正写真も時系列的にはかなり前のページのときのものが入っていますし、逆に、前ページの工程写真が修整後のものだったりするんですが、時間軸優先で写真を並べると、あっちを作ってこっちを直し、ととっちらかるので、本書では読みやすさ優先で、項目ごとに切り分けて整理して並べ直しています。

全体優先vs部分優先

修正を絡めてのワークフローを大きく分けると、A.ラフでいいのでひとまず全身全部のパーツを揃えて、以降修正も交えて部分的にブラッシュアップしていく「全体優先」と、B.順番に前工程をキッチリ仕上げてから次に進んでいく「部分優先」があると思います。私はどちらかというとA.のタイプ。

“ゴール絵”有りvs無し

そのワークフローとは別に、修正について言うと、「ゴールになる、そのものずばりのポーズ、アングルで描かれた絵」がある場合と無い場合で考え方がまた変わってきます。ゴール絵が無い場合、他の直立絵や表情絵などからある程度自分で「翻訳」しながら作る分、ちょっと難易度が上がります。

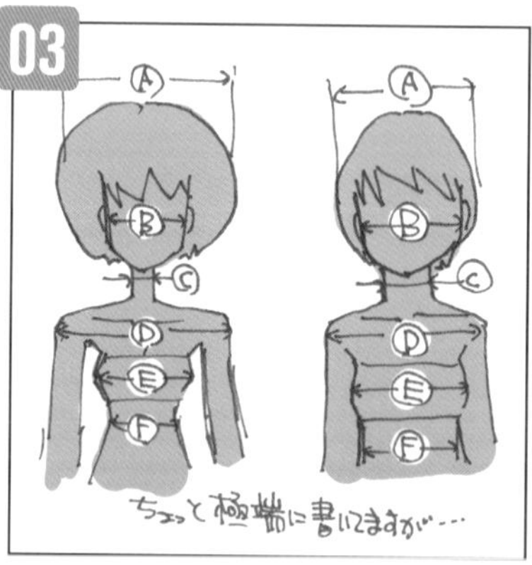

バランス(比率)を見比べる

具体的な原型のチェック方法。似てないときにはよく元の絵と見比べるわけですが、漫然と見比べるのではなく、“解析”する気持ちでどこがどれくらい似てないのかを探っていきましょう。そこで一番最初にヒントになるのが図に挙げている「ある部分の寸法が比率で見たときにどう違うか?」です。

角度、向きを見比べる

その次に探る“似てないくらべ”は、向きと角度。絵と同じ向きから原型を見て、胴体の傾きや顔の軸がどれくらい倒れているか? 腰は水平からどれくらい横に傾いているか? 目のアイラインはツリ目かタレ目か? 等々、じっくり見比べてみましょう。

絵の無い角度はやっぱりゴール無し

下図の通り、ゴール絵がある場合はこのようにストレートに比較出来ます。ところがこのケースでも、たとえば真横から見たときに背中がどれくらい反っているのか、左脚はどれくらい後ろに振っているのかは自分で推測しないといけません。さらに上から見たときに左手は身体の真横なのか？ 前に振ってる？ ちょい後ろ？ 等々、立体化するということは、大なり小なりゴールが無くて自分で翻訳する部分があるということなんですね。

05

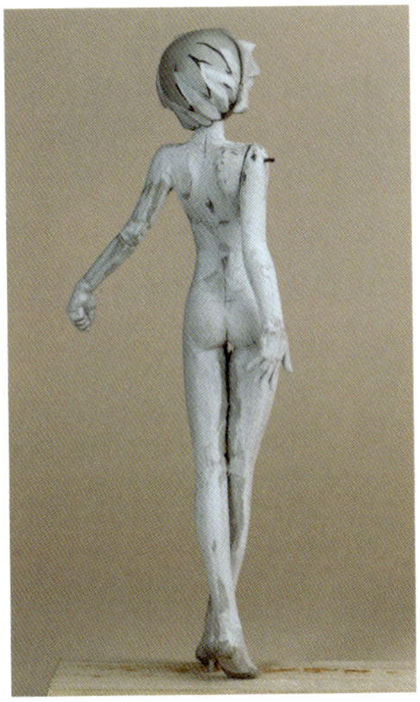

今回のバランスチェック

ということで、かなりさかのぼりますが、裸ができたところでのバランスチェックです。今回はそのものズバリのゴール絵があるので、同じ大きさで比較すると一目瞭然ですね。上から順に、①頭が大きい、②肩の上がり方が左右で逆、③おしりが小さい、④胴が長い（＝脚が短い）、⑤上体の傾きが足りない、等になります。ちなみに右下のオレンジの水着は初期画稿ですが、実はこの時点ではこの絵しか無かったので髪型はまだこちら。さらにこの画稿では肩幅に比べて頭が大きく、ここでも原型とは大きくバランスが違っています。この場合の正しい対処は「肩幅を狭くする」なのですが……。

CHAPTER 02

おなかを切って頭を大きく(!)

前のページの比較写真にある通り、絵と比べると頭と肩幅の比率が違ってるということで、ここでは間違って、頭を大きくする方向に進んでしまいました。P.123とP.125それぞれ最後の写真を見るとわかるんですが、肩幅も実は狭くしてはいるものの、あんまりかわいいとは言えませんね。なので、本作の修正としては失敗なのですが、工程のひとつ、選択肢としては「頭を大きくする」必要があったときの参考と、失敗の記録として掲載します。必要になったときには参考にしてください。

01

頭の上半分にパテ盛り

前ページ下の絵とよく比較すると、おでこ周りが狭かったこともあって、アゴ、口周りはほぼそのままにおでこ方向に大きくする方向で修正します。髪の生え際部分にそって帯状にエポパテを盛り付けて……。

02

アクリル溶剤でなじませる

指に少しだけアクリル塗料用のうすめ液をつけて押し延ばすように整形、目も彫り直すつもりなので、おでこのラインから自然に下にパテを伸ばして、今ある眼窩の一部を覆うようになじませました。

03

目の位置、大きさも修正

ここから硬化させておでこのカタチを修正(ちょっと上端が立ち気味でフランケンになってるので)、目を新しいバランスに合わせて彫り直しました。また髪部品は分け目で切り離し、大きくなったおでこに合わせて移動しています。

04

思いきっておなかを切る

上体の傾きが足りないのと、胴が長すぎるので、その2点の修正のために、いったんおなかでカットします。修正量も多くなりそうなので、思い切ってニッパーで、切除する部分を食い切るようにバチバチと削っていきました。

好きなバランスは時代とともに変わる

ということでこの例題だけでも修正前後で3パターン、肉付きや頭身にバリエーションが出ています。これは意図したものではないのですが、実はフィギュアの体型にも流行があって、それに引っ張られて「いいな」と思う身体付きが変わったり、前に好きだったスタイルが急に「これは無い……」になることもあったりします。こういうモノは作っているそのときは案外分からないのですが、数年たって見返してみると、微妙な好みや流行との関係が初めて見えてくるものなので、何作か作った後、そういう視点で振り返ってみるといろんな発見がありますよ。

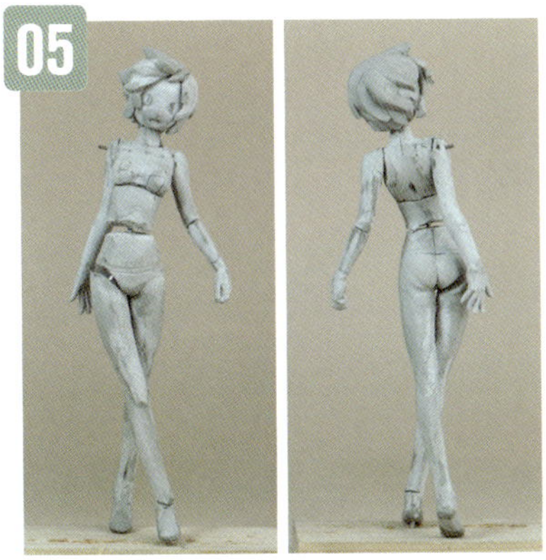

傾きを大きく調整

おなかだけを傾けてもつじつまがわないので、股間、足首、首～をそれぞれ関節部をニッパーで砕いて針金を露出させ、干渉部を削って、傾きを全体に調整した状態です。胸の下は前の分割工程(P.102)で複製用に分割した後で、ここでも少し角度をつけています。

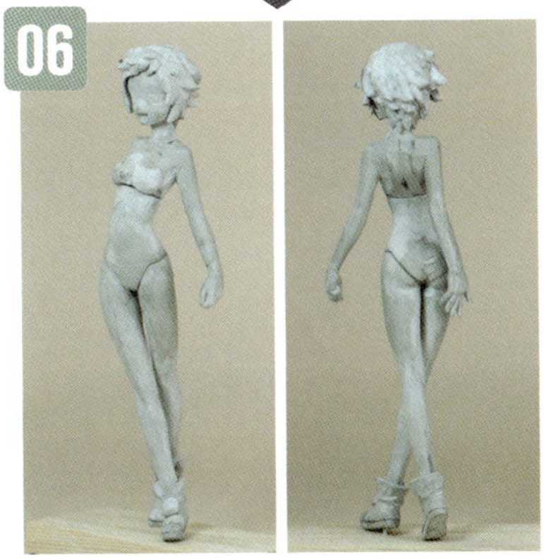

パテ埋め➡整形

新しく調整した角度で関節を固定⇨隙間をパテで埋める⇨完全硬化後に裸として再度削り出したのがこちらの写真です。おしりが小さかったのでおしりにパテ盛り、太くなった腰まわりとバランスをとるために太ももにもパテを追加しています。

Ver.2.0として修正完了。でも……

裸のラインと一部水着まで作って、「修正Ver.2.0」とでも言ったところです。斜めパースや後ろからは、肉付きが良くなったこともあって、それなりにかわいく見えるんですが、いかんせん、正面がどうにもドンくさい……。原因は先にも書いた、肩幅との関係で頭を大きくしたこと。胴は詰まって、傾きは適正になったけど、おしりと頭が大きくなった分、上半身が大きく見えるので、相対的にさらに脚が短く見えるようになった、あたりでしょう。おしりも実は、おしりをそのままにウエストを絞るのが正解だったのかもしれません……。

第3章⑨
修正について

CHAPTER
03

**大技!
もう1個作る!!**

前ページでVer.2.0となった原型は、その後、迷いつつも作業を進めて水着、髪と進めてきました(このページの写真です)。おそらく、ひとつの修正方法としては、①頭を小さく戻す、②足を延ばす、の2点だったと思うんですが、それで上手くまとまる確証がもてません。いわゆるドツボにはまって、さらに迷走しそうな予感もぷんぷんしていたので……ここで私がピンチのときに使う大技「今のをキープにして、それを見ながらもう1個新造してしまう」を使うことに。一見、たいへんそうですが、うじうじ迷うことが無いのと、すでに立体資料が横にあるので、最初の原型の1/3くらいの時間でさくさく作れます。

01

というわけで新旧比較

ただ、途中写真はVer.2.0とほぼ同じ絵づらになるのと、撮影の時間はさすがに確保出来なかったので、途中写真はほとんど無しでサフ吹きまで、新造原型(Ver.3.0)は完成になってて、すいません……。微妙なバランス替えだけなので、えー、各自写真は読み替えていただけましたら……。

02

まず頭の大きさを小さく

斜めパースでは分かりづらいのですが、頭そのものを小さく。また髪の相対的なボリュームも減らしているので髪の量が減って、よりベリーショートに見えてます。斜め写真でその差が分かりづらいということは逆に、頭が大きくても気にならないのが斜めパースということも言えますね。

03

脚は長く細めに

上半身全体が微妙に縮小をかけたように縮んでいるのが分かるでしょうか? 仮にVer.2.0をここまでまんべんなく削り込むと、結局もう一度裸を作ることになるので、作業量はあまり変わりません。それなのに確証はなくおっかなびっくりなので、そのストレスまで考えると新造は楽で楽しいです。

04

各部の傾きはやや大げさに

手足、上体、首の傾きをやや大げさにしました。結果、Ver.2.0が「どっこいしょ」とポーズを"とっている"感があるのに対してVer.3.0は「ぴょん♪」と右上方向に浮き上がるような動きが見えています。このへんは半分偶然なので、どうしてそう見えるのか?は今後の研究課題ですね。

縦軸（ロール軸）方向の“ひねり”も変更

頭からおしりに向かって通る縦軸を、飛行機用語にならってここでは「ロール軸」と呼びましょう。自分でちょっとポーズをとってみると分かりますが、気の利いたポーズでは、頭、視線、肩、おなか、腰、ひざ、足首がそれぞれ微妙にねじれて、ロール軸でのひねりがちょっとずつ違うのがわかると思います。このひねりもポーズ付けの際に重要になってくるのですが、Ver.3.0ではここもちょっとずつ変更しています。

05

“旧パーツ”を見ながら、思い切って飛躍できるのが新造のメリット

というわけで、初心者向けの入門書としては、ある意味反則ですが、思い切った提案になったと思います。旧パーツを「いざというときにいつでも戻れる保険」として“セーブ”できるので、新造パーツでは「どうせ作り直すんだったらいっそ!」と、1個だけでは出来なかった飛躍が出来ます。今回は全部新造パーツを使いましたが、場合によっては新旧で出来の良いパーツ同士を選んで混ぜて仕上げても良いでしょう。もっともたいていの場合は「あ、やっぱり作り直してよかったわ……」となってセーブした旧パーツはセーブのままで終わります。また、これももう1個作るときに大切なことですが、じゃ旧パーツの原型、Ver.1.0 やVer.2.0は無駄だったのか? というと決してそうではなくて、ここまでの悪戦苦闘がちゃんと血となり肉となっているからこそ、これが出来た、というのも、この比較写真で良くわかると思います。遠回りではあるものの、やっぱり必要な時間の積み重ねなんでしょうねぇ……。

第3章⑩

細部と表面仕上げ

CHAPTER

01

積み残し作業と最後の分割

前のパートで(別途新造ですが)完成状態を見せているので、またややこしく見えますが、通常の進行だとすると、

・全身のパーツを揃える
➡・仮に組んで修正
➡・細部工作と表面仕上げ

の順に進行するので、ここからその最後の工程を追っていきましょう。先の修正工程を見るとよく分かりますが、全部の部材が揃ってからの修正も、大がかりになると、表面の細かいディテールなどはどんどん潰れて、事実上の作り直しになります。ここで紹介している"おへそ"はその典型で、ちょっとおなかのひねりを変えても、正中線が曲がるので彫り直しになります。そこで修正完了後、ラインが確定してからの作業にするわけですね。

01

おへそを楕円に彫り込み

ひねりに注意して正中線(人体の中心線)を下書き、そこに沿ってへそを彫り込みます。工作としてはまずは楕円に彫り込み。現実にはカタチもさまざまですが、横につぶすと"太っている人の記号"に見えるので縦長に彫るとかわいくまとまるでしょう。

02

へその上下位置は……

ちなみにへその高さ(上下方向の位置)は人種や個人差で結構違ってくるので、どちらかというと衣装や演出意図に合わせて、見映えの良い位置に決めてOK。水着ならちょっと高めが元気な感じに。衣装からおなかがチラ見えだったら、多少嘘でもその高さに開けるくらいの気持ちで。

03

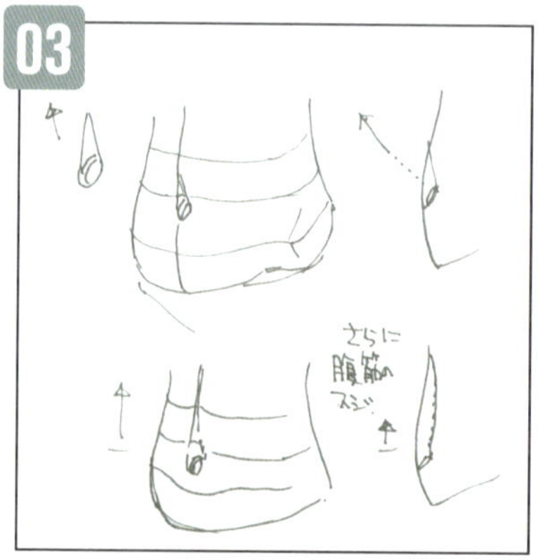

ちょい上向き+腹筋

少しリアルな表現にしたいときにはへその底に丸い突き当り面を造型します。そのときの底面は正面向きではなく、少しだけ上に向かって傾けるとかわいいです。さらにその上に腹筋の縦割れ線を繋げるとさらにスマートに。逆にへそ上を曲面でふさぐようにすると肉感的になります。

04

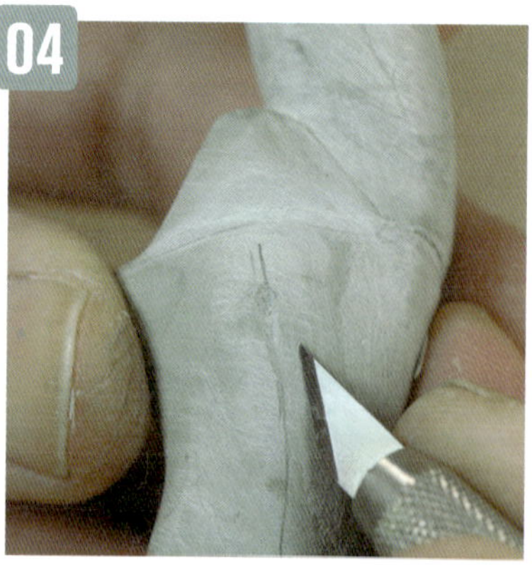

腹筋の割れ目をゆるく

ということで、へそを彫った後、そこを起点に上向きにゆるい凹筋を彫り込みます。女性キャラの腹筋は、6パックを再現するときでも縦のラインをが主で横割れは従と、掘り方に変化をつけるのがコツです。

いつ作るの? 問題

エポキシパテは気泡がほとんど入らないので、丁寧に練り合わせて、肉割れに注意すれば、表面仕上げは最小限で良いのですが、それでも細かいキズや“ス”が表面の凸凹として出てくることがあります。それを次ページのようにサーフェイサー等を使って埋めていくのですが、細かいディテールやスジ彫り等、下手をすると、そこで一緒に埋まってしまうこともあります。なのである程度細かい凸凹は、表面仕上げと途中、磨き作業と並行してセットで進めることになります。原型製作では、事実上、表面仕上げと細部工作は不可分な工程になるわけですね。

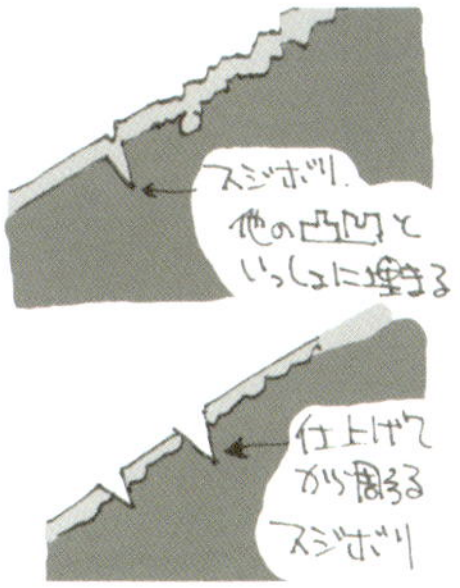

05

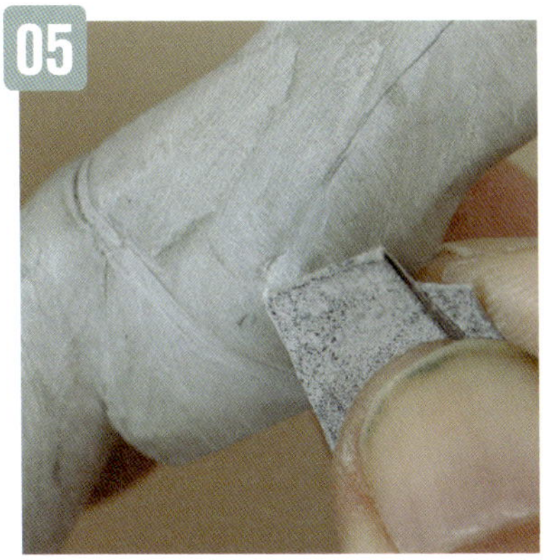

ペーパーの角で丸める

彫り込んだ腹筋の周りをペーパーがけで丸めます。縦筋が上に向かって柔らかく消えていく、消え方で柔らかさを表現する気持ちで。へそもそうですが、掘ってある穴そのものは小さくシンプルなので、そこから周辺に繋がる曲面を整えるほうが作業的には多くなります。

06

下腹部も滑らかに

へその凹みが出来ることで、そこから下腹部へ向かうライン、水着にちょっとだけ乗っかる肉への繋がりも丸めやすくなります。もっと言うとへそからくるっと下腹部に丸め込まれるラインのおかげで、へそが無いときよりもおなかを柔らかく見せることが出来ます。

07

一体で作っていたスカート

P.108で作ったパレオ、最初に一端だけを切ってC型の輪にして取り外し、そのまま作業を進めてきました。頑張ればこのまま複製も出来そうなんですが、今回は安全策を採って、前後に分割することにします。

08

リボンを別パーツに

リボンもデッサン優先で一体で作業してきたので、そこをまず分割。スカート本体はまだ前後一体なので、C型の輪の切れ目がよく分かると思います。ここを早い段階で前後を割るとバランス確認のたびに前後を仮合わせする手間と、そこでの誤差が出るので可能な限り後で分割することにしました。

09

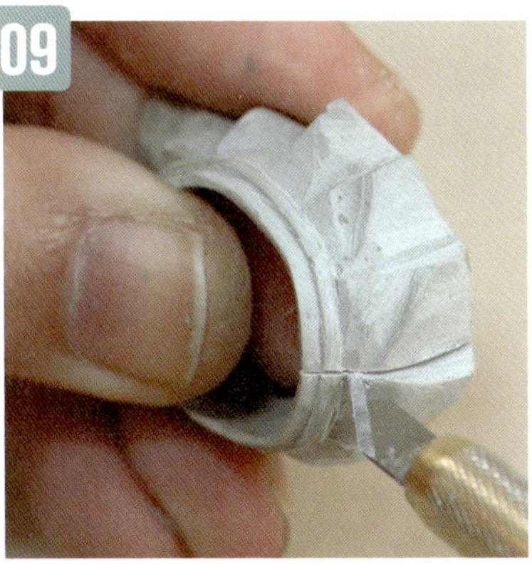

プリーツに沿ってカット

前後に割ったときに、それぞれのパーツがなるべく薄く、かつ逆テーパーの少ない箇所を選んで、そこのプリーツに沿ってナイフでスジ彫り⇨裏刃でミゾを深くしていってカットします。欠損が出たり切りしろが多いときは離型処理で補充します。

10

複製用に裏面を仕上げる

カットした分割面や、後回しにしていたスカート裏面等を仕上げます。ただ、写真に写っている離型処理で作った、胴体にぴったり密着する凹曲面はそのままで。無理にここを狭くしてスカートを薄くすると、パーツの強度が弱まるので、下から覗いて分かるエッジ周辺だけ薄く見せる程度で止めておきます。

第3章⑩
細部と表面仕上げ

CHAPTER
02
サーフェイサーと水研ぎ

表面仕上げの工程、手順そのものは最初の練習用モンスター(P.024)と、基本的には同じです。本格的なフィギュア原型ではそこに細かいモールド表現(目の曲面や服のしわ、髪のスジなど)が加わるので、単純に表面の凸凹を無くすというよりは、消していく凸凹(キズやうねり)と、残す(あるいはより強調する)ディテールをより分けてコントロールしていく難しさが入ってきます。進め方としては、全部の部品を一斉に平行して表面仕上げに入るほうが合理的ではありますが、実際にはパーツごとに進行状況が違ったり、修正で行ったり来たりもするので、なかなかそうもいかないですね。

01
形状確認➡表面仕上げ
では実パーツでの表面仕上げを、顔パーツを例に見ていきましょう。これまでの工程で修正まで済んで形状は確定しているとは思いますが、最終確認もかねて全体をサンドペーパーで磨きます。ここでは#180をフリーハンドで当てて、微妙に残っていた折れ線エッジやうねりを削っています。

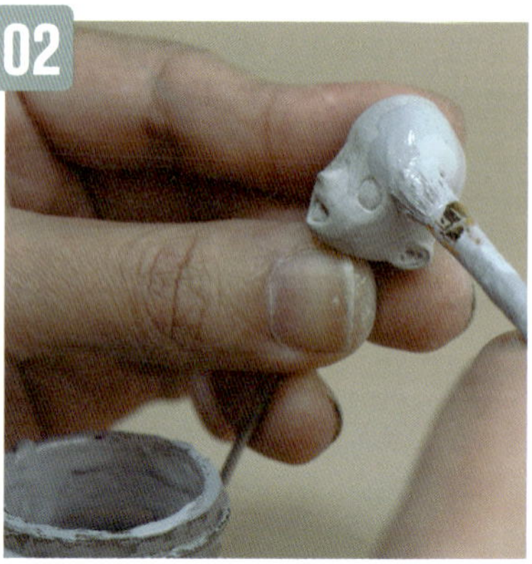

02
#500サフを筆塗り
練習用(P.024)と同じくまずは#500の濃いめ瓶入りサーフェイサーをよくかき混ぜて平筆で塗っていきます。キズや凹みまでいきわたるように、ムラは気にせずスリ込むように。目のモールドなどの角や凹部に溜まって厚塗りにならないように、サフの塗り過ぎ、置き過ぎに気をつけてください。

03
ピンホールには瞬間接着剤
サーフェイサーを塗ると分かる小さい凹みがあります。極小さいモノはこのまま磨きをかけると最初のサフだけで埋まることもありますが、それでも足りない深めの凹部には瞬間接着剤を1滴たらして硬化させて埋めます。硬さが地のパテと違うので削るときには段差にならないように注意して……。

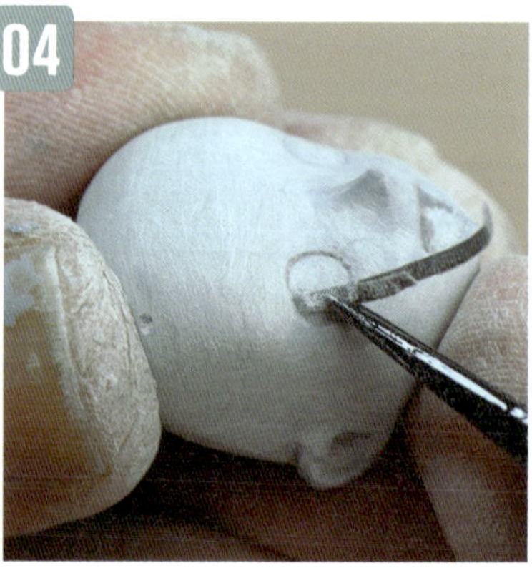

04
細部は短冊+ピンセットで
サーフェイサーが完全乾燥したら再度サンドペーパー(#180)を注意深くかけて凸凹をならします。凹曲面には折り曲げたペーパーのRを当てて、また目の曲面などは細い短冊に切り出したペーパーを折り曲げ、ピンセットでつまんでこりこりと磨きます。細かいですが楽しい工程のひとつです。

磨きは何番まで?

模型塾の現場でもよく聞かれるのが「仕上げでは何番まで磨けばいいでしょう?」という質問。原型の場合は最後はサーフェイサー層で覆うことが多いので、その厚みで隠れるくらいのキズなら残ったままでかまいません。私は#320、細かくても#400程度までとして、あとはサフで仕上げています。反面、塗装して仕上げる(=完成品をつくる)ときには下地をもう少し細かく、#600、#1000まで磨きます。その上の#1500とか#2000はクリアーパーツや塗装面(特にクリアー層)そのものを磨くときだけ使うイメージです。

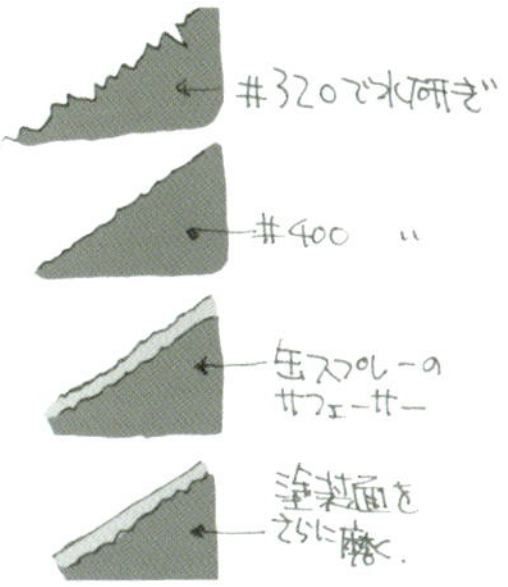

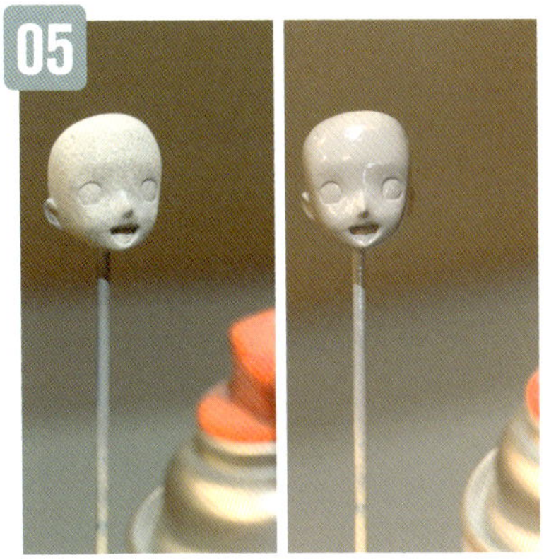

缶スプレーのサフ吹き

#500サフをひと通り磨いたら、もう1段キメの細かいGKサーフェイサーを吹き付けます。まずは薄くサラっと吹き付けて下地のキッカケを確定。これを"足付け"とも言います。その後徐々に吹き重ねて、ツヤが出る直前で止めます。ここでも塗膜が厚すぎるとモールドが埋まるので最小限の厚みで。

水研ぎも細かく処理

スプレーのサフも完全硬化後にサンドペーパーがけを。今度は#320に水をたっぷりつけて水研ぎします。番手が細かくなりますが、磨く面のカタチやディテールに合わせて、サンドペーパーの切り出し方や持ち方を変えていくのは前後の工程で共通です。

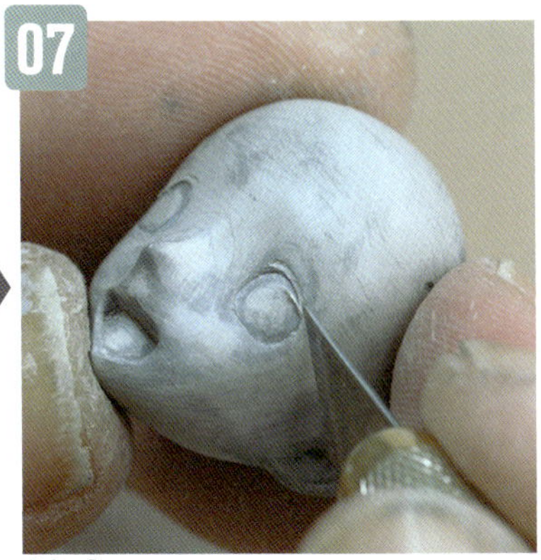

二重《ふたえ》まぶたを彫り込み

#320での磨きが終わったところで上のアイラインの上、まぶたの境界線の肌側にごく薄い段差を彫り込んで二重《ふたえ》まぶたを表現します。削りを入れるまぶたのエッジが崩れてこないように最小限のナイフ使いで、薄皮1枚分の段差にとどめました。ただしこれも難しい人は塗装再現でOK。

最後にもう1度スプレー

細部にたまった磨きカスを歯ブラシで除去したり、スジ彫りを刃物でなぞった後で、最後に缶スプレーのサフを吹き付けて完成です。ここでまだ微妙なうねりやエッジが残っているのが分かったら再度#320(もしくは#400以上)サンドペーパーの水研ぎに戻ります。

ピンホール埋めもう1題

表面仕上げで出てきたピンホールが極小さい場合の対処法をもう1題。#500の瓶入りサーフェイサーの口などで半分乾いて濃くなっている部分を爪楊枝ですくって溶きパテのように使うこともできます。乾燥後の硬さがエポパテに近いので磨きやすいのが美点です。

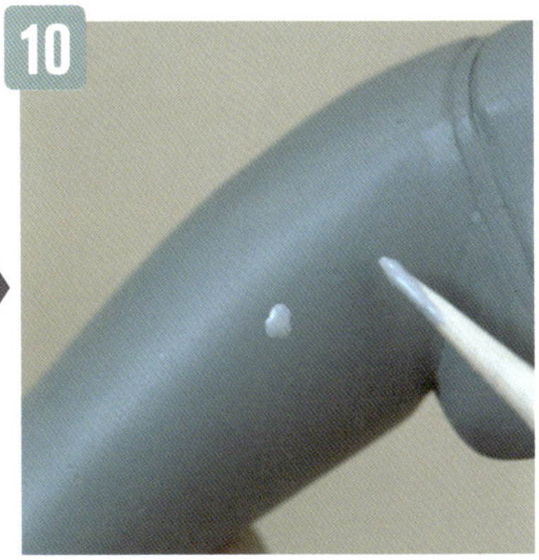

#500サフの濃い部分を楊枝で

このように必要最小限の量を突っ込むように置いて乾燥させます。凹部を埋めるのに使える素材は規模が大きい順にエポパテ(本体と同素材)>ポリパテ>瞬間接着剤>#500サーフェイサーといったところ。好みや凹みの状態で適宜使い分けています。

第3章⑩

細部と表面仕上げ

CHAPTER

03

磨きながら仕上げるパーツ

サーフェイサーの効能のひとつに「吹いてみるとカタチがすっきり見える」ということも挙げられます。靴ひもやここで取り上げている髪飾り等の複雑なモールドが、途中で「上手くいってるのかどうか分からなく」なったときにはシュっと軽く吹き付けてみると見通しが良くなることがあります。確認以外にも、サーフェイサー層の厚み自体を上手く生かして、削る部分と残す部分をコントロールするように仕上げ作業を進めることもあります。文章では伝わりづらいのですが、一度体験するとよく分かる勘所のひとつです。

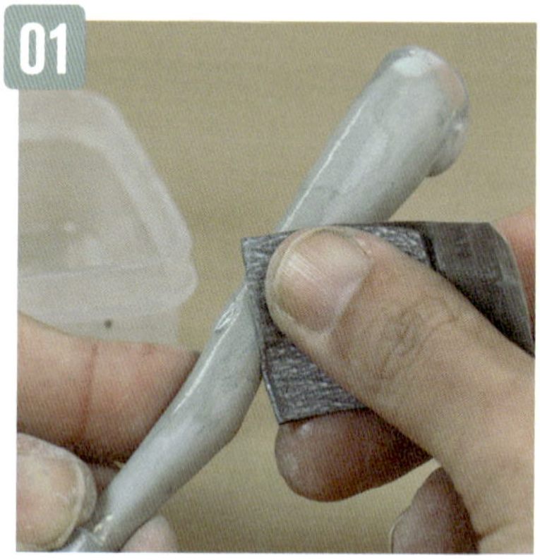

01

大きな曲面はフリーハンドで

他のパーツも順次サーフェイサーとサンドペーパーを組み合わせて磨いていきます。太もも等の大きな曲面は比較的磨くのも簡単です。意図しない大小さまざまなうねりやエッジ、折れ線などをペーパーを縦横斜めに動かして消していって、最後は当て板無しフリーハンドの水研ぎで仕上げます。

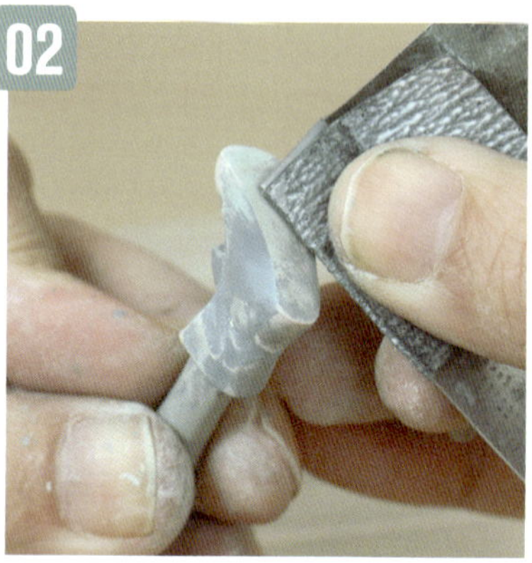

02

エッジを立てたい平面は当て板

フリーハンドでの磨きは意図しない角を不用意に丸めてしまうことがあるので、靴底などのエッジを立てたい平面では当て板有りで水研ぎを。平面の内側からエッジに向かって削ぎだすようなイメージでペーパーを運ぶのもエッジを立てるのに有効です。

03

丸めた#320ペーパーの背

水研ぎの場合でも2回折り曲げたペーパー(の背側)で作る曲面は大活躍。ただ手で持つと細かい部分は上手く狙えないので曲面のキワキワをピンセットでつまんで使います。長年この使い方をするとピンセットの腹はすり減っていくので、使い古しのモノでどうぞ。

04

しわの"谷"をひとつずつ磨く

しわの"谷"などの、小さいけど逆Rで繋がないとダメな、ゆるい凹曲面はつまんだサンドペーパーで、ひとつずつ、ペーパーの先端を送り込むように磨いていきます。裸の身体でも脇の下や鼻の横など細かい逆Rは同じように仕上げます。

エナメルで磨く

磨きカスを除去するもうひとつの方法に「溶剤（うすめ液）で磨く」というのがあります。原型の場合、表面仕上げに各種サーフェイサーを使うので、その層を溶かさないということで、エナメル系塗料の溶剤が適しています。ミゾやスジ彫りに詰まったカスをこそげ取るように除去してくれるので、刃物を当てたくないミゾの仕上げなどに重宝します。ちなみにエナメル溶剤は樹脂によっては分子レベルで浸透してボロボロと崩壊する場合があるので、プラモデル等の仕上げ磨きには使わないほうが無難でしょう。

05

髪のスジは角を使う

逆に髪のスジ&段差のように角が立った凹面はステンレス定規に巻き付けた#320ペーパーの角の部分を当ててエッジを立てるように磨きます。こうしたスジは流れに直角方向にはシャープな角を出しながらも流れ方向には滑らかな曲線になるので、方向性に注意して作業します。

06

磨きカスは歯ブラシで

花のカタチの髪飾りはまず平面を#320ペーパーですっきり出して、外周⇨花びらの境界を彫り込みと進めていきます。こうした細部ディテールの凹部には磨いたカス（サフや研磨粒子が水で泥状になった固まったもの）が詰まりがちなので、まずは歯ブラシで丁寧に除去します。

07

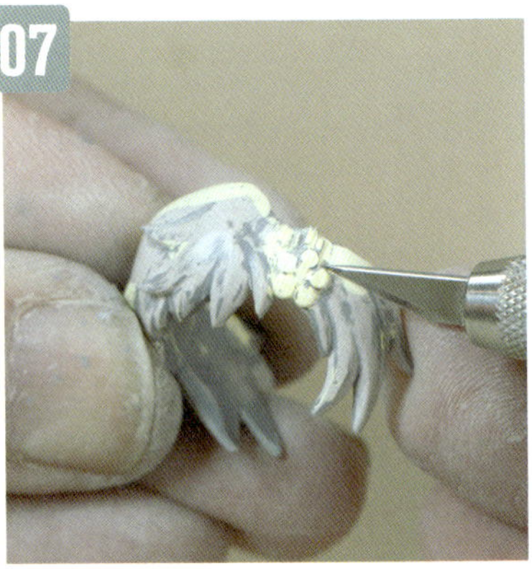

ナイフでモールドを立てる

それでも凹部に残るカスや、サフの塗膜で甘くなっている部分は磨いた後、さらに刃物を入れて、エッジを立てます。髪のスジや靴のディテールなどにも有効です。

08

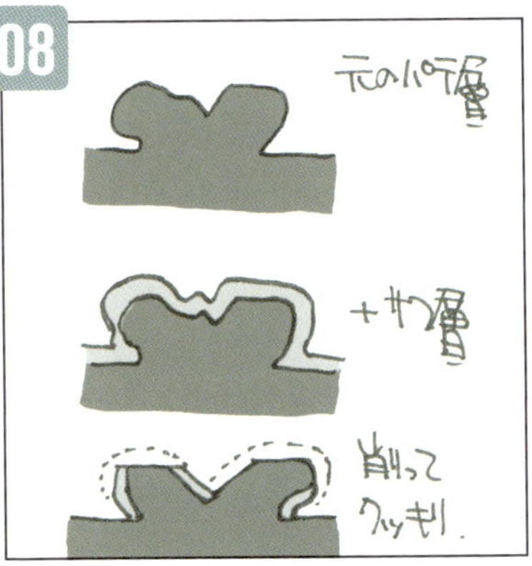

サフの厚みで作るモールド

この最後の刃物工程を通して、サーフェイサー層の厚みを生かしてディテールを作り込むことも出来ます。元のパテ層で甘かった細部の、凸部ではサフを残して、凹部はサフ層を削り込むことでシャキッと仕上げるイメージで。スジ彫りのヨレなどもこの応用で、ある程度はまっすぐに直せます。

09

持ち手用の小穴を開ける

最後のサフ吹きの際に、持ち手の竹串を差し込む用に前髪などの小パーツでは接着時に隠れる面に0.6mm程度の小穴を開けておきます。もちろん表側に貫通しないように、厚みがある場所を選びましょう。また、穴を開ける場所がとれないときは割り箸に両面テープで固定して持ち手にします。

10

この後仕上げのサフ吹き

細部のエッジを立て終わった前髪パーツです。この後最後の缶スプレー式サーフェイサーを最小限の厚みで吹いて完成になります。花びらの境界のスジ彫りが最初のパテ層では不均一だったのを修正したので、そのラインに残るサフの幅等が異なって見えるのが分かります。

第3章⑩

細部と表面仕上げ

CHAPTER

04

ポリパテ利用と原型の完成

今回は初心者向け入門編ということで、なるべく単一の素材で作ってきましたが、造形材料にもそれぞれに長所短所があるので、異素材を使い分けた方が良い場合もあります。ここではそのほんの一部ということでポリパテ（ポリエステルパテ）を補助的に使うケースを紹介します。ただ、これも実は難しいところで、硬さや硬化のタイミング等、微妙に違う異素材は、そのたびに使いこなしのノウハウが変わってくるので、使う素材が増える＝悩みが増えるということにも……。あとは素材によって事後変形も変わってくるので、しばらく経つと異素材部分が浮いたりするという弱点も……。

01

ポリパテは“スベスベ”を使用

今回は使う量が少ないということもあって「パテ革命」シリーズの仕上げ用「スベスベ」という銘柄を使います。キメが細かく、食い付きが良い反面、高価で弾性がほとんどないのが特徴なので、これをメインで大きいフィギュアを全部作るというよりも、細部や修正に補用することが多いです。

02

硬化剤はロック用をちゃんぽん

セットされているスベスベ専用の硬化剤は透明のジェル状なので、白い主剤と混ぜた後も白いままです。完成品等にはそれが良いのですが、ここではロックポリパテ用の黄色硬化剤を混ぜました。ポリパテはある程度ちゃんぽんで使えるのでいろんな組み合わせをテストしても良いでしょう。

03

色付きで混合が確認出来る

ロック系の硬化剤を使うと白＋黄なので、混ざっているのが分かりやすく、硬化後の性質もスベスベ純正よりも軟らかくちょっと粘りが出ます。混ぜる際には適当な台紙の上でくるくる混ぜればOK。色ムラがなく均一なクリーム色になれば混合完了です。

04

ピンホールにすり込むように

練習モンスターの底面に凹みが残っていたので登場願いました。よく混ぜたポリパテを爪楊枝ですくってすり込むように埋めていきます。ポリパテは硬化時に若干収縮するので、面一《つらいち》にピッタリだと硬化後うっすら凹むので気持ち盛り上げ気味にしておきましょう。

仮組みはいつまで?

P.127の比較写真をよく見ると、パレオはマスキングテープで仮止めで、水着のリボンは足元に置かれています。本体のシルエットに影響は少ないのですが、全パーツを揃えての仮組みにはなっていません。今回はかなりシンプルな原型ですが、凝った服やうねった髪、となると仮組みも一苦労になります。バランスチェックの目的から言うと、もちろん常に全パーツを組んで確かめるのがベストなんですが、なかなかそうもいかない。特に最後の磨き工程になってくると、軸を打つ場所を確保するのも大変になってきます。そこで現実的な落とし所として、私はポイントごとにデジカメで途中写真を撮って、いろんな角度の写真を並べてプリントアウト、それとこまめに比較しながら作業を進めています。パーツ数の多いメカものでも有効ですよ。

05

分割面もポリパテ向き

また離型処理もピンホール埋めと並んでポリパテが得意な工程です。特に修正で埋めるボリュームが小さい、比較的誤差が少ない分割面では、硬化前が軟らかくよく延びて、複雑なラインにもピッタリなじむポリパテのほうが適しているので、ここだけをポリパテで作ることもあります。

06

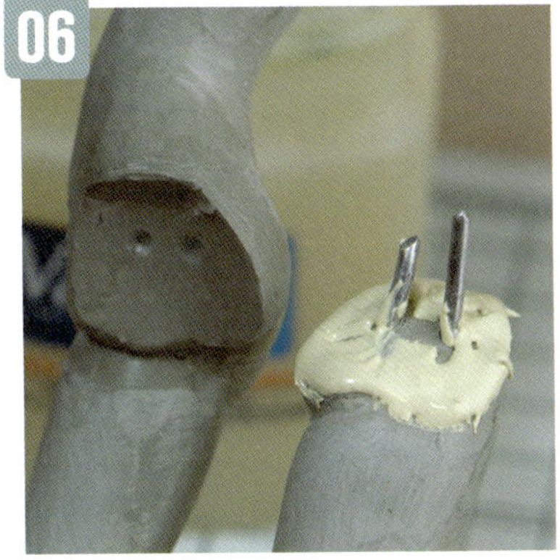

離型処理→押し付ける

作業自体はエポパテと同じです。片方にワセリン、他方にパテを塗って針金等のガイドに沿ってギュッと押し付け。硬化時間がエポパテよりも早い(5分〜30分程度)ので、手早く作業する必要があります。硬化後は軽量エポパテより若干硬いので、磨く際には段差が出来ないように注意を。

07

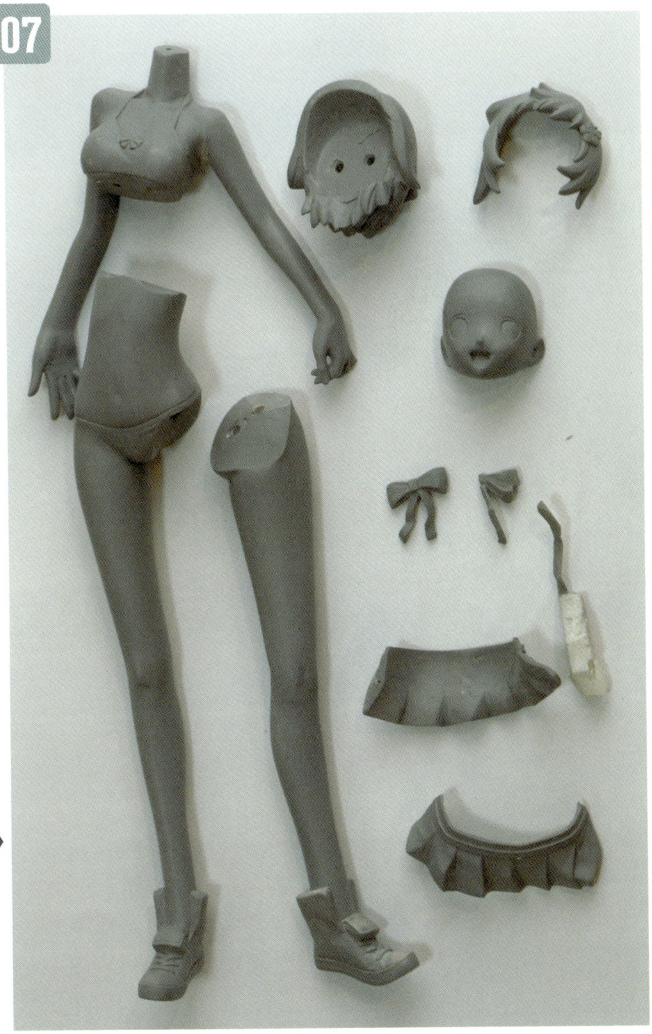

すべてのパーツを仕上げて原型は完成

ということで磨いてサフを吹いた全パーツがこちらです。パーツ分割はこのようになりました。組み立てるとP.127のスタイルになります。原型としては、ひとまずこれで完成ということで、長くみっちりとした解説にお付き合いありがとうございます。本の趣旨としてはここまでがメインなのですが、さすがに完成しないのももやもやするので、オマケ的にですが複製⇨組み立て⇨塗装をダイジェスト的に掲載してますので、もう少々お付き合いください。

COLUMN 08

イベントに行こう

-ガラスの靴を置いてこよう-

"フィギュアを作る"という行為を支える精神的な柱はだいたい4つの要素に整理出来ます。まずひとつめは造型行為そのものが好きという要素。無人島にいってもたった一人でもフィギュアを作るという人はこれでしょう。2つめはキャラ愛。対象物が好き過ぎて、欲しすぎて作り始めた人。3つめはコミュニケーション。フィギュアを通して同好の仲間が出来るのはやっぱり楽しい♪造型は数年ご無沙汰で実は何にも作ってなくてもイベント帰りの打ち上げに行っちゃうタイプですね。4つめはコンペティション、競争の要素。あの人に勝ちたい! あるいは、もっと行列を長くしてやる! という闘志だけがエネルギー。極論それほど好きじゃないネタでも「オレだったらこう作る」と燃えるタイプ。こういう人にとってはしょぼいフィギュアですら「ここをこう直せば……」と燃料になります。もちろん実際にはひとりの中に4つの要素が大小ありつつレーダーチャートになってるので、自分はどうだか考えてみてください。
そしてその4つすべてが満たされるフィールド、それが造型イベントです。老舗にして最大のワンダーフェスティバル(ワンフェス)が夏と冬2回開催で、それ以外が群雄割拠という状況はコミケを軸にした同人誌即売会に似た構図になっています。
まず最初はお客さん(一般参加)として行くと思いますが、オススメはやっぱりワンフェス。同人誌と違って見本(=完成品)が全部テーブルの上に並んでいるので、開いてみないと中身が分からない同人誌よりも実は初心者向け。
その次に今度は机の向こう側、売る側(ディーラーと言います)になって参加! そうなると、逆にワンフェスはちょっとハードルが高め。参加代金も1卓3万円弱(ちなみに半卓は無し。その代わりにテーブル&バックヤード等は同人誌イベントに比べて広い)と、そもそも高額なのと、当日版権の手続きと責任もあるので、最初は友人の手伝い(イベント当日はもちろん、準備に人手が欲しいので案外歓迎されますよ)が一番なんですが、その相手を見つけるのも、まあそんなに簡単ではないんですよねぇ……。
ただ、その高いハードルを越えるだけの値打ちが(特にプロの原型師を目指している! という人にとっては)あります。多くのフィギュアメーカーや開発関係者がワンフェス会場を新人原型師のスカウトの場としてなんじゃかんじゃで使っていまして、上手い新人が出てくるとどこからともなく「お仕事、お願い出来そうでしたら、月曜日お電話ください!」と名刺を置いていく関係者が……。もちろん、中には怪しい話もありますが(笑)、私もそれで実際かなりの仕事をいただいてきました。
そういう意味では灰をかぶるように粉まみれになっている駆け出し原型師にとってのワンフェスは、まごうことなく"お城の舞踏会"! そこに渾身の一作を持ち込むのです! チャンスは待っているだけではやってきません! "ガラスの靴"は、お城の大階段に、"置きにいく"んです!

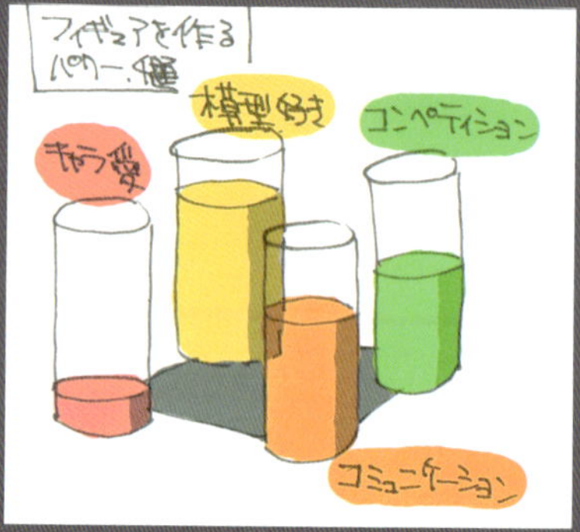

第4章

複製と塗装

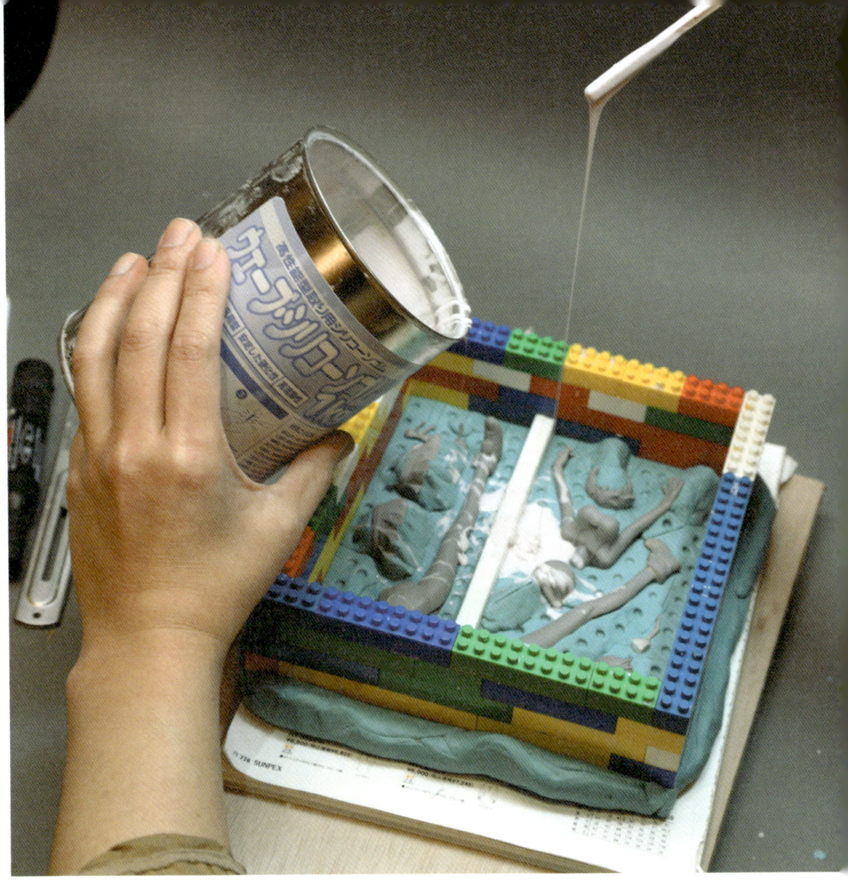

ダイジェスト的に要点を取り上げています

本書は基本的には「原型の作り方」の「入門編」として編集されています。

ただ、さすがにグレー1色のサーフェイサー状態まででおしまい、というわけにはいかないので、塗装までちゃんと終えた完成品を用意することにしました。

その際に、水着となると肌の露出も多くなり、やっぱりサフレス塗装（P.148参照）にしたいので、結局ゴム型複製でレジンキャストに置き換えも……となって、最終的にはいわゆる「レジンキット」を作る工程の後半2つ、「ゴム型複製」と「組み立て、塗装」まで含めたフルコースをおこなうことになりました。せっかくなのでその過程も撮影しています。

原型製作では、今回の例題のようなシンプルなモノ（水着、立ちポーズ、ショートカット）と複雑で凝ったモノ（複雑に折り重なる衣装、手ごわいポーズや凝った構成のベース、風になびく長い髪）に比べると、かなり易しくなるのですが、複製と塗装は、初心者向けな原型でも必要とされるテクニックはあまり変わりません。正確に言うと、美少女フィギュアを、シンプルなデザインとはいえまともに作ったら、複製も塗装も、上級レベルにどうしてもなってしまうという感じでしょうか。

ということで、ちょっと手ごわいこの2つの工程（ゴム型複製、塗装）についてはポイントに絞ってのダイジェスト版ということで、完成までの流れをお見せします。それぞれ、突っ込んだノウハウや細かいコツについて、どうしても気になるというときは、こちらも『フィギュアの達人 上級編』の後半をご参照ください……。

第4章

複製と塗装

CHAPTER

01

複製①
原型を並べる

複製工程はまず、原型を並べるところからスタートします。一般的にフィギュアの複製には「両面型」と呼ばれる左右半割りのゴム型を使います。ゴム型は片面ずつ順番に流すのですが、最初は原型を油粘土に半分埋めておいて、その上にブロックで型枠を組んで、最初の面（便宜上“A面”と呼ぶことにします）にゴムを流します。ゴム型を作る際に一番重要、かつ難しいのが、最初の粘土埋めの工程で、並べ方、埋め方ともに細かいノウハウだらけで、その埋め方次第で複製品のクオリティが全然違ってくる、原型と同じくらいに奥深い工程です。

01

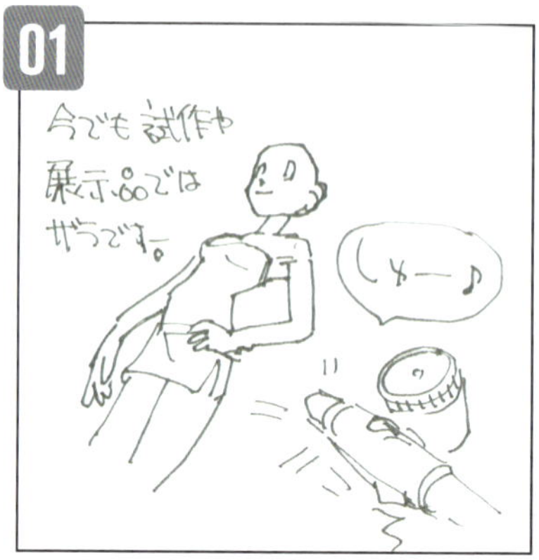

原型塗りvs複製

複製をとらず、原型に直接塗装して完成品にすることを「原型塗り」「一品モノ完成品」と呼びます。以前はそれが普通だったのですが、ゴム型複製が一般的になって以降、完成品はレジンキャスト製の複製パーツで作ることが一般的になったので、それと区別する意味で使われるようになりました。

02

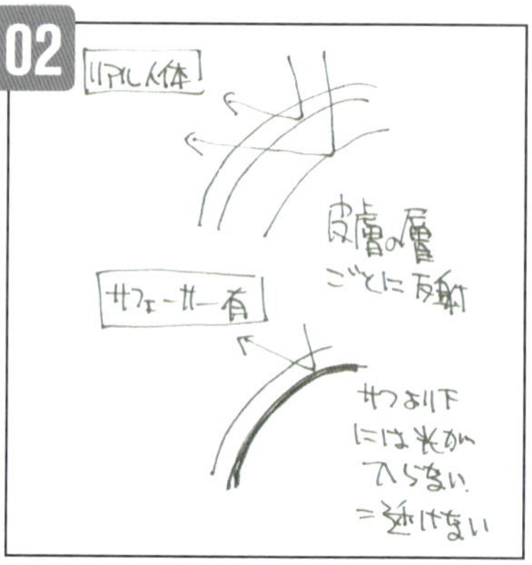

“サフレス塗装”の透明感

複製に使われる樹脂もかつては鈍い黄土色で、塗装の際にはサーフェイサー⇨白⇨肌色と塗り重ねていましたが、やがて淡いアイボリーのレジンが登場、その（半）透明な素材感を活かしてサーフェイサーを使わずに透明水彩のように直接肌色を塗る技法は一般に「サフレス塗装」と呼ばれています。

03

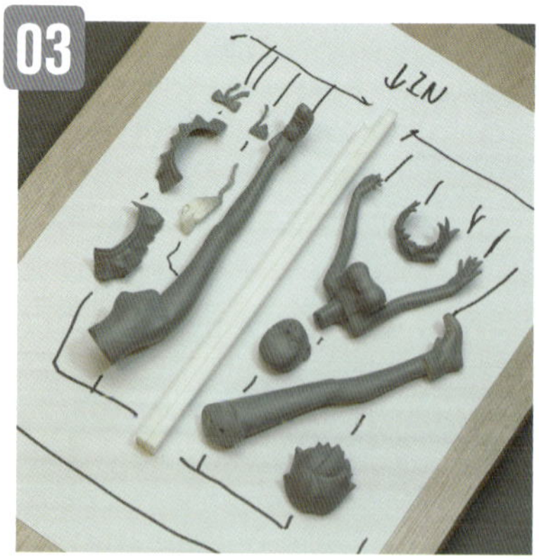

配置を紙の上で検討

今回はそのサフレス塗装で仕上げたい、ということもあって、原型をシリコーンゴムで型取り、レジンキャストで複製します。その型取りの第一歩ということで、完成した原型の複製のための配置を紙の上で検討します。上下方向を決めて樹脂の流れる様子をイメージしつつ並べていきます。

04

デジカメ等で一時保存

配置が決まったところでデジカメで撮影、実際に部品を埋めるときの参考にします。左の写真で中央にある四角い棒は5mmプラ角棒を4本束ねて接着したもので、樹脂が上から下に最初に通る湯口になります。ここから左右に分かれて、各部品が下〜上に満たされていきます。

材料① 油粘土

両面取りの複製の際、下に敷いて原型を半分埋め込むのに使用します。ゴム型複製に使う場合、粘土としての扱いやすさよりも、ゴムを流した後の、A面のゴムからの外れやすさが大事。最近の軽量タイプの油粘土や、扱いやすいことをうたった軟らかい粘土の中には、べったり貼り付いてゴムから外すのに苦労するものもあるので注意。昔ながらの固めのモノがゴム離れがよくて安心です。硬めで延ばすのが大変なときはコタツの中やストーブのそばで軽く温めておくと軟らかくなって扱いやすくなります。

のし棒で油粘土を平らに

原型を半分埋める油粘土は、配置する面積より少し大きめに延ばします。料理用の麺棒を、粘土専用と決めて流用すると良いでしょう。この粘土のベースは作業しやすいようにくるくる回したりゴムを流した後、運んだりするので、しっかりした合板を作業台にして、その上で延ばしました。

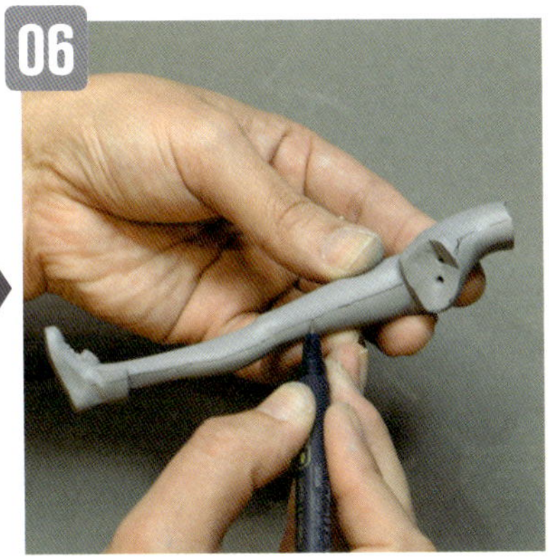

原型にパーティングラインを

粘土台の上での配置や上下方向といった平面的な「並べ方」と同じく重要なのが、原型を奥行方向にどの深さでどの線まで埋めるか？という「埋め方」です。埋めた際の喫水線がパーティングラインとなり、原則としては原型の一番幅が広くなる箇所を繋いでいく線になります。

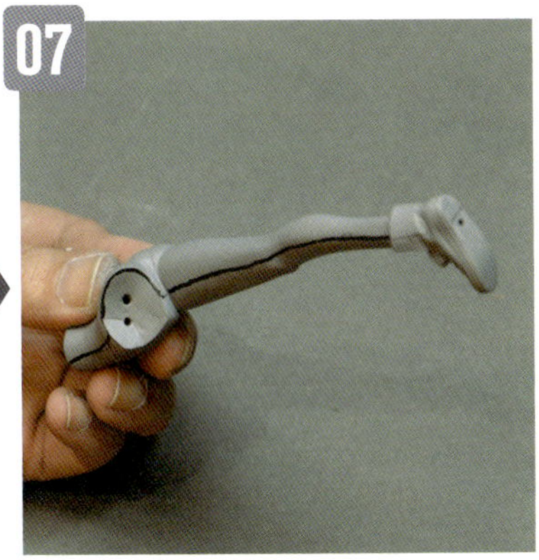

ラインは所々折り返します

単純な筒型の部品ではそのパーティングラインは筒の真横を直線でぐるりと囲みます。フィギュアの場合、比較的筒に近い「のばした脚」でさえ、一番幅の広い線は断面に沿って微妙にうねることになります。さらにこのおしり付け根などは分割面が凹んでいるので、そこでラインが折り返すことに。

油粘土の上に配置

パーティングラインを描き込んだ原型を最初のシミュレーション案に基づいて油粘土の上に再度配置します。この後、型枠を組んだところでまた微調整を加えるので、埋めるというよりは軽く置いていく程度にします。

ブロックで壁を組む

配置した原型をぐるりと囲むようにブロックを組んで、4周に壁（型枠）を立てていきます。これもグッと押し込むと外しづらいので、現時点では軽く乗せる程度で組み合わせていきましょう。

位置決め➡いったん外す

4～5段ほど組むと、噛み合って安定するので枠ごと位置を微調整。上下左右ともに、原型の一番外側から余白を10mm程度とった位置に一度軽く押し付け、粘土台に跡を付けた後、原型埋めの作業の邪魔にならないよう組んだままで取り外します。

第4章

複製と塗装

CHAPTER

02

複製②
A面のゴムを流す

型枠の位置が決まったところで原型の配置を微調整、そこから本格的に油粘土の土台に原型を埋めていきます。「粘土埋め」とも呼ばれるこの工程もまた重要で、パーティングラインに沿ってスパっとハミ出しや隙間なく埋めていけるかどうかがキレイなゴム型に、またキレイな複製品に直結します。

01

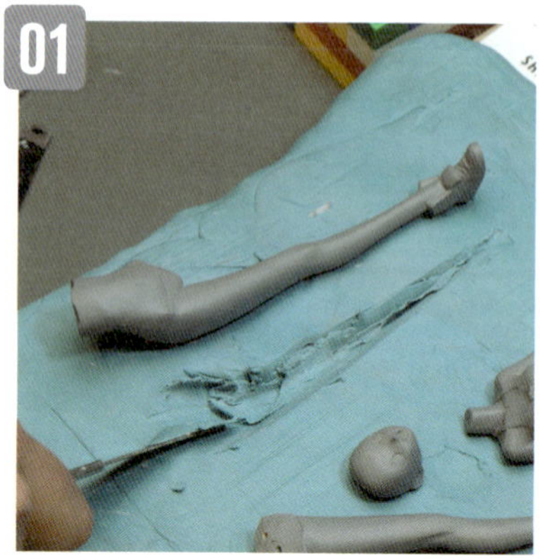

埋める分の粘土を除去

ここから本格的に原型を埋めていきましょう。まず右脚+おなかまでの胴体から作業します。このように粘土に埋まる分が大きい(=深く埋まる)原型は、押し付けるだけでは壊れることもあるので、あらかじめ埋める部分の粘土をナイフやへらなどでちょっと大きめに除去しておきます。

02

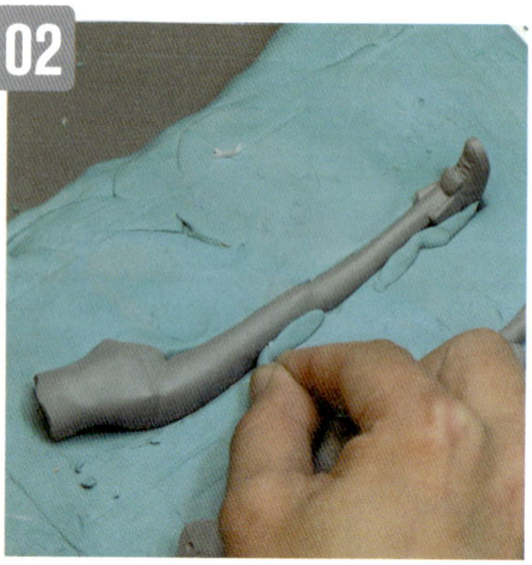

原型を置いて周りに粘土

現物合わせで穴の深さや形を微調整してから原型を置いて、周囲の隙間に細く延ばした粘土を詰めていきます。パーティングラインが原型の断面に合わせて上下する場合は、境界の粘土面も上下にうねるように盛り上げ(または掘り込み)ましょう。

03

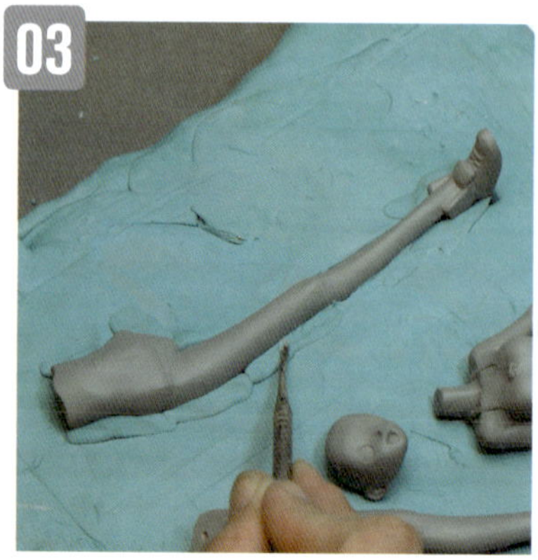

スパチュラ等で密着

原型との境界で、粘土面が原型に対して直角に、かつスッキリと交わるようにスパチュラのスプーン型の背などを使って整形していきます。ここの境界が歪んだり、粘土がめくれ上がってボソボソしていると、そのままゴム型に転写されて、パーティングラインが汚くなります。

04

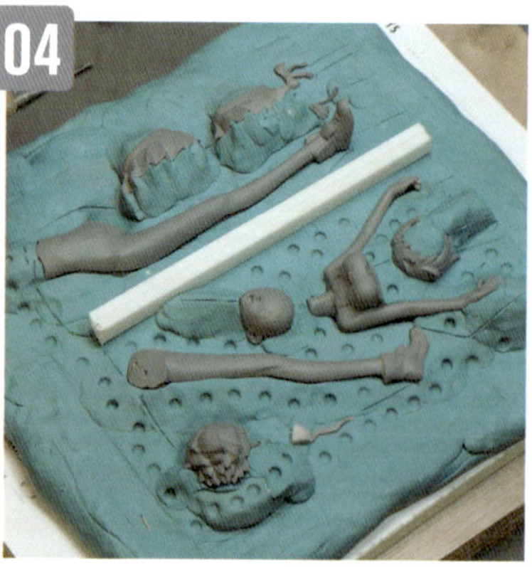

型ズレ防止用のダボ穴

すべてのパーツをパーティングラインに沿って埋めて、湯口を配置⇨空気抜きのミゾ、ゲートを粘土面にへらで下書き⇨型ズレ防止のための突起(ダボ穴)を粘土面に掘る、の順に作業。ダボ穴は何でも良いのですが、私は5mmの丸プラ棒の先端を丸く削った自作工具で開けています。

材料② 型枠用ブロック

ゴムを流す型枠は市販のブロックで組みます。おすすめは国産ブロックの老舗、カワダのダイヤブロック、基本セット（¥1,000程度）。造形、型取り用のものは精度がいまひとつですし、LEGOは精度は申し分ないのですがブロック1段分の高さが低いのと割高なので、今から買い揃える人はカワダが良いでしょう。油粘土もそうですが、思っている以上に量を使うので、予備も含めて何セットか買っておくと重宝します。

05

型枠を戻して押し付ける

前ページで組んだブロックの型枠を最初に決めた位置に合わせて、今度はグッと押し付けます。ブロックとブロックの間の隙間はゴムが流れ込んでもたいていすぐに止まるのですが、粘土とブロックの間に隙間が開いているとどんどんゴムが流れ出していくので、ここはとくに注意してください。

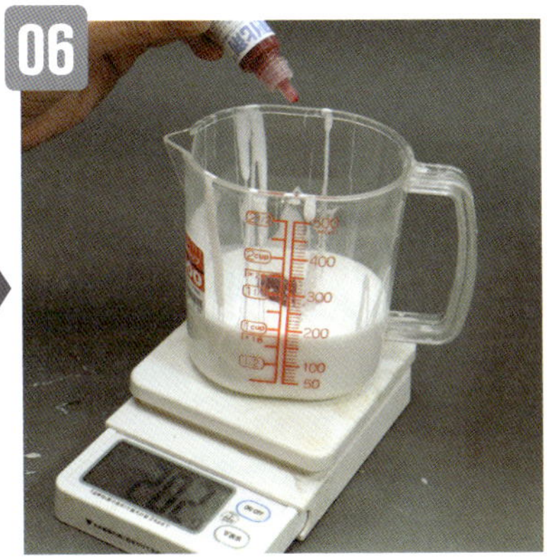

06

シリコーンゴムを軽量

型取り用のシリコーンゴムは容器の中で分離していることがあるので、あらかじめよく攪拌しておきます。そこから必要量を計り、添付の硬化剤を混ぜます。g《グラム》表示もありますが、秤《はかり》の計測精度を越えているので、目分量で、主剤が1缶の半分なら硬化剤も半分くらいを入れていきます。

07

硬化剤をよく混ぜる

色付きの硬化剤の利点は混ざっているかどうかが確認しやすいこと。写真のように最初は白×赤紫のマーブル状なので、均一な薄いピンク一色になるまでよく攪拌してください。混合用には100円ショップのプラ製計量カップの、持ち手が付いているタイプが混合時に手がベタつきません。

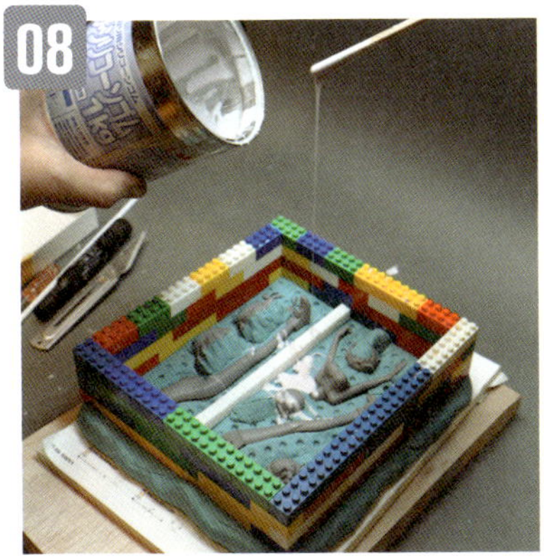

08

高所から糸状に垂らして…

十分攪拌したシリコーンゴムを型枠に流し込んでいきます。このときにゴム型面に気泡が入ると、成型する部品にもそれが転写されてしまうので、攪拌時に抱き込んでしまった気泡を抜きながら流します。一番簡単なのは高いところから少量ずつ糸のように延ばしながら垂らしていくこと。

09

空気を抜きながら流し込み

細く延びる際にかなりの空気が抜けていくので、それを少量ずつ繰り返して、原型の露出している面を丁寧に少しずつ流していきます。この上からエアブラシで空気だけを吹き付けて気泡をあおるように抜く方法、ベースにマッサージ用バイブレーターを当てて振動で気泡を抜く方法もあります。

10

必要な厚さまでゴムを流す

気泡の影響が出るのは原型の表面に接する薄皮1枚分だけなので、後半はもう少しラフに流してもOKです。再度必要な量のゴムに硬化剤を混ぜて原型全体を覆うように型枠に流し込みます。今回の原型では全パーツを20cm×15cm程度の面積に配置して、片面でまず1kgのゴムを使いました。

第4章

複製と塗装

CHAPTER

03

複製③
ワックスを塗ってB面

最初に流したシリコーンゴム(A面)が硬化したら、土台に使った油粘土を剥がして、型枠を反対側に延長、対になる2回目のゴム(同じく便宜的に"B面"と呼びます)を流します。シリコーンゴム同士はたいへん接着性が高いので、そのまま流すとガッチリと食い付いてしまうので(無垢で固めた部分より2度流しをした境界面の方が強いほどです)、B面を流す前に離型用に油を塗り込んでおきます。油脂を使うのは原型製作時の離型処理と同じですが、ここでは若干流動性が高く、延びが良い床用油性ワックスを使います。

01

8時間ほどで硬化

流したシリコーンゴムはカタログ値で8時間ほどで硬化します。化学変化の例にもれず、気温が高い夏場は短くなって4〜6時間で、冬場は逆に12時間ほどかかります。寒い時期に硬化を早めるには硬化剤を混ぜる前、缶のまま熱湯につけて温めておくと早く固まります。

02

油粘土を丁寧にはがす

型枠のブロックは組んだまま、型全体をひっくり返して、土台の油粘土を四隅からめくりあげるようにして剥がします。この際に原型がA面のゴムから離れて粘土側についてこない(粘土にもっていかれない)ように注意してください。

03

残った粘土はスパチュラで

今回使ったポピーの油粘土は型離れは良いほうですが、それでもところどころ粘土のカケラが残るので、スパチュラなどでコリコリと除去。粘土をスタンプのようにして取り去ります。歯ブラシ等でこするとゴミが出るわりにキレイにならないのであまりおすすめはできません。

04

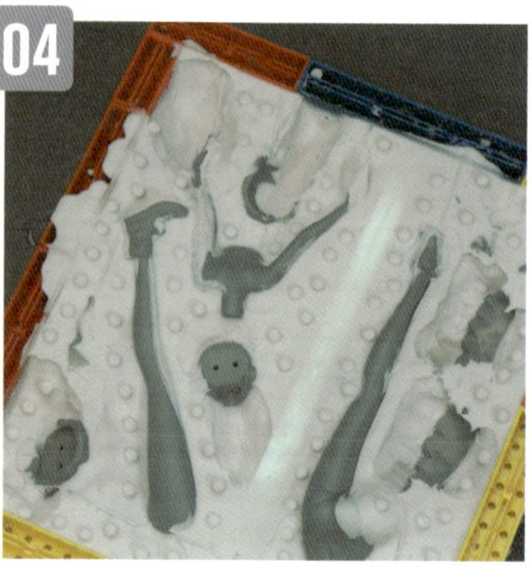

原型に回り込んだゴムは…

シリコーンゴムは粘りが強いのですが、浸透性は高いので、きっちり粘土埋めをしたつもりでも思わぬ部分にまで漏れて回り込んでいることがあります。写真の左上がわかりやすいのですが粘土面とブロックの境界から漏れて横にかなり流れ出しています。

材料③ シリコーンゴム

型取り複製の主役、シリコーンゴム。シリコーンRTVゴムとも言います。RTVはRoom Temperature Vulcanizing、室温硬化型の意味で、それまでの高温や高圧で重合硬化するゴムと区別するためにつけられています。元々工業用の素材で多用なタイプがありますが、その中でも扱いやすいタイプが模型用に流通しています。大きく分けると硬化剤が透明な薄い液体で硬化後は軟らかめなタイプと、硬化剤が色付きのジェル状で硬化後硬めで腰のあるタイプがあります。前者のほうが複製個数は多くとれますが、初心者には腰があって変形しづらい後者が扱いやすいでしょう。どちらも1kg缶で¥4,000前後〜と造形素材としては高価です。

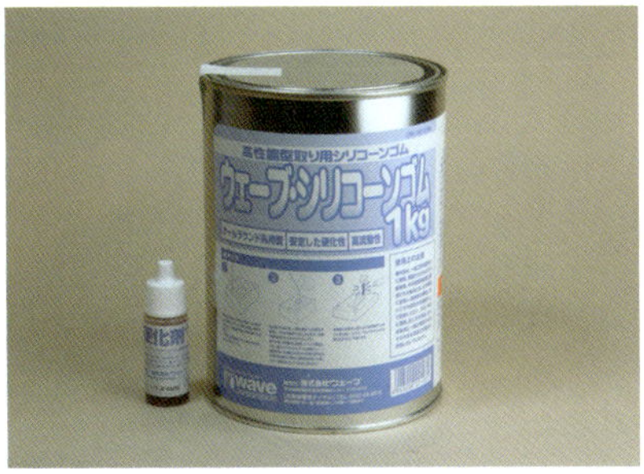

05

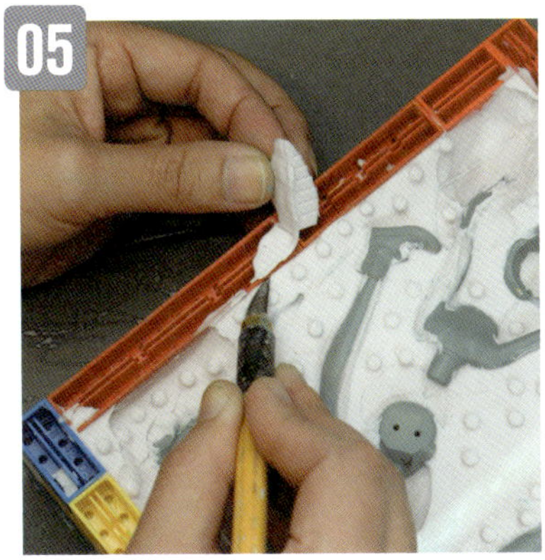

ナイフで簡単に切れる

漏れ出したゴムはナイフで簡単に切ることが出来るので、B面を流す前に適宜カットして、本来の、意図したA面の状態にしておきます。シリコーンゴムは弾力がありますが、分子レベルではガラスの仲間で硬いのでナイフはすぐに切れ味が鈍ります。こまめに刃先を取り換えながら作業してください。

06

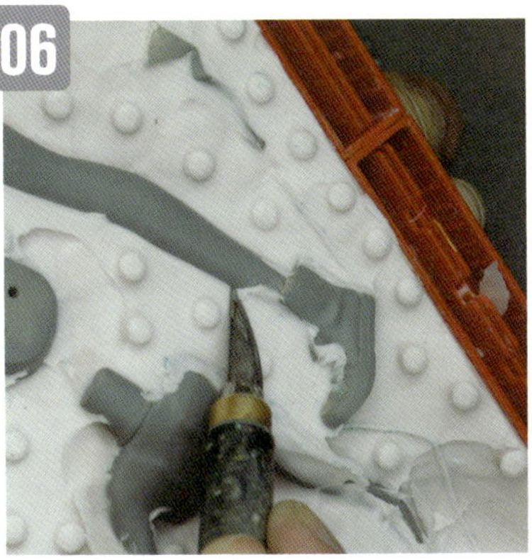

パーティングラインに沿ってカット

練習がてら、比較的簡単な型枠ブロックの漏れから切りはじめて、湯口のプラ棒、原型周辺と漏れ出したゴムを切っていきます。写真の靴ひも周辺もパーティングラインを越えてゴムが回り込んできているのでカット。ただし、何度もなぞると原型が傷むので1度だけスッとカットするように。

07

離型剤には床用ワックスを

B面が食い付かないようにごく薄い油の膜を作っておきます。専用の離型剤も売られていますが、私は昔ながらの油性の床用ワックス「リンレイ・ブルー」を愛用しています。これも薄く色が付いているので塗った場所が見えるのが安心。最近は床用ワックスも水性が多いので注意してください。

08

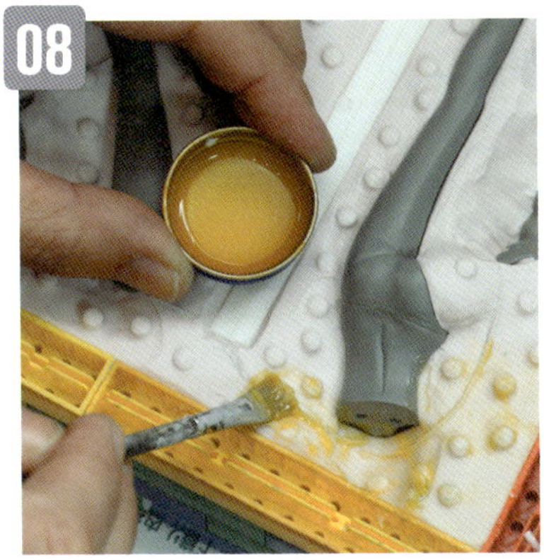

筆でA面のゴムに塗布

床用ワックスを少量取り出して、塗装用の平筆でA面のゴムが露出している面に漏れがないよう塗り込みます。薄くて失敗するのは怖いので安全マージンを見てやや厚めに。寒いときは少し温めて。原型の表面にはワックスは不要なのではみ出した分はティッシュや綿棒で拭き取っておきます。

09

B面のゴムも糸状に

10分ほどしてワックスが乾いたら、型枠のブロックの今までの分はそのままに、B面の側に向かって（つまり最下段のさらに下側に）あらたにブロックを組んで延長、そこにまた硬化剤を混ぜたシリコーンゴムを流し込んでいきます。混ぜ方も糸状に延ばす流し方もA面とまったく同じです。

10

最後はハイペースでもOK

薄皮1枚分を丁寧に流したら、これもA面と同じく残りのゴムを流し込みます。写真はわざとハイペースで流していますが、根元に気泡が上がってきているのが分かるでしょうか？ これが原型の表面に付くと良くないのです。ちなみにB面は厚みが薄いのでゴムの使用量は800g程度でした。

第4章

複製と塗装

CHAPTER

04

複製④
レジン注型

さらに8時間おいてB面のゴムが硬化したら、型を割り開いて原型、湯口を取り外し、空気抜きや注ぎ口をナイフでカットしてゴム型は(一応)完成。ここにレジンキャストを注いで硬化させる工程が「レジン注型」で、複製の後半部分の作業になります。たいていはセットで扱われますが、「ゴム型を作る」前半と、この「レジン注型」をあわせて「型取り複製」とか「ゴム型複製」「レジン複製」と総称しています。

01

型枠ブロックを外す

B面のゴムの完全硬化を確認してから型枠のブロックをバラします。8割硬化くらいでもギリギリ複製はできますが、型が歪んだりするので、出来れば硬化時間は余裕を持ったほうが良いでしょう。

02

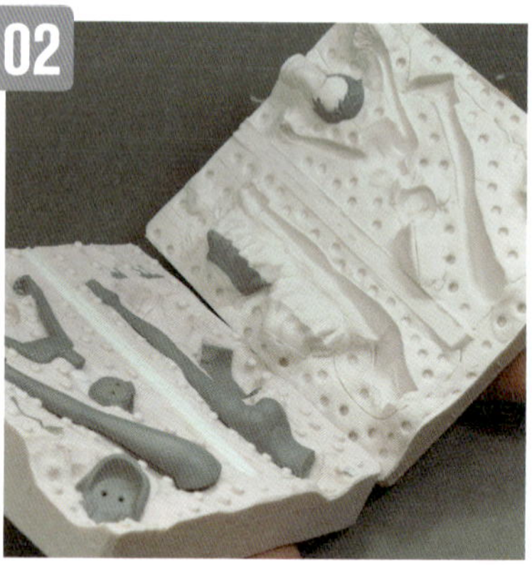

ゴムを開いて原型を外す

ワックスが効いていてもドキドキする瞬間、A面とB面の境界をピリピリ……と四隅から割り開いていきます。原型の破損に気をつけながらゴム型を完全に分割。原型をひとつずつ取り外していきます。仮組み用の軸穴にゴムが流れ込んでいたら薄皮1枚残してニッパーでカットすればOK。

03

湯口部分のゴムをカット

樹脂の流れる"道"(ゲートとも言います)を入口から順番にカットしていきます。まずは最初の注ぎ口になるところ、ゴム型の天面から湯口として埋めたプラ棒×4本の束に向かってすり鉢状にナイフでカットします。刃渡りが長めの大きめデザインナイフが活躍する場面です。

04

ゲートを切っていく

湯口の底から左右のパーツにつながるゲートを切っていきます。このあたりは三角刃の彫刻刀で。一度の切り込みでは道が細いので何度か切り込んでやや太く切り広げてやります。さらに樹脂の流れにそってゲートをつないでいき、最後は天面に向かって空気抜きを切りました。

材料④ レジンキャスト

正式には無発泡ポリウレタン樹脂。いくつかのメーカーから色や硬化時間、使用溶剤の違い（キシレン、ノンキシレン）でバリエーションが出ています。湿気が大敵なので注型作業は湿度の低い日に。また溶剤は身体に有害なのでマスク、手袋をした上で十分換気に気をつけて取り扱ってください。一般的なアイボリーのノンキシレン型2kgセットで¥4,000前後です。今回の原型ではA、Bあわせて100g程度で複製出来たので、ざっと20セットが抜けて、単純にレジン分の原価は1キットにつき¥200。ゴム代を同じ20個で割ってみるとだいたい¥400。ここだけ見てもゴムの方が高いことが分かります。

05

離型剤スプレーを吹き付け

注ぎ口から空気抜きまでを切ってゴム型完成ということで、ここからレジン注型の準備に。まずは離型剤をスプレー。たびたび出てくる離型剤ですが、くっつかなくする機能は同じでも使うアイテムはその都度異なっていて、ここではレジンが食い付かないためのシリコーンオイルを使用します。

06

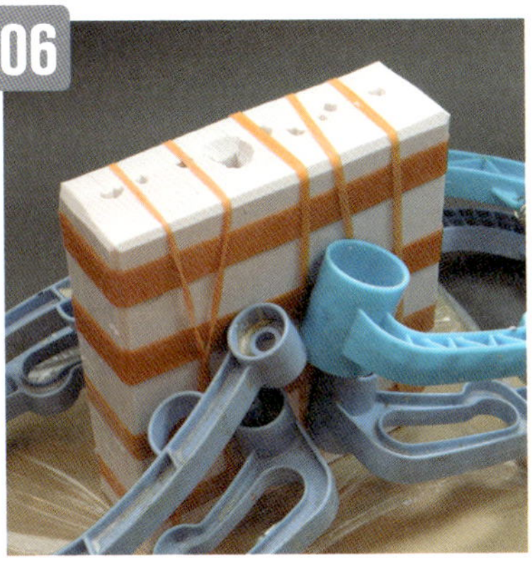

輪ゴム＋布団ばさみ

A面とB面の間にゴミ等をはさまないようにゴム型を閉じてクランプします。いくつかの締め方がありますが、今回は原始的な輪ゴムで縦横にしばる方法を。ただしそのままではテンションのかかりづらい中央部が浮き上がってくるのでここに布団ばさみを当ててフォローしています。

07

レジンキャストを計量

ゴム型の方の準備が出来たので、注ぎ込むレジンキャストのほうへ。A液、B液と表記された2種の樹脂を混ぜると5分ほどで硬化します。混合比は重量で1:1。比重が違うので、容積では同じになりません。デジタルの台秤（はかり）を使って50gずつ紙コップに計量しました。

08

A液＋B液を混合

それぞれの計量用とは別に混合用の紙コップを用意しておいて、そこでよく攪拌します。空気を抱き込まないように静かに手早く。夏場や大量に混ぜたときなどは反応が早まって数秒で発熱とともに硬化が始まります。

09

静かに注ぎ込む

50gずつの混合では作業可能時間（ポットライフとも言います）は実質10秒ほどなので、ゴム型に樹脂を注ぐのも手早く。細い注ぎ口からレジンがあふれ出さないように、静かにゆっくりと一定の量とスピードで流し込みます。混合に使った割り箸に伝わらせると安定して流し込めます。

10

硬化後、型を割り開く

流せる時間は数十秒ですが、中で半生の時間がそれなりにあるので完全硬化まで待ちます。注ぎ口周辺の1滴垂れたしずくがカリカリに硬化したら型を丁寧に割り開きます。このタイミングが早いと細い部品、小さい部品は皮だけ固まった状態になってしまい、ぐんにょり曲がってしまいます。

第4章
複製と塗装

CHAPTER
05

複製パーツの整形

複製だけを専門に請け負ってくれる「複製業者」製のレジンキット（“業者抜き”とも呼ばれます）はかなりキレイでプラモデルとも遜色がない成型状態なのですが、自分でゴム型を作っての自家複製（業者抜きに対して“手流し”と言います）の場合、パーティングラインに沿ったバリや、業者抜きに比べて太いゲートなどが残ります。そこで、複製したパーツを丁寧に整形して原型状態に戻す作業をおこないます。場合によっては、複製の都合で埋めた部分を彫り込んだり、レジンの流れを考慮して原型では太目に処理した部分をシャープに加工したりもします。

01
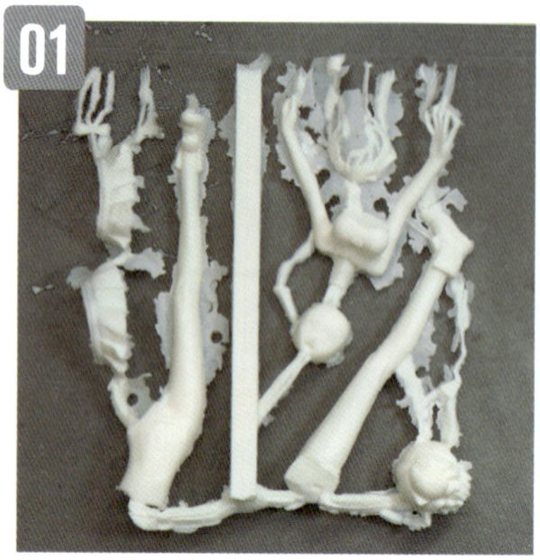

湯口＋パーツ＋空抜き

複製パーツをゴム型から取り出した直後はこうなっています。中心の湯口からゲートを通る樹脂の道でパーツが繋がって、そのまま天面の空気抜きにつながる流れが分かると思います。パーツの脇には薄いバリもハミ出していますが、これは見た目は派手ですが簡単にとれて実害もありません。

02
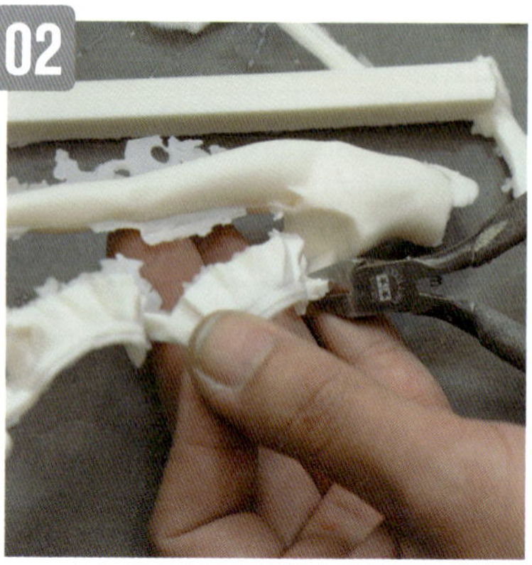

ニッパーで切り離し

ゲート部分をニッパーで切って、パーツごとに分けていきます。切り離す際にはパーツ側をえぐって傷める（肉切り）ことが無いように少し間を置いてカットしてください。ちなみに、今回の複製パーツのキレイさは手流しとしては中の上くらい。初めてのときはもう少しボロボロになります……。

03
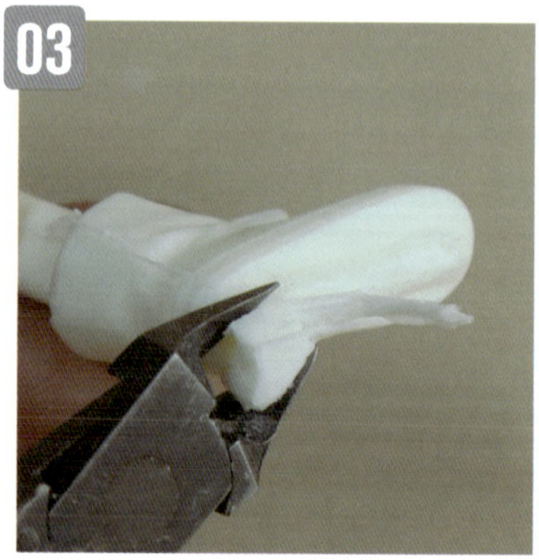

ゲート処理、まずはニッパーで

樹脂が流れ込む接点、ゲート部分は、レジンキットの特性からプラモデルのゲートよりも太くなります。また樹脂自体もプラモデルよりも柔らかいので丁寧に扱う必要があります。個別に切り離した各パーツのゲートの残り部分は、まずニッパーで少しずつ食い切るように切るところから……。

04
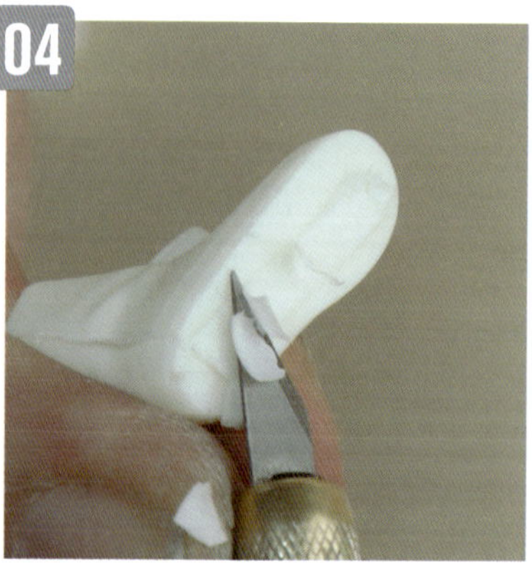

続いてナイフでそぎ取るように

ゲート部に残る切り株状の部分が低くなってきたら、デザインナイフに切り替えて、少しずつ、そぎ取るように削っていきます。写真にある靴底は平面なので、単純ですが、丸い断面（太ももの横など）に生えるゲート跡ではこのときに削りすぎて丸みを殺さないように注意してください。

パーツ洗浄とマスキング

複製パーツに残る離型剤も、実はただ塗装するだけならそれほど問題になりません。一番コレが困るのはマスキングテープ等を使って塗り分けるとき。塗りっぱなしでは平気だった離型剤の上での塗装ですが、その上にテープを貼って剥がすと見事にテープ側に持っていかれます。なのでマスキングをする箇所があるときはそのあたりは特に念入りに洗浄しましょう。私は台所用の中性洗剤にクレンザーなどの研磨剤を混ぜてゴシゴシと半分磨くような気持ちで洗っています。

05

最後にサンドペーパーで

最後はサンドペーパーで削って、地の面と面一《つらいち》に仕上げます。当て板有りの#180番から#320の水研ぎ⇨今回はこのまま塗装なので#400⇨#1000と細かいところまで磨いて細かいキズを消していきました。

06

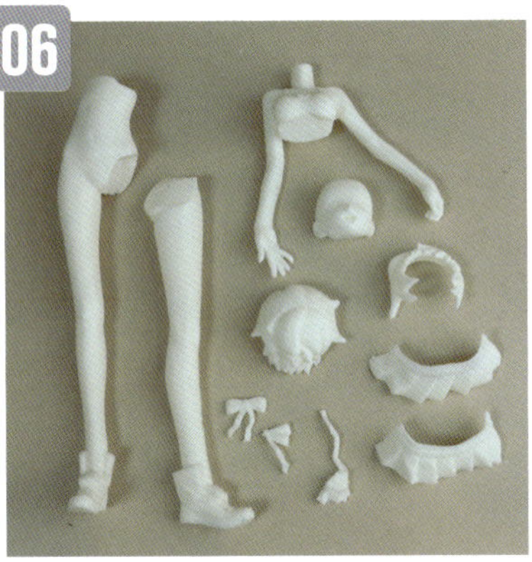

全パーツを切り出し

同様に空気抜きの跡、パーティングライン、バリ（薄いモノは手でパリパリとむしれます）もナイフ⇨サンドペーパーで磨いて表面を滑らかに整形。これで原型と同じ状態になりました。ちなみにパーツの欠損や気泡の穴がある場合にはレジンの欠片（かけら）やスベスベ（P.134）で埋めます。

07

洗剤で離型剤を落とす

レジン注型前に、離型剤としてゴム型内側に吹き付けたシリコーンオイルはパーツ表面に転写されています。サンドペーパーをかけた箇所は事実上表面の薄皮を1枚剥くことになるので、そこで除去されていますが、髪の凸凹部などに残っている恐れがあるので、洗剤＋歯ブラシで丁寧に洗い流します。

08

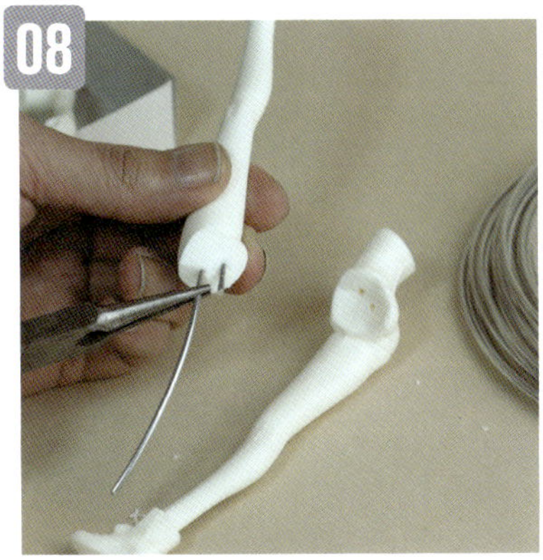

パーツ接続はアルミ針金

今回の分割では事前に接着する箇所は無いので、合わせ目を擦り合わせ塗装して組み立て、接着は最後にします。接着の際の補強と事前調整の際の仮組み用にアルミ針金の軸を通します。原型の分割の際につけた穴（の跡）が複製パーツにも転写されているのでガイドにして穴を開けました。

09

複製用に厚めのエッジを……

粘土埋めではスカートなどの薄い切り口を正確に真ん中で埋めるのは難しい（粘土がオーバーラップしたりゴムが回り込む）ので、原型では0.5mm程度のマージンをとって作っていたのですが、複製が無事出来た塗装用のパーツでは、そのエッジなどをギリギリまで薄く削り込むことが出来ます。

10

髪もシャープに削り込める

同じ理由で髪の先端も原型では複製のしやすさを考慮して太め、かつレジンが流れやすい形に仕上げていました（ハネ髪の下などにはスジ彫りで分かれて見える三角ブロックがあります）。ここも複製パーツではシャープに尖らせることが出来るので、裏側などを削ってシャープに加工しました。

第4章
複製と塗装

CHAPTER 06

塗装①
エアブラシ

吹き付け塗装の中で缶スプレーがおおざっぱにしか塗れないのに対して、専用の精密ツール(ハンドピース+エアコンプレッサー)の力で繊細なぼかしを含むスプレー塗装が出来るのがエアブラシです。ミリタリー系の軍人フィギュアは、こってりと陰影を再現しての筆塗りが似合うのですが、アニメやゲーム画面が源流である美少女フィギュアの場合、軽くポップなこのエアブラシと相性が良いということもあって、今ではフィギュア塗装の主流となっています。ちなみに塗料はプラモデル用がそのまま使えるので、ガンプラ等でエアブラシを使っている人はこの"サフレス塗装"という考え方だけを追加すればすぐに馴染めるでしょう。

01

プライマーで密着力UP

プラモデルの場合、模型用塗料(ラッカー系)の溶剤が(若干ですが)素材を侵食するので、ガッチリ食い付きます。対してレジンキャストはあまり溶剤で溶けないので、離型剤を落としていても食い付きはよくありません。そこで下地処理にプライマーを使います。

02

全パーツに吹き付け

缶スプレーのプライマー(元々は金属面に塗装する際に下地を作るために使われていたものでゴムのりの一種)を全パーツに吹き付けます。ちなみに「プラサフ」は「プライマー・サーフェイサー」でゴムのり成分含有で同時に下地が作れるサーフェイサーの意で、プラ用ということではありません。

03

塗料を薄める

エアブラシのカップにまずはうすめ液だけを入れて、そこに塗料を足していく順序で塗料を薄めます。はじめて使ったとき、塗料が先、薄め液を後にしたら、延々量が増えるけど、まだ塗料が濃すぎて空気を送っても出てこない〜という失敗を私もちゃんとやりました……。(´A`)

04

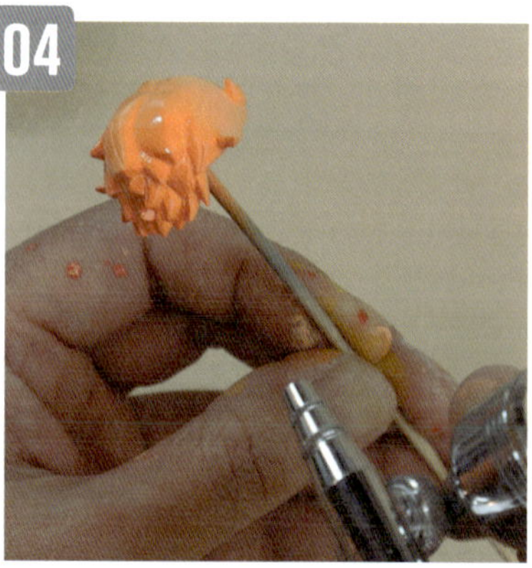

パーツの裏から塗る

まずはベタ塗りの例としてオレンジ1色になる髪から。まずは奥まったところや。空気がまわりづらいところから塗っていきます。吹き過ぎると流れるばかりなので、最初はさらっと、空気の流れにごく少量の塗料を乗せる気持ちで。粉っぽくなる寸前くらいに色の微粒子をふりかけるイメージです。

エアブラシとは?

エア＝空気、ブラシ＝筆、という名の通り、言葉本来の意味としては技法を指す名前なんですが、今ではエアブラシ用の道具まで含んで大きなくくりで使われています。手元で塗料をコントロールする部分（ハンドピース。¥10,000程度から）と圧縮空気を送り込むエアコンプレッサー（¥20,000程度から）で構成されています。中の中クラスで一式¥40,000。模型用の道具としては高価な部類で、触ったことのない人には選び方も難しいところ。反面、解説書や使い方ガイドはプラモ用にたくさん出版されているので、そちらを参考にできるのが強みです。

05

何度かに分けて吹き重ね

流れたりはじいたりしないように最小限の量を吹いては乾かし、を繰り返して色を濃くしていきます。前髪がその途中、後ろ髪はほぼ吹き重ね終わって、望みの発色になった状態。今回は髪もサフレスで下地無しでレジン素材の色のままオレンジを塗装しました。独特の透け感が残っています。

06

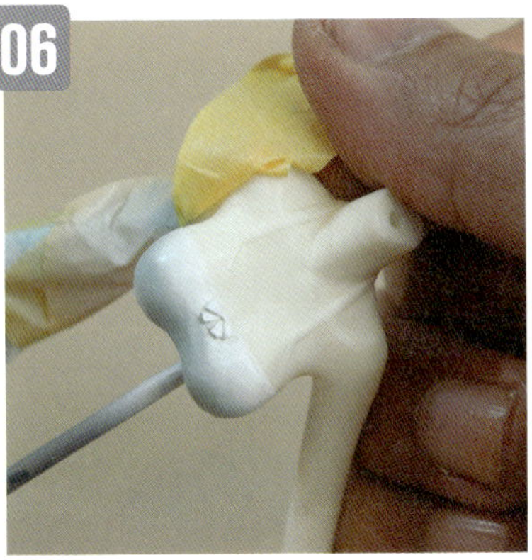

肌をマスクして水着の白

白水着と肌は塗り重ねると影響しあうので、互いにマスキングを入れ替えながら塗装します。順番としては塗膜が薄く、デリケートになる（＝マスキングテープ等で傷みやすい）肌を後で塗るので、まずは肌側をマスクして水着の白をサフレスで塗装、少しだけブルー系のシャドウも吹いてます。

07

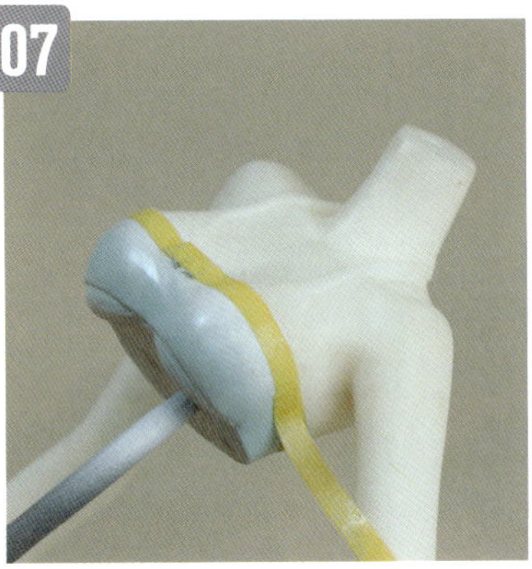

次に水着をマスク

入れ替えるように白水着側をマスクします。離型剤はちゃんと落として、プライマーも塗っているのですが、それでも不安なので、マスキングテープはプラ板に何度か貼り剥がして、接着力を弱めて使います。過去のトラウマもあって、何年経ってもマスキングは心臓ばくばく作業です……。(´A`)

08

肌はまず影部分から

肌の塗装にもいくつかの流儀がありますが、ここではシンプルなわりに見映えのよい影から塗る方式で。白+クリアーオレンジ+赤少々の基本レシピを、日焼け肌ということもあって、少し濃いめに作って、影色として肌部分の下側、内側にニードルを絞って細く吹き付けるところから。

09

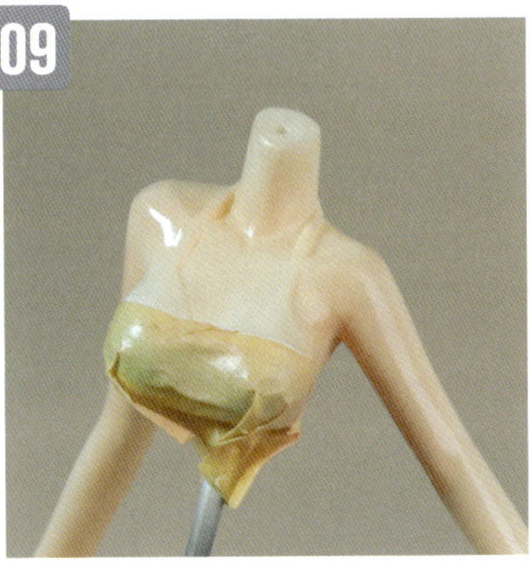

素材の半透明感を活かす

色を段階的に薄めながら、明るい部分に塗装範囲を広げていきます。影部分では影色を明るい色がうっすら覆うので、ボカシも自然になります。ハイライトになる肌の上側、外側ではほとんど色をつけず、素材のアイボリーを塗り残すのは紙の地の白さを残す透明水彩の技法と同じですね。

10

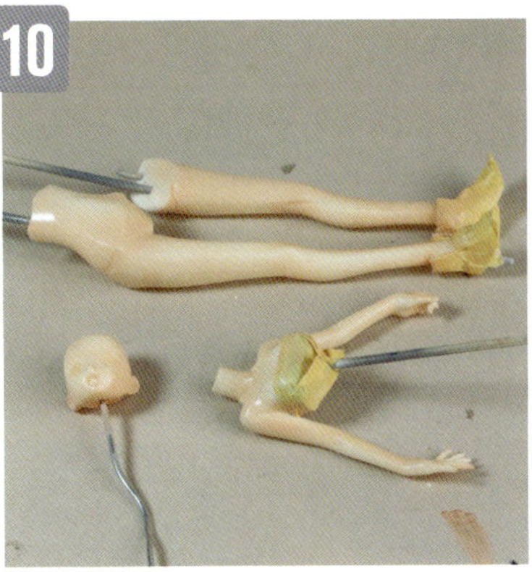

肌色パーツを仕上げる

同じように全部の肌色パーツを塗りました。下地を透けさせる都合で塗膜が極限まで薄い（ハイライト部ではほぼゼロ）ので、ちょっとぶつかっただけでも簡単にハゲてしまうので、心配なとき（もしくはこの後マスクするとき）はこの上にクリアーカラーを吹き重ねて透明な保護層を作ります。

第4章
複製と塗装

CHAPTER
07

塗装②
筆で瞳を描く

これまた美少女フィギュアの魅力を決める焦点のひとつ、瞳の塗装。極論ですが、他の造型がよくても瞳がダメなだけで一気にヘロヘロになり、逆に多少造形がダメでも瞳の描き方一発でかなりのところまで挽回できます。筆先を自在にコントロールする技量も重要ですが、かわいくなるかどうか、似るかどうか、は元絵の構成要素（白目、黒目、アイライン、ハイライト等々）の関係性をいかに再現するか。たとえば白目に対する黒目の比率やアイラインと黒目がどのくらい接しているかを分析するのがカギになります。

01

パレットを使って溶く

模型用塗料は専用色が細かく出ているので瓶から直接塗る、というイメージがありますが、細かい塗り分けなど、筆先を整えながら塗るような場合にはやはりパレット的なモノを使うと便利です。少量の塗料を置いておき、うすめ液で適宜、溶きながら筆を運んでいくのがコツです。

02

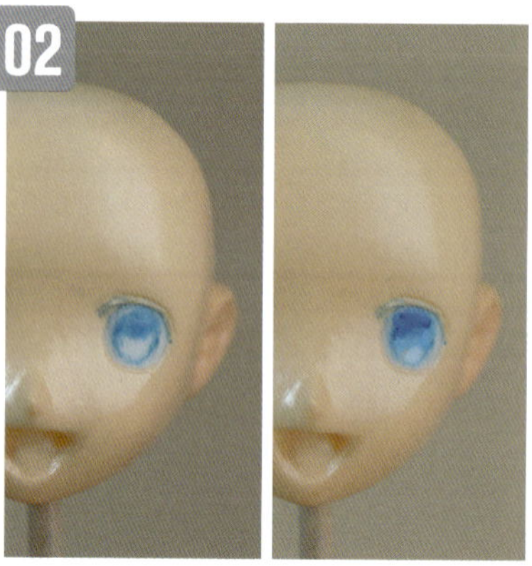

アタリをとってグラデーション

白目は肌を塗る際にマスクしておいたレジンの素材色。その上に薄めた青で軽くアタリをとるように上のアイラインと黒目の輪郭を描き込みます。白目はほとんどないデザインなので残し方に気を付けて。アタリで「よし、かわいい!」となったところでグラデをつけるように塗り込みました。

03

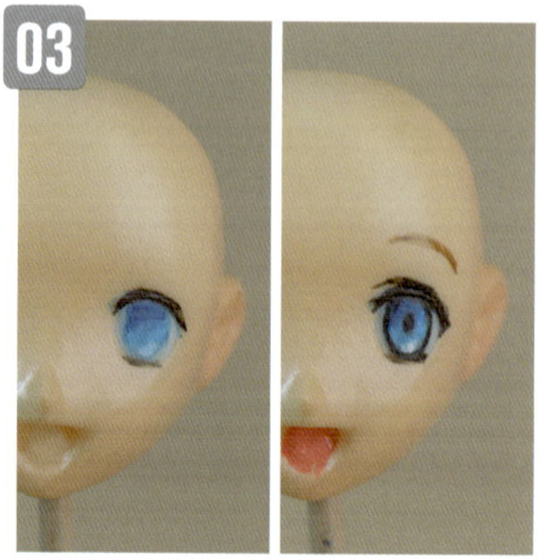

アイライン➡輪郭線➡まゆ

次に上下のアイラインを黒で。さらに黒目の輪郭線とセンターの瞳孔部も黒で描き込み、最後にHGクールホワイトでハイライトを入れます。まゆは若干かすらせるように。表情を決めるという意味では瞳以上に手強いです。また口の中は明るいピンクを薄めて流し込むように塗装しています。

04

髪にはエナメルでスミ流し

髪はオレンジ単色でさみしいので、スジ彫りモールドやハネ髪の影を強調するように一段濃いクリアーオレンジを流し込み。下地のラッカー系塗料を侵さないエナメル系塗料を薄めて毛細管現象で流して乾燥した後、ハミ出し部分をエナメル溶剤で拭き取る「スミ入れ」（スミ流し）という技法です。

余った指をブリッジに

瞳を描くときなど、筆先の精密な位置決めが必要なときは、筆を持つ利き手と部品を持つ反対の手の、それぞれ余った指を写真のように連結させて、このブリッジを支点のようにして筆先と部品の位置関係を安定させます。両方の手が空中でぷらぷらしてるとき時よりもしっかり精度が出るというあたりは、ナイフを"両手を駆使して扱う"(P.010③、P.095③)小技にも通じる考え方ですね。

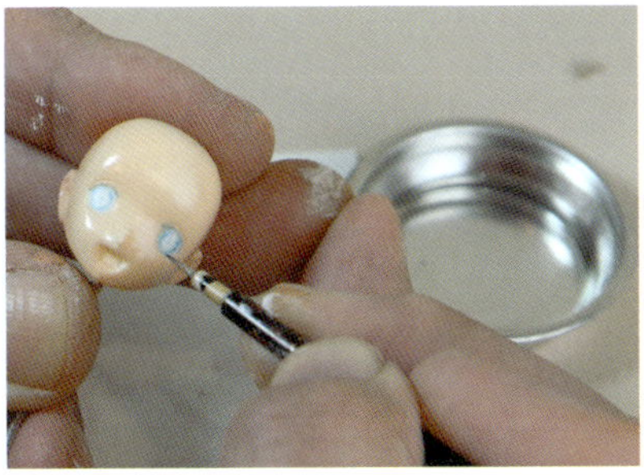

05

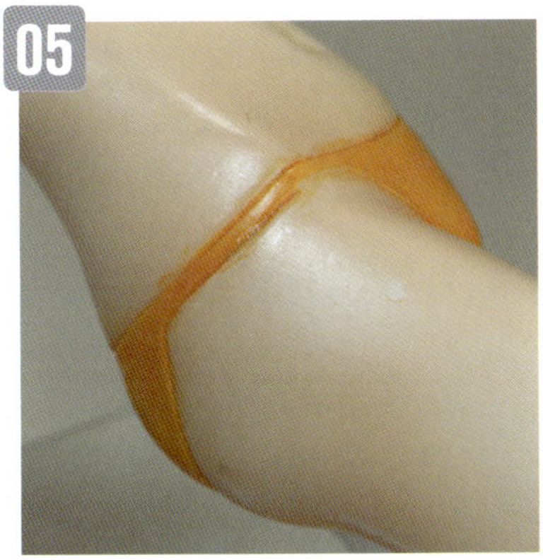

水着と肌の境界にもスミ

ビキニの食い込み部分は、凹スジ彫りの谷に光がまわった突き当りが明るく見えると不自然なので、ここにもエナメル塗料のクリアーオレンジを流し込んで一段暗くしておきます。耳の内部や髪の生え際、指の叉など、突き当りの明るさ感が気になる箇所には同様にスミを流しました。

06

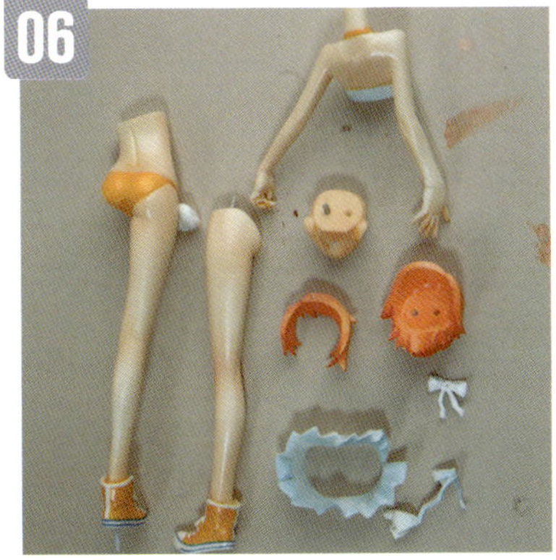

ツヤ消しトップコートを吹く

ここまでの作業は基本的に光沢のある塗料をそのまま使ってきました。肌のツヤもどう仕上げるか、フェチ的に悩ましいところですが、美少女フィギュアではツヤ消しのサラサラ仕上げが無難、ということで最後に「スーパークリアーつや消し」を全体に吹いてフラットに仕上げました。

07

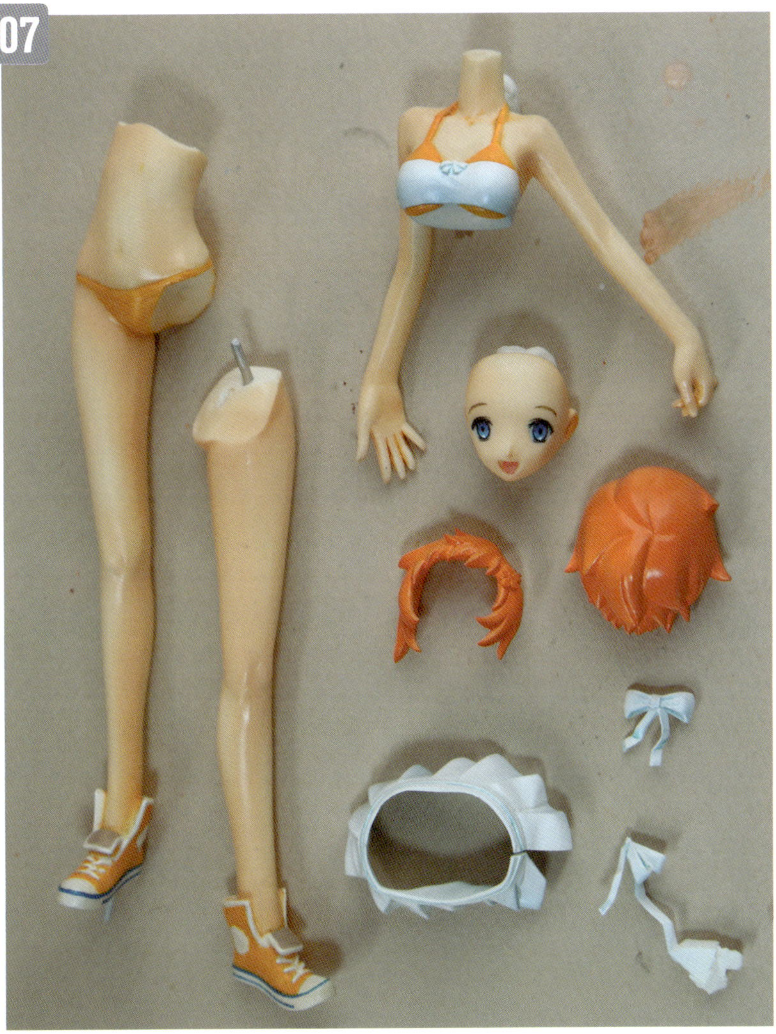

靴や細部を塗り分けて組み立てへ

スニーカーは基本色のアイボリーをマスキングしてスプレーした後、必要箇所を塗り残すようにオレンジを筆塗り。三角ビキニも筆塗りです。パレオとリボンは胸の白水着と同時にエアブラシ塗装。前ページで吹いた肌のグラデーションは完成状態では、照明で出来る影が塗装のシャドウと一致して分かりづらいので、この写真のほうが見えやすいかもしれません。

第4章
複製と塗装

CHAPTER 08

組み上げて完成

塗装後に全体を組み上げて完成です。今回は分割や塗り分けもシンプルなので、塗装と組み立てはキレイに分けて1回ずつで済んでいますが、複雑な分割や塗り分けの場合、一度塗ってから接着➡合わせ目をキレイに整形➡再度塗装と、両者を行ったり来たりすることになります。塗装の際のマスキングや塗り分けの段取りも、いくつかの原則(明るい色から塗る、マスキングは小面積から)があるにはあるんですが、それぞれが互いに矛盾することも多いので、この段取り、プランニングには正解が無いとも言えます……。

01

瞳だけ軽く磨いてツヤを

全体をツヤ消しスプレーでコートしたのですが、瞳だけは光沢感が欲しいので追加加工を。ツヤ消しの塗膜の上からさらにツヤ有りのクリアーを重ねる方法もあるのですが、ここではお手軽に、カーモデルの仕上げ用のコンパウンドを綿棒に付けて磨く軽く方式で。簡単に光沢になります。

02

パステルの粉でほっぺにチーク

肌色はクリアーオレンジを基本にしているので、ここに色調が異なるタッチが付くと色味に幅が出ます。その意味でも頬にほんの少しだけチークを入れました。エアブラシで吹き付けるにはちょっと細かいので、パステルをサンドペーパーで粉にして頬に綿棒でそっと置いて軽くすり込みます。

03

接着面の塗料を削る

水着の下の分割面は塗装が回り込んでいたので、接着の前の塗膜を削り取っておきます。今回は使っていませんが、瞬間接着剤は特に塗装面と相性が悪く、塗装面の上では塗膜を溶かすばかりであまりくっついてくれません……。

04

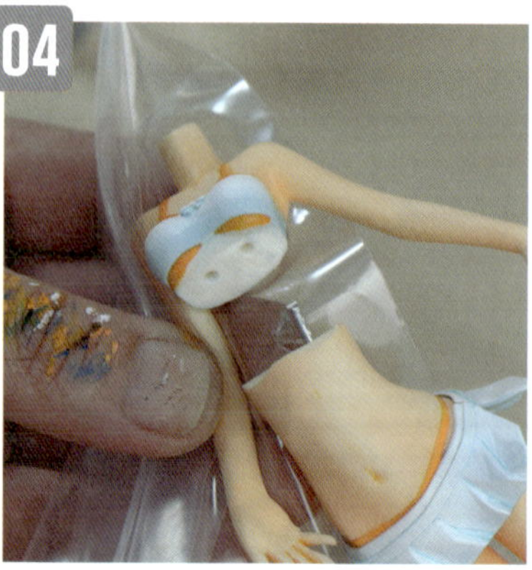

クリアボンドで接着

針金の芯を入れていることもあり、強度はそれほど必要ないので、接着にはクリアボンドを使いました。長い髪などで荷重が加わるときは2液混合のエポキシ接着剤を使います。また、組み立ての際には塗装面を汚さないようによく手を洗ったうえでビニール袋等を当ててパーツを持ちます。

ベースはアクリル板を使用

靴の造型でも書いた通り(P.117⑦)美少女フィギュアでは自立にこだわるよりも、ベースを使うことを前提に思い切ったポーズをつけるほうが現実的です。特にイベントに出展するようになると、人とのやり取りもあってテーブルの上は常にぐらぐらしているので、しっかり安定したベースが必要になってきます。今回は一番お手軽で見映えがよい透明アクリル円盤にドリルで穴を開けて使用しました。渋めのアイテム(兵隊などのヒストリー系フィギュアや古い船など)ではステイン仕上げの木製ベースが定番なのですが、アニメ的なデフォルメで水着にはちょっとクセが強いかも? また、違う方向性になりますが、砂粒を撒いたりしてジオラマ的に仕上げるのも楽しいですね。

05

強度の必要ない部分は

前髪などはさらに強度が必要無いので、事務用の両面テープで固定します。接着剤も侵さないので塗装面の上からも使えて、微調整や貼り直しにもある程度対応できます。ぴったり合う面ではそのまま、隙間があってガタつくときには折って2枚重ねにして使いましょう。

06

両面テープで接着

主要部分(胴、脚)を接着し、ベースに固定してから、前髪などの細部を組み上げていきます。リボンは首の後ろでは細く切った両面テープ、巻きスカートの方は細い真鍮線で補強の軸を入れて固定しました。

07

ベースに固定して完成

左に書いたよう、厳密にはベースはもう少し前に固定していますが、こうやって立たせて完成です。このパートで取り上げた、複製も塗装も、原型以上に経験がモノを言う、もっと言うと失敗からこそ学べる工程なので、失敗も含めて数をこなしてください。ただ、原型を作るようになると、そちらに圧倒的に時間をとられるので、複製も塗装も半年に1回、イベント直前に慌ただしくとりかかることに……。そうなると、ちょうど半年というのは前の失敗を忘れる頃でもあるので、毎月やっていれば、さすがに繰り返さないようなミスをまたやってしまう。学習がなかなか蓄積されない、というのもまた現実なんですよねぇ……。(´A`)

第4章
複製と塗装

CHAPTER 09

反省と次回作への課題

ということで完成した今回の例題の、いろんな角度からの写真をまとめておきます。製作途中で迷った際にも役立ちそうなアングルもあるので参考にしてみてください。本当の完成後はたいてい憔悴しきっていてそれどころじゃないんですが(笑)ワンクッション置いて落ち着いた後や、その次を作りはじめる前、あるいは何年、何作かこなした後でもいいので「自分の作ったフィギュアをじっくり振り返って、批評的な目で眺めてみる」ことをおすすめします。もちろんすぐには何も見えてこないのですが、「あー、この頃、下手だなー……」と思う日は必ずきて、そこで「下手なポイントとその理由」が分かったとき、その瞬間が「上達している」ときでもあります。

01

(あえて)写真で観察

以下、自分で振り返るときに参考になるヒントを挙げていきますね。まずは写真の活用。今はデジカメも安価に使えるので、自分の作品をいろいろと撮影してみましょう。イキナリ、見え方が違うことに驚くと思います。これはレンズの特性もあるんですが。たいてい顔がやせて貧相に見えます。

02

箱絵を撮るつもりで……

カメラを自分で覗いたら、そのフィギュアのパッケージ写真を撮るつもりでベストアングルを探していきます。作っているときに正面だったつもりの角度が案外かわいくなくて、すこしずつ回してみるんだけど、あちらを立てればこちらが立たずでなかなかいい角度がないという事態にも……。

02

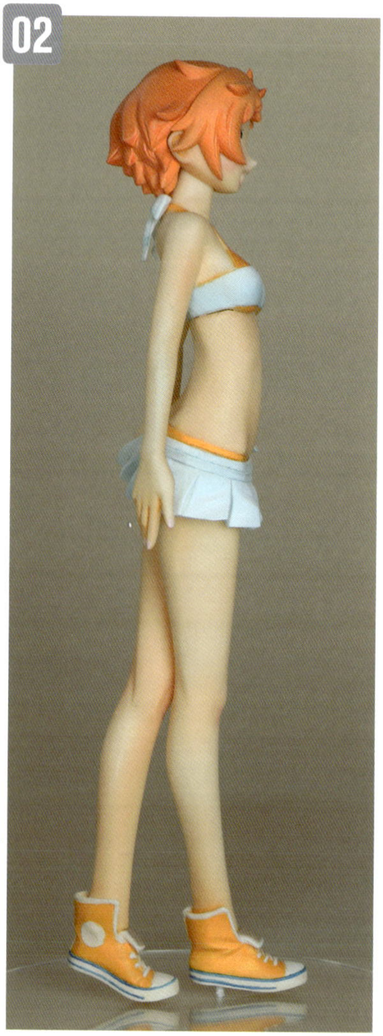

逆にしょぼいアングルも

回していくうちに、最悪の「ここからだけは撮らないで欲しい」というアングルも見つかりますが、「そこをどう直せば……」と考えることでその失敗の原因と対策が見つかることもあるので、勇気を持ってしょぼしょぼアングルも押さえておきましょう。

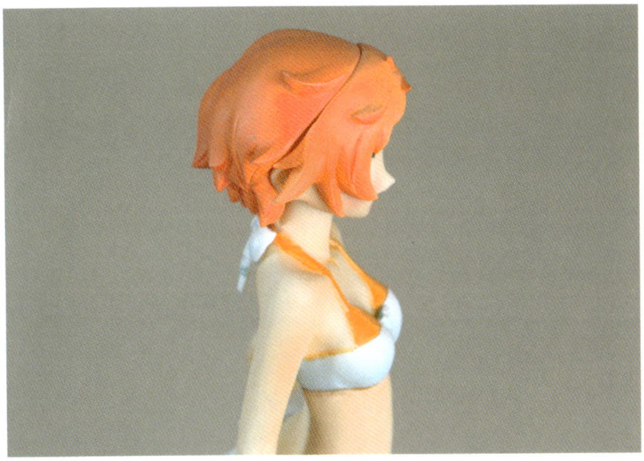

04 今回の反省点

それらを踏まえての今回の反省点ですが、途中でもう1個作るときにかなり解消していったので、現時点ではあまりありません。逆にその際に気づいたのは、失敗になったVer.2.0の古くささ。今回デザインをお願いしたseroriさんは(本書執筆の2013年時点では)新進気鋭の若手ポジションなのですが、絵がなんじゃかんじゃで私の頃から3世代ほど新しいので、それを全然トレース出来ていませんでした。それでいうと瞳のハイライトが、黒目の下に小さく入るというのも、僕等世代の常識からはかなり飛んでいます。試しに途中いつもの(大き目の白楕円が右上に入る)ハイライトを描いてみたら、一気に昭和な顔(笑)になりまして"時代"を肌で感じたのも今回の収穫です。

05 次回作への課題

というわけで、その「世代感」というキーワードを得られたので、次への課題は「最新モードの研究」でしょうか。まだ手探りレベルの「どこで古臭く見えるのか?」を意識して、また報告出来れば良いと思っています。ちなみにこの"反省"ですが、うっかり製作途中で探究しだすと、永遠に完成しなくなるので、「今はココがまだかわいくないけど、次回への課題に持ち越すことにして、えいや! でひとまず完成させよう」という割り切りも大事です。言い方を変えると「思ったように作れないとき、どうにもならない未熟さや自分へのプレッシャーを未来に逃がすための安全弁」として「次回への課題」という考え方を使ってみてください。

GLOSSARY 用語集

本文中でも随時説明を入れていますが、本書に出てくる各種用語について以下に補足します。単純な用語解説というよりは、歴史的経緯や「この言葉と区別するための言い回しです」など、対になる概念をあげているので、将来、関係者と話すときなどにも役立つと思います。

ガレージキット

1980年前後から広まった概念で、それ以前の大手模型メーカーによる、正規流通のプラモデルに対して、個人やグループにとっての趣味の範疇で手が届く技術で作られている、インディペンデント（独立志向）な模型、造形作品全般を指す。「ガレージ（車庫）程度のスペースでもはじめられる」という意味もあるが、ガレージどころか自室のちゃぶ台の上程度でも可能。むしろ「ガレージバンド」等の音楽シーンから流用したネーミングとも言える。
レジンキット（※下記）がその中心であったため、「ガレージキット≒レジンキット」と見なせる時期もあったが、黎明期にはむしろレジンキットよりもバキュームフォーム（負圧を使ってプラ板熱加工する簡易成形）キットやホワイトメタル（鉛合金をガスコンロで溶かして鋳造する。いずれも個人の卓上で十分に可能）が主力であり、また近年は「ガレージキットメーカー」が一般流通のプラモデルや完成品フィギュアを発売するようになっていることもあり、基本的でありながら使い方が難しい用語のひとつ。

レジンキット

「レジンキャストキット」とも。
（プラスチックモデル）が大型の機械（射出成型機）にセットした金型に高温で溶かしたスチロール樹脂を高圧で押し込む（インジェクション成型）工法で作られていたのに対して、硬化剤を混ぜるだけで硬化するゴム型に、常温常圧で2液混合で硬化する樹脂を流し込んで作られる。
「ガレージキット」が、その出自（大手メーカー製ではない）や立ち位置（メーカーには出来ない、売れなくてもいいから自分達が好きなものを納得いくまで作りたい）や精神性、作家性までも含む言葉であって、素材や工法は問わないのに対して、こちらは、上記のようにゴム型+レジンキャストで作られたモノ、というように素材を表す用語。つまり「ガレージキットメーカーが作るインジェクション成型のプラモデル」も「大手メーカーが限定でリリースするレジンキット」もごく普通に存在する。

イベント

「造形イベント」「フィギュア即売会」とも。個人やグループが机を借りて、そこに自分が持ち込んだフィギュアや各種立体物を販売する。コミケ（コミックマーケット）の立体版とも言えなくもない。アマチュア運営の小さいイベントから、代理店が主導する企業主体の展示会（と併催）までさまざまな運営形態が存在する。

ワンダーフェスティバル（ワンフェス）

造型イベントの老舗にして最大手。年に2回、2月と7月（頃）に東京近辺の大型ホールで開催されている。ディーラー数1500以上、入場4万人以上（2013年現在）の日本でも最大の造型総合イベント。
1984年、GAINAXの前身「ゼネラルプロダクツ」の主催でスタート。当時、有力模型店などを母体に各地で生まれつつあったガレージキットメーカーやアマチュア原型師を集め、同人誌即売会のスタイルで開催された。その後に続く多くのガレージキットメーカーや有名原型師に活躍の場と現金収入、今日まで繋がるコネクションを与え、今のオタクシーンの立体部門の揺籃期を支え、今なお、大きな支柱となり続けている。2001年からは主催が海洋堂に移行。

ディーラー

同人誌即売会でいうところの「サークル」にあたる、造形イベントへの参加単位。一般のマンガ·出版文化全般を母体にする同人誌に比べて、規模の少ないガレージキットの世界ではその立ち上げの時期から、プロのガレージキットメーカーとアマチュアが同じイベントに並んでいたこともあり「サークル」というアマチュア的ニュアンスに違和感があったことや、海外のコンベンションの影響もあってこの呼称が定着している。

業者抜き

レジンキットの複製だけを請け負う専門業者（注型業者、抜き屋さん）に依頼した複製品を指す用語。同人誌でいうところの「オフセット（印刷）本」に相当。ただ、専門業者の元でも複製工程はほとんど手作業のため、コストはかなり高く、オフセットに比べると心理的、経済的なハードルは高い。

手流し

「業者抜き」に対して、自分でゴム型を作りレジン注型までをおこなうことを言う。また「遠心注型」（円盤状のゴム型を回転させ、中心に注いだレジンを遠心力で行きわたらせる）や「真空成型」（真空槽と呼ぶ丈夫な容器の中にゴム型をセット、空気を抜いたところにレジンを注いだ後、バルブを解放、流れ込んだ大気圧との差でレジンを行き渡らせる）と区別して、本書第4章（P.137～）のような通常の複製方法を指すこともある。
「やっぱり真空のほうが手流しよりキレイに抜けるなぁ……」などと使う。

レジン

本来は単に「樹脂」全般を表す英語。日本の模型業界では（狭義には）レジンキットで多用される「無発泡ポリウレタン樹脂」を指す。ちなみに無発泡とわざわざ付いているのは、発泡させて断熱材として使われる樹脂でもあることから。普通のプラモデルの限定版などに特別にゴム型+レジンキャストで抜いたオプションパーツが付くときなど「限定レジンパーツ付属」などとも表記される。

キャスト

本来は「鋳造」の意。「キャスティング」で「鋳造する」と動詞に。こちらも本来の意味を逸脱して、レジンキットの俗称としての「キャストキット」等と、よく考えると「?」となる使われ方が一般化している。また注型用樹脂の商品名に「プラキャスト」「ハイキャスト」などが使われていたため、「樹脂材料」の意味でも使われることも多いので注意。
「キャストの残りがもう少ないから買ってこないと……」などと使う。

シリコーンゴム

ゴム型複製に使う素材。「シリコーンRTV（Room Temperature Vulcanizing、室温硬化型の意）ゴム」とも。厳密には“シリコン”だと単体のケイ素（silicon）で、ゴム系のこちらは“シリコーン”（silicone/ケイ素系の高分子素材 ）と、「ー（音引き）」が入る。現場レベルでは「シリコン」とも単純に「ゴム」とも呼ぶ。

抜く

複製作業、注型、量産工程の俗称。
「ゆうべは一晩中、徹夜で抜いてたよ……」などと使う。

瞬着《しゅんちゃく》

「瞬間接着剤」の略称。地域、コミュニティによって「瞬接《しゅんせつ》」「瞬間《しゅんかん》」とも。

離型剤

下地に食い付かないように別の素材でカバーする際に使う。フィギュアの現場では、原型を作るときの「パテ～パテ」の間に塗るワセリン（等の固型油脂）、ゴム型複製の際に「ゴム～ゴム」間のワックス（や専用バリアコート）、レジン注型の際の「ゴム～レジン」間で使うシリコーンオイル（もしくはフッ素系離型剤）等、同じ役割なので“離型剤”と呼ばれているが、それぞれ別の材料で、間違うとでもないことになるケースもあるので注意。

パーティングライン

直訳では「分割線」だが、模型用語としては、左右に半割りになっている雌型（凹型）の合わせ目が成型の際に転写されて部品に出来るラインを指すことが多い。雌型に、金型を使うプラモデルでも、ゴム型を使うレジンキットでも同じように出来る。レジンキットの複製では原型をこのラインまで油粘土に埋めるために。原型の上にマーカーなどで描き込むことも。

バリ

パーティングラインに沿って樹脂が雌型の隙間にハミ出し、はね付き餃子のように固まったモノ。パーティングラインとは厳密には違う（もっと言うと成型状態が悪いときにはバリが出るが、パーティングラインはかなりキレイな成型品でも原理的に少しは出てしまう）が、ゆるいスジ状のパーティングラインを称して「バリが出ていたので削りました」等と書かれて、「バリなんて出てない!」と、もめることもあるので、注意して扱いたい言葉。

エアブラシ

本来は技法を表す言葉で、エアブラシ塗装をおこなうための器具は「ハンドピースとコンプレッサーを組み合わた装置一式」となる。もっとも「ハンドピース」というのも「手元側の要素」という、モヤっとした言葉なので、どっちもどっちであろう。「吹き付け塗装」という場合、この「エアブラシ」と「缶スプレー」の2種がある。

軸打ち

部品の合わせ目などにドリルで穴を開け、金属線を差し込んで、補強もしくは固定すること。通常の完成品を作る際にはガッチリ固定するのが目的なので、ある程度硬い、真鍮《しんちゅう》（銅と亜鉛の合金、黄銅、ブラスとも言う）の針金、真鍮線を使うが、フィギュア原型ではポーズを微調整するために軟らかめのアルミ針金を使う。ちなみに“金色《きんいろ》”のモノ（仏壇の仏具、ブラスバンドの楽器）は多くがこの真鍮製のため、世間的にイメージする金色は、真鍮のちょっと薄く上品な色に近く、逆にホンモノの“金”は真鍮に比べると、むしろ赤味が強くエグい。

パテ

模型用の半練り素材一般を指す。素材や使い方はさまざま。'70年代までは古典的なラッカーパテ（タミヤパテ等）しかなかったので「パテ」と言えばラッカーパテを指していた。'80年頃から、ホームセンターの拡大もあり、日曜大工や補修用として多様な新素材のパテが登場、模型用に転用されて現在に至る。化学製品なので、素材技術の進歩に伴い随時新製品が出ている。

版権

多様な権利の集合である著作権の一部、主に「商品化許諾権」の俗称。「ライセンス」と称されることも。許可を与える側(マンガの作者やアニメ会社)を「ライセンサー」、受ける側(おもちゃメーカー等)を「ライセンシー」という。ちなみに、アニメ制作などの現場では、DVDのパッケージや雑誌用の描き起こしのポスターなど、「アニメ本編の動画用に描かれたモノ"以外"の単品画稿」を称して「版権イラスト」「版権絵」、それらを描くことを「版権処理」と称することもあるが、玩具、フィギュア業界で言う、版権(=商品化許諾権)とは別の文脈の用語なので、業界を越えて使うときには注意が必要。

版権モノ

上記のライセンスを得て作る製品。下記の「オリジナル商品」と区別する際に使うことが多い。フィギュアの場合はワンダーフェスティバルを中心に「当日版権」という「サブライセンス」(ラインセンスを代表会社が一括して受けて、別の会社がそこからさらにライセンスを受ける形態)のかなり特殊なスタイルでアマチュアでも限定的に版権モノを作ることが出来るので、話にのぼることが多い。

オリジナル

アニメなどの既存のキャラクター、アイテムではない、造形作家が自身で考えデザインしたモノ全般を「オリジナル」と呼ぶ。キャラクターの場合「オリジナル・キャラクター」「オリキャラ」などという。原型師本人でなくても友人や、今ではネット上の知り合いなどの、商業作品ではない個人作品を作る場合も「オリジナル」の範疇。ただ、オリジナルには"本来の"という意味もあるので混同を避けるために「創作キャラ」という場合もある。

手原型《てげんけい》

映像用の3DCG技術の応用でコンピュータ中で、3次元デジタルデータとしてフィギュア原型を作れるようになってきたため、それと区別するため旧来のパテなどでゼロから物質として作る原型を手原型と呼ぶようになってきた。
「このフィギュア、武器はデジタルだけど、顔はまだ手原型ですよ」などと使うことが多い。

デジタル原型

上記の通り、コンピュータ上で3次元のモデルとしてデータを作る工法を指す。映像用、ゲーム用の3DCGソフトの用語では立体データを作る工程も「モデリング」と呼ばれる。ソフトやノウハウは映像用のをそのまま使う流れ(美少女フィギュア等)と、工業用の専用モデリングソフト(+専用の立体入力装置)を使う流れ、さらにはリバースエンジニアリングの技術などが入り混じっていて、フィギュア原型のデジタル化は2013年現在、混沌とした過渡期とも言える。

出力機

デジタルの3次元モデルデータを樹脂などのモデルとして自動成型していく装置の総称。樹脂を糸状に積層していく形式(いわゆる3Dプリンタ)から光硬化樹脂を使うタイプ、粉末材料を接着剤で固めていくものなど、形式形態はさまざま。フィギュアの一般商品(PVC完成品)ではデジタル原型でも一度、出力機で樹脂原型を作る⇨それを手作業で最終調整⇨中国などの工場で特殊な金属で型取り(そこで使う特殊な合金(ベリリウム銅合金)の名前から"ベリ型""ベリ取り"とも呼ばれる)⇨PVC樹脂を金型で射出成型としている。
ちなみにプラモデルなど、ひと足早くデジタル化が進んだ業界ではデジタル(CAD)データ⇨工作機械に渡して金属ブロックを彫って直接金型というワークフローが完成しているため、出力機による成型品(簡易高速試作を意味する"ラピッド・プロトタイプ"からの俗称"ラピッド""ラピッド原型"とも呼ばれる)は途中での確認に使われるのに留まり、最終製品とは直接結びついていない。

スケール(フィギュア)

「スケールモデル」とも。模型業界では、ガンプラなどのアニメ系のプラモデルが大流行したときに、それ以外の、戦車、飛行機、車などの、実物があって「何分の1」と、スケール(縮尺率)が表記されているものを区別する総称として生まれ、基本的にはその意味で通ってきている。
ところが近年、フィギュア商品において、デフォルメモノ、可動モノが増えてきたことから、それらと区別して、基本的な「固定ポーズで、元絵のままの頭身」のフィギュアをして「スケールフィギュア」「スケール」と称することが出てきた。今後混乱が予想される用語のひとつ。
ちなみに美少女系フィギュアのスケール表記は、縮尺的にはそれほど厳密ではなく、設定身長と完成品の実寸から割り出すと「1/7.62」くらいだったりするが、慣習的に1/8と丸められてしまう。
元の絵自体がマンガ的に、顔は1/9、脚の長さは1/7と独特のバランスになっていることや、素材(PVC)の収縮が大きいこともあり、厳密な縮尺はあまり気にしないことになっている。

デフォルメ(フィギュア)

2～4頭身程度に頭を大きく、身体を太短くデフォルメしたモノ。'80年代のガレージキット黎明期には主流のひとつだったものが、近年「ねんどろいど」をひとつの契機に再ブレイク。各社から同様のシリーズが続々と出てきている。

可動フィギュア（可動モノ）

可動関節を組み込んで自在にポーズをとれるようにしたフィギュア全般。近年の主流は1/12スケールと、旧来の固定フィギュア（1/8～1/5）より小さめ。美少女モノの技術だけでなく可動ギミックのノウハウや生産技術にも通じている必要から分業で開発されることも多い。

キャラクターモノ

先の「スケールモノ」と対になる用語で、アニメやゲーム等、他メディアの作品に登場するキャラクターやメカ等をモチーフにした、模型、プラモ、フィギュア等全般を指す。ロボットや戦艦など、人物以外の場合でもやはり「キャラクターモノ」「キャラクターモデル」と言う。

PVC完成品

PVC＝ポリ塩化ビニル（ポリえんかビニル、polyvinyl chloride）　一般には塩化ビニール、塩ビとも呼ばれる素材の名称。それ以前のフィギュアの主な商品形態であった「レジンキット」に対して「塩ビで、組み立てキットではない、塗装済の完成品」が出てきたときに区別のために使われた言い方。素材を変えて「ABS完成品」「ポリストーン完成品」という形態もある。原型の作り方は実はレジンキットとほぼ同じ。ただし、素材の成型時の収縮率がやや大きく、顔などがちょっと痩せるので、それを見越して原型を太めに調整することも。

ガチャ

カプセルに入って専用のベンダー機で販売される商品形態。「ガチャガチャ」「ガチャポン」「ガシャポン」とも。小サイズの完成品（大半はカプセルのサイズの制約で半組み立て式）フィギュアの流通経路として一定の比率を占める。また純粋なカプセルよりも単価を上げて紙箱パッケージ＋ホビー流通で売られる「トレーディングフィギュア」や、お菓子のおまけとして売られる「食玩《しょくがん》」という発展形態も見られる。

プライズ

「UFOキャッチャー」に端を発する、ゲームセンターのクレーンゲーム機などの景品として流通するフィギュアを「プライズ品」「プライズフィギュア」と呼ぶ。また、近年はコンビニ店頭で"くじ"の景品としても同様にフィギュアが並べられている。これらも流通経路が違うだけで、原型や開発、生産の流れはPVC完成品と同じ。有名原型師が記名で作っていることもしばしば。

中国生産

現在、フィギュア製品の主流は中国の深圳《しんせん》を中心とする沿海部の経済特区にある大規模工場で生産されることが多い。工業製品全般の中で、比較的初歩的な技術で立ち上げることが出来、なおかつ輸出で外貨を稼げる玩具、模型は、新興国の軽工業のスタートアップに最適。そのため、日本も含めて多くの国が、工業発展の基礎として玩具生産をおこなってきた。現代の中国はさらにそこに人海戦術と為替差が加わることで、改革開放以降、欧米向けに完成度の高い玩具を生産してきた。そのインフラをタイミングよく利用できたことが、2000年ごろから日本のガレージキットメーカーが各種の完成品や食玩、ガチャガチャなどのメジャーな商品を作る、本格的なメーカーへの発展の一因となった。
今日では中国側の工場や経営資本が母体となり、日本に開発企画部門を子会社として持ったり、中国側が企画、日本の開発会社にデザインを発注（原型は中国で）など、イニシアチブをとることも多く、またその高度な量産技術のノウハウなども含めて、かつての「安価な下請け」というイメージではくくれない、重要な存在となっている。

How to build GARAGE KIT VOL.01

ハウツービルド ガレージキット

フィギュアの教科書

原型入門編

2013年11月10日 初版発行
2025年 5 月23日 9刷発行

著者:模型の王国

編集:松下和人

フィギュア製作・解説イラスト・本文執筆:模型の王国

キャラクターデザイン・設定イラスト:serori

撮影:茄神 緑(HK-DMZ PLUS.COM)

カバー・本文デザイン・DTP:ミズキシュン(+iNNOVAT!ON)

スペシャルサンクス:古賀学(ペッパーショップ)
望月隆一

発行人:青柳昌行

発行・発売:株式会社 新紀元社
〒101-0054 東京都千代田区神田錦町1-7 錦町一丁目ビル2F
Tel 03-3219-0921 Fax 03-3219-0922
http://www.shinkigensha.co.jp/
郵便振替 00110-4-27618

印刷・製本:株式会社シナノパブリッシングプレス

ISBN978-4-7753-1159-2 Printed in Japan